Le jardin
des souvenirs

Barbara Delinsky

Le jardin des souvenirs

traduit de l'américain
par Lucie Ranger

ÉDITION DU CLUB QUÉBEC LOISIRS INC.
© Avec l'autorisation des Éditions Flammarion Ltée
© Éditions Flammarion Ltée, 1995
Titre original: For my daughters
© 1994, Barbara Delinsky
Traduit par: Les Éditions Flammarion Ltée
Dépôt légal — Bibliothèque nationale du Québec, 1996
ISBN 2-89430-203-7
(publié précédemment sous ISBN 2-89077-128-8)

À Karen et Amy pour leurs encouragements.
À Steve, Eric, Andrew et Jeremy pour leur affection.
À tous mes lecteurs qui font confiance à la vie, comme moi.

PROLOGUE

Tout au long de ce merveilleux été, j'avais bravé les interdits. Dans mon désir de garder une dernière image de *lui*, je continuais de les braver. L'air de la mer était vif, chargé d'une odeur iodée. La peau et les cheveux aspergés par les embruns, je humais le parfum intense dont le souvenir serait impérissable. On était au début de septembre. La fraîcheur du matin ne laissait pourtant aucun doute, l'été tirait à sa fin. Avec lui disparaîtrait la seule vraie passion de toute ma vie.

Devant la porte de la remise du jardinier, sa silhouette se découpait sur le bois dont la couleur rappelait celle des caps de granit couverts de lichens qui s'avançaient dans la mer. De nombreux hivers maritimes rigoureux l'avaient marqué. La remise aussi. C'est là qu'il vivait. Cet été, pendant nos nuits, je m'y étais sentie mieux que dans toutes les demeures plus grandes, plus élégantes et plus luxueuses que j'avais habitées.

C'était un homme séduisant, grand et mince, les épaules carrées et la peau hâlée. Désir et reproche mêlés, il dardait maintenant sur moi, pour une dernière fois, son regard sombre, à mes yeux profondément mystérieux. Tout en lui évoquait la rudesse de la vie sur la côte déchiquetée du Maine.

Un passant aurait pu croire qu'il était en colère, et peut-être l'était-il un peu. Nous avions convenu de ne plus nous revoir. Nous pensions que ce serait trop douloureux après cette dernière nuit. Je n'avais pourtant pas pu m'empêcher de venir. Il me fallait un dernier souvenir, un souvenir éclairé par la lumière du jour, un souvenir ineffaçable.

Peut-être était-il furieux. Mais je pensais qu'il avait plutôt la mort dans l'âme, comme moi. Nous étions tous deux déchirés par la douleur de savoir qu'après avoir connu quelque chose de si précieux, nous le laissions échapper de notre plein gré.

De notre plein gré.

Mais agit-on jamais vraiment de son plein gré? Une personne raisonnable peut-elle faire des choix sans penser au passé ou à l'avenir? J'étais malheureusement une personne raisonnable. Je n'aurais pas pu choisir une autre ligne de conduite et Will Cray non plus.

À la maison, mes valises étaient faites et posées sous le porche, dans l'attente de l'arrivée du break cabossé qui servait de taxi à Downlee. À la maison, se trouvait aussi Dominick St. Clair, mon mari depuis quatre ans, l'homme à qui j'avais promis amour, respect et obéissance en échange de sa magnanimité. C'est à cette tâche que j'allais désormais m'atteler. Comme je l'avais souhaité, cet été avait marqué un tournant dans ma vie, mais d'une façon inattendue et bouleversante. Je devais maintenant rassembler les éléments de la vie que j'avais choisie et en faire un tout acceptable.

Je ne gardai aucun souvenir matériel de Will. Ni les églantines qu'il avait cultivées, que j'avais portées et humées, puis fait sécher. Ni les photographies qui avaient causé un tel émoi dans le petit bled de Downlee. Ni le mince anneau de cuir qu'il avait tressé et m'avait offert pour que je le glisse à mon doigt la nuit. Ce jour-là, je portais une alliance en or massif, assortie d'une bague avec diamants taillés en émeraudes et en baguettes, symbole irréfutable du monde auquel je revenais.

J'avais vingt-sept ans, cet été-là. Je connaissais l'importance des biens matériels. J'étais pourtant si ignorante des choses du cœur que je m'imaginais que je ne serais pas brisée par cette séparation.

Comme je me trompais! Mon cœur est resté près de Will

Cray dans l'air salin, dans le parfum des pins et du chèvrefeuille sauvage, dans l'éclat cramoisi des dahlias qu'il cultivait. Je le regardai une dernière fois et j'essayai de fixer le souvenir de sa passion brûlante. Les larmes m'étouffaient. La tristesse m'envahissait. Cette rupture déchirait ce qu'il y avait en moi de plus délicat, de plus sensible et de plus généreux.

Je combattais mes larmes et les doutes qui, je le savais, me tourmenteraient pendant les années à venir. Je me retournai et descendis l'allée. Quand tout se brouilla devant mes yeux, je crus entendre l'appel sinistre de la corne de brume de Houkabee Rocks, mais je continuai à avancer. Je trébuchai une fois. Puis une autre. Si mon sens du devoir n'avait pas été aussi fort, j'aurais pu y voir un signe du destin et courir me jeter dans les bras de Will.

Mais avec le recul, j'ai compris que j'étais alors animée par un sentiment beaucoup moins noble que le devoir. J'en ai été sévèrement punie. Les sanglots que je réprimai ce matin-là m'ont presque toujours empêchée d'exprimer mes sentiments par la suite. En quittant Will, je m'étais condamnée à une vie dépourvue d'émotions.

Aujourd'hui, il est temps d'essayer de réparer les torts que mon attitude a pu causer.

1

Les nouvelles étaient mauvaises. À l'expression des douze jurés, Caroline St. Clair avait deviné le verdict bien avant qu'il ne soit transmis au juge. Pas un seul n'osait la regarder en face. Il était évident qu'ils avaient jugé son client coupable.

Rationnellement, elle savait bien que, pour lui, c'était mieux ainsi. L'individu avait kidnappé son ex-femme, l'avait gardée en otage pendant trois jours et violée à plusieurs reprises. Membre respecté du corps législatif de l'État, au dossier parfaitement vierge par ailleurs, il purgerait sa peine dans le confort relatif d'une prison fédérale, recevrait l'aide psychiatrique dont il avait besoin et serait mis en liberté conditionnelle, assez jeune encore pour repartir de zéro. D'une certaine façon, un acquittement qui l'aurait jeté en pâture aux médias et aux profiteurs de tout poil, alors qu'il était profondément meurtri, aurait été plus cruel.

Mais Caroline ne pouvait renoncer à la victoire. Les victoires apportaient la renommée, la renommée apportait de nouvelles causes, et les nouvelles causes augmentaient les profits, l'unique préoccupation de l'équipe majoritairement masculine des associés chez Holten, Wills et Duluth. Comme plusieurs cabinets du même type, il s'était considérablement développé pendant deux décennies. D'autres avaient dû fermer leurs portes, mais Holten, Wills et Duluth avait réussi à se cramponner et à rester rentable. Cela s'était fait au prix d'une véritable obsession à se débarrasser du bois mort, à limiter les avantages consentis aux employés et à rationaliser les opérations. Et aussi d'une préoccupation constante des comptes à recevoir.

Caroline était récemment devenue associée et, même à quarante ans, elle était parmi les plus jeunes membres du groupe. Ses collègues plus âgés lui serinaient que l'avenir du cabinet reposait sur ses épaules, tout en scrutant à la loupe le nombre d'heures qu'elle facturait. Ils n'aimaient pas partager leur prospérité. Pis encore, ils n'aimaient pas les femmes. Caroline devait travailler deux fois plus fort et être deux fois meilleure pour être reconnue. Elle devait être plus habile à manier les principes juridiques, plus combative lors des négociations avec les procureurs, plus convaincante avec les jurés.

Cette victoire, elle en aurait eu absolument besoin.

— Un vrai coup dur, lui lança un de ses jeunes associés, de la porte de son bureau. Tu aurais pu avoir une bonne couverture de presse avec toutes les relations politiques de ton client. Mais à présent, on ne va parler que de ton échec.

Caroline lui lança un regard noir, mais moins assassin que si ça avait été à un autre de ses collègues. Doug et elle avaient été engagés en même temps comme assistants par le cabinet. Et même s'il avait été nommé associé deux ans avant elle, elle ne lui en avait pas voulu. Elle n'aurait pas pu se le permettre. C'était son principal allié dans le cabinet.

— Merci, dit-elle d'une voix traînante. Ce n'est pas nécessaire de me le rappeler.

— Peut-être, mais c'est vrai.

— Crois-tu que cette idée ne m'a pas empêchée de dormir un bon bout de temps la nuit dernière? demanda-t-elle en tapotant de l'index et du petit doigt le bureau. Je savais ce que cette cause pouvait me rapporter quand je l'ai acceptée. Je pensais avoir de bonnes chances de gagner.

— Ce n'est pas facile de prouver l'aliénation mentale.

— Mais à l'exception de ce moment d'aberration, John Baretta a toujours mené une vie exemplaire. Je pensais qu'on en tiendrait compte.

C'était le même argument qu'elle avait présenté au jury, mais avec plus d'éloquence et d'intensité.

— Tu crois donc vraiment qu'il a été temporairement aliéné.

Caroline avait dû s'en convaincre elle-même. Autrement, elle n'aurait pas pu présenter une défense efficace. Mais maintenant que le procès était terminé, elle répondit « probablement » plutôt que « absolument ! ».

Elle continuait de tambouriner des doigts.

— Cet homme était fou de sa femme. Il n'a pas pu accepter qu'elle le quitte. Mais il n'a pas de passé de violence. Il ressent de la honte et du regret. Il ne représente pas un danger pour la société. Il a besoin de thérapie. C'est tout.

— Et toi, tu aurais besoin d'une cigarette.

Elle cessa de pianoter.

— Tu parles ! Mais je ne fumerai pas. Je ne veux pas repasser par l'épreuve du sevrage et je ne ferai rien qui pourrait me rendre malade. Pense un peu à la réaction du cabinet si ça se produisait, dit-elle en poussant un grand soupir. Mes amis ne comprennent pas. Ils pensent que le fait d'être associée me donne certaines garanties, que si j'étais enceinte, demain matin par exemple, le cabinet organiserait une fête en mon honneur. En fait, on me mettrait à la porte. On trouverait un moyen d'éviter toute apparence de discrimination et on me jetterait tout simplement dehors.

Elle soupira, se sentant tout à coup très fatiguée.

— C'est tellement fragile ce que nous appelons une association, ce que nous appelons une carrière. Est-ce que ça en vaut vraiment la peine ?

— Je n'en sais rien, mais que peut-on faire d'autre ?

— Je ne sais pas, mais quelque chose ne va pas, Doug. Je suis plus affectée d'avoir perdu une cause que je ne suis peinée pour mon client, alors que c'est lui qui va purger la peine. Mon sens des valeurs est tout à l'envers. Et nous sommes tous pareils.

Elle terminait à peine sa remarque quand un second visage apparut à la porte. C'était un des associés plus âgés.

— Tu as accepté trop de femmes comme jurés, estima-t-il. Elles ont pris le parti de la victime.

Doug s'esquiva au moment où Caroline répondait :

— Le sexe n'est pas un motif d'exclusion.

— Tu aurais dû trouver un moyen de les éliminer, répondit-il en s'éloignant dans le couloir.

Elle n'avait pas encore trouvé de réplique quand un autre associé se présenta.

— Tu n'aurais pas dû le faire témoigner. Il avait l'air pitoyable jusque-là. Quand il a commencé à parler, il a donné l'impression d'être retors.

— J'ai trouvé qu'il avait l'air sincère.

— Mais pas le jury, lui répondit son confrère d'un ton de blâme.

— C'est facile d'être de brillants tacticiens après coup, raisonna Caroline, mais en vérité personne d'entre nous ne sait pourquoi le jury en est arrivé à la décision qu'il a retenue.

Elle ressassait encore ces idées quand un autre associé s'arrêta pour lui offrir enfin une parole un peu plus réconfortante.

— Oublie tout ça, Caroline. Il te faut une victoire. Fais le tour de tes causes, choisis-en une bonne et fonce dans le tas.

Caroline jeta un coup d'œil à la pile de dossiers sur son bureau. À chacun d'entre eux étaient attachés les messages téléphoniques et les notes qui s'étaient accumulés pendant le procès. Elle se disait qu'elle devrait s'en occuper, mais qu'elle n'était pas d'humeur à le faire, quand un autre associé lui lança :

— Évite surtout de mentionner le nom du cabinet quand tu parleras aux journalistes, d'accord ?

Quelques instants plus tard, elle avait toujours le regard fixé sur l'embrasure vide de la porte, éprouvant un sentiment proche du désespoir. Elle comprit tout à coup qu'il y avait bien pire que le renversement des valeurs. Il y avait aussi l'égoïsme, la cupidité et les préjugés. Sans oublier la suffisance. Et la vanité. Et la condescendance.

Pendant qu'elle y était, elle ajouta l'insensibilité et se

demanda alors par quelle aberration elle était associée avec ces gens-là.

Sans se préoccuper de soulever l'ire des associés principaux en partant du cabinet avant le coucher du soleil, elle mit dans son porte-documents les dossiers qui étaient sur son bureau. Ce serait une lecture idéale pour ses heures d'insomnie au petit matin. Elle demanda à sa secrétaire de prendre certains rendez-vous pour le lendemain et prit le chemin de la maison.

Il faisait froid comme toujours à Chicago au mois d'avril, mais le souffle du vent sur son visage était apaisant, après toutes ces journées de tension à la cour et ces soirées étouffantes au bureau. Au lieu de prendre un taxi, comme elle le faisait dans la fébrilité des semaines précédentes, elle boutonna son manteau, enroula son foulard autour de son cou et partit à pied.

Après quinze minutes de marche rapide, elle réussit à adresser un sourire au portier qui la salua par son nom, lui ouvrit la porte et appela l'ascenseur pendant qu'elle prenait son courrier.

Son appartement était au dix-huitième étage, avec vue sur le lac. De la position privilégiée qu'offrait le canapé du salon, elle pouvait composer une image qui faisait disparaître toute trace de la ville pour ne laisser qu'un tableau de voiles dans le vent. Par beau temps, c'était un spectacle de rêve.

Mais ce jour-là, le ciel était couvert. Elle laissa tomber ses affaires sur la chaise près de la porte et jeta un coup d'œil sur son courrier. Il n'y avait rien de particulier sinon une enveloppe épaisse dont le cachet de la poste de Philadelphie et la calligraphie lui révélèrent aussitôt l'origine.

Elle n'aurait pas dû en être surprise. Un message de sa mère devait arriver un jour comme celui-là. Ginny ne voulait pas qu'elle devienne avocate. Elle pensait que c'était une profession néfaste pour une femme. L'échec subi par Caroline semblait lui donner raison, comme le fait qu'elle n'avait ni mari ni enfants pour l'accueillir à sa porte.

Caroline et Ginny St. Clair n'avaient jamais partagé le même point de vue sur la situation des femmes. Elles n'avaient jamais

15

partagé le même point de vue sur grand-chose. Ginny n'appréciait pas la coupe très courte des cheveux foncés de Caroline, ni l'allure décontractée de ses vêtements. Elle n'admettait pas qu'elle ne se fasse pas les ongles ou qu'elle ne porte pas de parfum. Et elle ne comprenait pas pourquoi Caroline n'avait pas l'instinct maternel de sa sœur Annette ou l'instinct social de sa sœur Leah.

Le seul point sur lequel elles s'entendaient, c'était sur la futilité d'en discuter. Elles s'étaient donc installées dans une relation faite de rôles établis et de plaisanteries superficielles. Elles se voyaient lors des réunions de famille et bavardaient à l'occasion au téléphone. Cela convenait parfaitement à Caroline. Depuis longtemps, elle n'attendait plus de Ginny ni affection ni compréhension.

En poussant un bref soupir de regret pour ce qui aurait pu être, elle laissa tomber l'enveloppe épaisse avec le reste du courrier, suivit le couloir jusqu'à sa chambre et enleva le tailleur prune qui n'avait même pas impressionné le jury. Elle enfila un jean, passa une vieille chemise aux manches roulées jusqu'aux coudes et, pieds nus, retourna dans le salon où elle s'écroula sur le canapé.

Au-delà de sa fenêtre, le monde était nuageux et gris, voire déprimant. Le décor raffiné de son appartement, tout de chrome et de verre, n'était pas plus réconfortant. Elle se sentait glacée, défaite, contrariée, ce qui n'avait logiquement aucun sens. Elle était une avocate arrivée, associée dans un cabinet prestigieux. Elle avait déjà remporté assez de causes pour rendre négligeable son échec de ce jour et elle en remporterait encore bien d'autres dans sa carrière. Il n'y avait vraiment pas de raison d'être découragée. Aucune. Pourtant elle l'était vraiment.

Le téléphone sonna. Elle compta les coups. Le menton dans la main, elle écouta le son de sa propre voix sur le répondeur en attendant le message de la personne au bout du fil.

— Mark Spence, du *Sun-Times*, à l'appareil. Je voudrais une déclaration pour l'édition du matin. Rappelez-moi au...

Elle laissa le répondeur prendre le numéro, même si elle

savait bien qu'elle ne rappellerait pas. Elle avait fait les déclarations d'usage à la presse en sortant de la cour après le verdict. Elle avait fait la profession de foi attendue envers son client, l'appareil judiciaire et la procédure d'appel. Elle n'avait rien à ajouter.

Le répondeur s'arrêta avec un déclic. L'interphone de la porte d'entrée retentit alors. Elle ferma les yeux comme pour faire disparaître l'intrus, mais la sonnerie ne s'arrêta pas. En grommelant des mots bien choisis sur la vie privée et la presse, elle se précipita vers l'interphone et hurla :

— Qu'est-ce que c'est ?

— Holà ! jolie dame.

Après un moment, elle sourit, appuya son front sur le mur et cessa de fulminer.

C'était Ben. Son Ben. Quand elle en avait besoin, elle pouvait toujours être aussi sûre de la présence de Ben que de l'absence de sa mère.

— Allô ! Ben.

— As-tu besoin de te faire remonter le moral ?

— Tu le sais bien.

— Laisse-moi monter.

Ce qu'elle fit. Puis elle s'appuya contre la porte d'entrée, déjà plus détendue. Ben Hammer, avec son sourire calme et son allure bon enfant, était tout son contraire. Si elle ne pouvait en faire son régime habituel, sa présence aux moments difficiles avait l'effet d'un vin doux et sucré.

Elle avait déjà ouvert la porte quand il sortit de l'ascenseur, l'allure aussi dégingandée, décontractée et mauvais garçon que d'habitude dans sa veste de cuir, avec ses cheveux roux ébouriffés par le casque de moto qu'il tenait.

— C'est très dangereux d'ouvrir sa porte sans regarder auparavant par le judas, la gronda-t-il en s'approchant nonchalamment.

— Absolument personne ne pourrait imiter ta voix, dit-elle.

De cela, elle était certaine.

— Comment vas-tu, Ben?

Il lui tendit le bouquet de marguerites qu'il cachait derrière son dos.

— Sûrement mieux que toi. J'ai entendu les nouvelles. C'est un coup dur.

Elle prit les fleurs, le fit entrer et ferma la porte. Il était encore tout frigorifié par sa course dans le vent.

— Merci. C'est gentil. Un prix de consolation?

— Non, non. C'est pour te féliciter.

— Mais j'ai perdu la cause.

— Et alors? Gagné ou perdu, tu as fait tout ce que tu pouvais.

— Il semble que ce n'était pas assez, murmura-t-elle en se dirigeant vers la cuisine.

Elle mit les marguerites dans un vase et les posa sur la table basse du salon. Quelque chose de plus chic que des marguerites aurait mieux convenu à son décor, mais rien n'aurait pu l'égayer davantage.

Nonchalamment appuyé contre l'embrasure de la porte, la fermeture éclair de sa veste ouverte, Ben la regardait. En lui retournant son regard, elle sentit monter une bouffée de reconnaissance.

— J'aurais dû deviner que tu viendrais. Tu es presque toujours là quand j'ai besoin de toi.

Elle le débarrassa de son casque.

— Je suppose que tes distingués associés n'ont pas été enchantés.

— C'est le moins qu'on puisse dire.

Elle déposa le casque sur son porte-documents dans un geste de provocation envers ses distingués associés.

— La compassion ne fait pas partie du répertoire du cabinet. On trouve que c'est un signe de faiblesse.

— Mais toi, tu ne penses pas vraiment ça.

— Ce qui est important, c'est que les autres associés le pensent.

— Ça ne devrait pas, pas aussi longtemps que tu travailleras là. Comment peux-tu supporter ça?

— J'ai travaillé dur pour arriver où j'en suis.

— Bien sûr. Mais tu as du cœur. Ou tu en aurais si tes associés ne considéraient pas que c'est superflu. Ils ne sont vraiment pas sympathiques. Ça ne te dérange pas?

— Bien sûr que ça me dérange! Mais il arrive que j'obtienne une cause que je n'aurais pas eue si je ne faisais pas partie du cabinet, ou que le prestige du cabinet me permette de mieux défendre mes clients. Je me rends compte que c'est donnant, donnant. Nous profitons l'un de l'autre, le cabinet et moi.

C'était précisément la conclusion à laquelle elle en était arrivée en rentrant à pied à la maison.

— Mais c'est lui qui a la meilleure part.

— Tu as du parti pris.

— Ouais! dit-il en souriant.

De plus en plus détendue, Caroline se sentait fondre. Elle mit ses bras autour du cou de Ben et soupira de soulagement.

Ben était la personne la plus importante dans sa vie. À tour de rôle, d'autres hommes avaient été rebutés par sa passion pour l'étude à la faculté de droit, son dévouement au bureau du procureur de Cook County et son esclavage librement consenti chez Holten, Wills et Duluth. Mais Ben lui avait toujours manifesté un attachement inébranlable depuis leur première rencontre, dix ans plus tôt.

Comment avait-il pu la trouver sympathique alors? Elle était l'assistante du procureur qui avait envoyé son jeune frère en prison pour piratage informatique. Mais il lui avait dit qu'elle avait été correcte, avec un sourire qui l'avait séduite. Elle avait accepté son invitation à dîner et, quand ils s'étaient retrouvés dans le même lit, cela leur avait semblé aller de soi.

Sa vie à lui était à l'opposé de la sienne. C'était un artiste, et il passait des semaines à voyager de par le monde en prenant des photos. Les mois suivants, il transposait ces images en sérigraphies qui éblouissaient Caroline tout autant que son sourire. Des conseillers en art en achetaient des collections complètes pour garnir les murs des bureaux de diverses sociétés. Des galeries locales se disputaient la vente de ses œuvres. Mais quand Caroline lui avait suggéré d'étendre son rayon d'action et de participer à des expositions à San Francisco, Boston ou New York, il s'était contenté de hausser les épaules. Il manquait complètement de l'ambition dont elle débordait. Quand il avait terminé une série de gravures, il passait un grand laps de temps à ne rien faire du tout.

Caroline n'avait jamais été capable de rester à ne rien faire du tout. C'était comme pour le mariage qu'il lui avait proposé des douzaines de fois. Des douzaines de fois aussi elle avait refusé. Mais il ne se décourageait pas, et c'était une des raisons pour lesquelles elle l'aimait. Elle le trouvait irrésistible. Et il la faisait rire.

Elle hocha la tête en souriant, pour manifester un acquiescement amusé à ce qui s'annonçait. Il lui mordilla les lèvres, lui passa le bras autour des épaules et la conduisit le long du couloir jusqu'à la chambre. Il l'embrassa alors jusqu'à ce qu'elle soit complètement détendue.

Comme d'habitude, il retira d'abord ses propres vêtements. Peut-être se sentait-il simplement plus à l'aise tout nu quand il était excité. Mais peu importe la raison, elle ne s'en plaignait pas. À le voir ainsi, elle avait encore plus envie de lui après qu'il avait pris tout son temps pour la débarrasser de ses vêtements.

Il la combla d'amour, caressant chaque repli de son corps jusqu'à ce qu'elle perde la notion du temps et de l'espace pendant les précieuses minutes de l'orgasme. Malgré toutes leurs différences, leur accord était parfait sur ce plan et, quand leur souffle s'apaisa enfin, ils éprouvèrent la plénitude du désir assouvi.

— Serais-tu venu me voir même si j'avais gagné ? lui demanda-t-elle dans un souffle qui agita les poils fauves de sa poitrine.

— Tu peux en être sûre. Dans un cas comme dans l'autre. J'avais les yeux rivés sur la télé dans l'attente du verdict. Je suis parti dès que j'ai su. Viens passer le week-end avec moi, ajouta-t-il en la regardant dans les yeux.

Elle secoua la tête.

— Je ne peux pas. Je suis trop en retard dans mon travail.

— Apporte des dossiers avec toi.

Il habitait une cabane dans les bois à une heure de route au nord de la ville. Avec le parfum des pins, la profusion des sons de la nature et l'omniprésence du verre qui transformait la cabane en studio, elle devait y mener une bataille perdue d'avance.

— Je suis incapable de me concentrer chez toi.

— Parce que tu adores y être. Avoue.

— J'adore y être.

— Alors, pourquoi ne viens-tu pas vivre avec moi? Vends ton appartement, envoie paître tes associés sans-cœur et tu vivras avec mon argent.

Elle éclata de rire. C'était elle qui avait de l'argent. Mais il aurait été prêt à lui donner tout ce qu'il possédait.

— Ce n'est pas mon style de vie. Je suis une fille de la ville.

— Tu es masochiste.

— Je suis une maniaque du travail.

— Pas quand tu es avec moi.

— Justement. Tu as une mauvaise influence sur moi.

— Dis plutôt que je te permets de rester saine d'esprit.

Il y avait là une part de vérité.

— Oui. C'est vrai.

Il soupira.

— Alors, tu ne veux toujours pas m'épouser.

— Pas cette semaine. Je suis trop occupée.

Mais rien ne pressait pour l'instant. Elle se sentait si bien dans les bras de Ben qu'elle ne voulait pas bouger.

Trop vite à son goût, il lui donna un long baiser puis se glissa hors du lit. Elle le regarda s'habiller, enfila un peignoir et le raccompagna jusqu'à la porte où elle reçut un dernier baiser. Quand il ne resta plus de sa présence qu'une odeur de musc sur sa peau, elle fit infuser du thé et s'en versa une tasse. Elle la but, puis une deuxième pour se donner le courage d'ouvrir l'enveloppe que sa mère lui avait envoyée.

« Chère Caroline, écrivait Virginia St. Clair. Comme je n'ai reçu aucune nouvelle de ta part ou de celle de tes sœurs, j'imagine que cette lettre te trouvera en bonne santé. »

Caroline geignit doucement. Ses sœurs ne l'auraient pas su si elle avait été malade. Il y avait des semaines qu'elle ne leur avait pas parlé.

« Je suis rentrée de Palm Springs mardi dernier. Comme d'habitude, le temps y était magnifique et la société charmante, mais j'étais contente de revenir à la maison. C'est plus tranquille ici. J'imagine que je commence à ressentir mon âge. Je ne suis plus capable de passer d'un dîner à l'autre comme j'avais l'habitude de le faire. Lillian dit que je suis en train de devenir ermite. Elle a peut-être raison. »

Caroline en doutait. Sa mère avait toujours eu une vie sociale très active. Le matin elle assistait à des réunions de groupes de bienfaisance, l'après-midi elle jouait au golf et le soir elle jouait au bridge. Si elle ne dînait pas à son club, elle recevait chez elle. Trois ans plus tôt, la mort de son mari Dominick, le père de ses filles, un brave homme un peu bourru, n'avait presque pas troublé le flot de ses activités sociales.

Ginny l'avait pleuré, bien sûr. Elle avait été mariée avec Nick pendant quarante-quatre ans et avait éprouvé sa perte comme celle d'un bon ami. Avait-elle pleuré pendant des jours ? Non, pas vraiment. Ce n'était pas son genre. Pas plus que celui de Nick d'ailleurs. Il avait l'assurance des gens qui sont nés riches. Il était confiant, conciliant et peu exigeant.

Caroline lui en voulait de ne pas avoir exigé davantage, tout comme elle en voulait à sa mère de ne pas avoir donné davantage. Mais Nick ne savait pas comment demander, et Ginny donnait surtout pour satisfaire aux conventions sociales. Caroline ne pouvait pas imaginer que l'âge puisse ralentir ses activités.

Aussi fut-elle bien surprise de lire : « J'ai vendu ma maison ici et je vais déménager au mois de juin. Ma nouvelle maison est plus au nord, beaucoup plus au nord en fait, dans une petite ville qui se nomme Downlee, sur la côte du Maine. »

Caroline ne comprenait pas. Sa mère n'avait jamais séjourné dans le Maine. Sa mère ne connaissait personne dans le Maine.

« Disons que c'est un cadeau d'anniversaire que je me fais, un don de calme et de repos. Te rends-tu compte que j'aurai soixante-dix ans en juin ? »

Oui, Caroline s'en rendait compte. Il y avait précisément trente ans de différence entre elle et sa mère, ce qui voulait dire que leurs anniversaires marquants tombaient en même temps. Certaines familles en auraient profité pour organiser des fêtes monstres. Pas les St. Clair.

« La maison elle-même est vieille et a besoin de travaux, mais le terrain est à vous couper le souffle. Il domine la mer et s'étend vers l'intérieur des terres, avec une piscine d'eau salée et des jardins de bruyères, d'églantiers, de primevères, de pivoines et d'iris. Mais il est vrai que tu ne t'intéresses pas aux fleurs, je le sais. Je sais aussi que tu es très occupée, alors je vais en venir au fait. »

« J'ai un service à te demander, Caroline, et je suis bien consciente que tu pourrais refuser. Tu penses que je ne t'ai pas donné tout ce que j'aurais dû. Alors je ne t'ai volontairement pas demandé grand-chose dans le passé. Mais j'attache beaucoup d'importance à cette nouvelle maison, et c'est pourquoi je t'écris aujourd'hui. C'est le moment ou jamais pour moi de profiter du peu d'affection que tu peux avoir à mon endroit. »

Caroline était surprise de la perspicacité de Ginny et elle ressentit une toute petite pointe de culpabilité.

« Je voudrais que tu m'aides à m'installer. »

Répète un peu, pour voir !

« Tu as l'art d'agencer les éléments d'un décor. Mes goûts ne sont peut-être pas aussi modernes que les tiens, mais j'admire ce que tu as fait avec ton appartement. »

La flatterie ne te mènera nulle part, maman. Et pourtant...

Caroline poursuivit sa lecture. « Tu as l'œil pour l'art en

23

particulier. Les œuvres que tu as choisies donnent de la chaleur à ton appartement. Je me souviens tout particulièrement du tableau à l'huile qui se trouve dans ton salon. Je crois que c'est un de tes amis qui l'a peint. »

Le regard de Caroline se posa sur l'œuvre en question. C'était quelque chose que Ben avait peint sous ses yeux en un seul après-midi. Une grande toile couverte d'éclaboussures vertes, bleues et dorées, évoquant un pré voisin de sa maison. Caroline trouvait qu'elle représentait bien le génie de l'artiste. Elle adorait sa simplicité et aussi sa chaleur. Mais c'était un tableau plus abstrait que figuratif, ce qui allait à l'encontre des goûts de Ginny.

« Tu utilises les œuvres d'art pour adoucir les lignes plus sévères du décor moderne que tu privilégies. Ces lignes plus sévères ont d'ailleurs quelque chose en commun avec les falaises à Downlee. Je pense que tu pourrais faire merveille avec Star's End. »

Caroline eut un pressentiment en jetant un coup d'œil sur l'enveloppe dont elle avait tiré la lettre de sa mère.

« Je t'envoie ci-joint des billets d'avion, avec départ de l'aéroport O'Hare le quinze juin et retour à la fin du mois. »

Elle resta bouche bée.

« Oh ! je sais bien que deux semaines c'est long et que tu as un emploi. C'est pourquoi je t'écris dès maintenant. Avec un préavis de deux mois tu pourras organiser ton travail en conséquence. La notoriété à laquelle tu es parvenue dans ton domaine te permet certainement de faire cela. Sinon, tu pourras toujours dire que c'est un cas d'urgence familiale. Ce qui est vrai dans un sens. Je ne suis plus jeune. Je ne sais pas combien de temps il me reste à vivre. »

— Oh ! de grâce, gémit Caroline.

Elle laissa tomber la feuille de vélin sur ses genoux. Une absence de deux semaines bouleverserait sa pratique. C'était impossible, même si Ginny se faisait très larmoyante.

Cette femme avait du front. Caroline devait le reconnaître. Elle n'avait pas été une très bonne mère pendant l'enfance de

Caroline, presque toujours distraite, physiquement présente peut-être, mais distante. Elle n'était pas assez proche de Caroline pour lui apporter son soutien quand elle avait rompu avec son premier petit ami ou avait été refusée par le collège où elle avait choisi d'étudier. Et le jour où elle avait reçu son diplôme à la faculté de droit, Ginny avait la grippe. Oh! elle avait offert d'assister à la cérémonie quand même, mais tellement à contrecœur que Caroline n'avait pas insisté.

Caroline ne devait rien à Ginny.

Rien du tout.

Mais après tout, soixante-dix ans c'était quelque chose!

Et Ginny était sa mère. Sans tomber dans le mélodrame, Caroline aurait été complètement dénaturée de ne pas ressentir le moindre pincement au cœur à l'idée de sa mort. De plus, Caroline n'avait plus que sa mère.

Avec une frustration bien différente de celle qu'elle avait éprouvée plus tôt ce jour-là, Caroline poursuivit sa lecture. Ginny, sa gouvernante et le mobilier n'arriveraient qu'une journée avant Caroline, ce qui voulait dire, même si Ginny ne le mentionnait pas, que Caroline aiderait à déballer.

Oh! oui, Ginny était maligne. Et égoïste. Et présomptueuse. Évidemment, elle considérait que ses besoins étaient plus importants que le travail de Caroline.

Caroline soupira. Le verdict du jour lui donnait peut-être raison.

Mais ce verdict était peut-être aussi la preuve que Caroline avait besoin de vacances. L'idée de passer du temps au bord de la mer, loin du bureau, avec une gouvernante pour s'occuper d'elle et, à l'exception du déballage, ne rien faire sinon donner son avis sur l'aménagement de la maison, présentait un certain attrait.

Les gars avaleraient peut-être l'histoire de l'urgence familiale.

Elle n'avait jamais pris plus de trois jours de congé de suite depuis qu'elle s'était jointe au cabinet. Au rythme où elle travaillait, elle aurait atteint à la mi-juin un sommet personnel quant au nombre d'heures facturées et, si ce n'était pas satisfaisant pour les associés principaux de Holten, Wills et Duluth, elle se demandait bien ce qui le serait. De plus, dès la fin de juin, ils seraient eux-mêmes partis passer leurs propres vacances dans d'immenses maisons au bord d'un lac.

Alors, même si elle en voulait à sa mère d'oser lui demander de lui consacrer deux précieuses semaines, la perspective lui plaisait. Sans se l'avouer, elle était fière aussi de voir que sa mère avait de l'admiration pour son goût. Ginny n'avait pas demandé l'aide d'Annette. Ou de Leah.

Et enfin, il y avait les dernières lignes de sa lettre. « Nous n'avons jamais été proches l'une de l'autre, toi et moi. J'aimerais essayer de réparer cela, si je peux. Ce serait l'occasion de prendre le temps de nous parler. Qu'en penses-tu ? »

Ce que Caroline pensait, c'était que Ginny était un vieux singe rusé. Elle lui offrait la seule chose qu'elle ne pouvait pas refuser.

C'était injuste. Ce n'était pas correct. Ginny aurait mérité d'être rabrouée.

Caroline était bien convaincue que, si la situation avait été à l'inverse et que si c'était elle qui avait invité Ginny, celle-ci aurait trouvé une excuse et refusé poliment. Mais elle n'était pas Ginny. Elle n'aurait jamais pu faire cela. Du plus loin qu'elle se souvienne, tout en recherchant l'attention de sa mère, elle avait toujours tout fait pour être différente de Ginny. Elle n'allait certainement pas commencer à faire autrement.

2

Personne n'aurait pu dire d'Annette St. Clair qu'elle ressemblait à sa mère. Virginia était petite, Annette grande. Virginia était blonde, Annette brune. Virginia était froide, Annette chaleureuse.

Physiquement, Annette ressemblait plutôt à sa sœur aînée Caroline, ce qui l'avait toujours affligée. Caroline était une excellente élève, une meneuse, une ambitieuse. Annette avait vécu un cauchemar perpétuel en essayant de suivre ses traces. Elle se distinguait plutôt par ses qualités personnelles que par ses succès scolaires. Elle était la Dear Abby[1] de sa classe. Ses amies se confiaient à elle. Elle savait les écouter et les conseiller. Elle était la coqueluche de son groupe.

Mais on n'offrait malheureusement pas de prix à la coqueluche d'un groupe. Pas de rubrique non plus pour inscrire ce titre dans un curriculum vitae. Ça n'avait aucune importance. Annette n'avait jamais eu besoin de curriculum vitae. Elle était une maman à temps plein, la tâche la plus importante au monde selon elle. Elle se faisait une fierté de bien l'accomplir, y passait plus de seize heures par jour et en était récompensée par l'affection d'un mari et de cinq merveilleux enfants.

Caroline n'avait rien de tout cela. Annette l'avait toujours

---

1. Dear Abby est un courriériste du cœur célèbre aux États-Unis. (NDT)

enviée quand elles étaient enfants, mais elle n'aurait pas voulu être à sa place aujourd'hui.

Pas plus qu'à la place de Leah, la pauvre malheureuse Leah, dont la vie était aussi futile que celle de Ginny. Obsédée par l'idée du grand amour, Leah s'était précipitée dans le mariage à dix-neuf ans et avait divorcé l'année suivante. Remariée à vingt-deux ans, elle avait divorcé de nouveau trois ans plus tard. À trente-quatre ans, elle était devenue un oiseau de nuit, mais même si elle sortait beaucoup, elle n'avait toujours pas d'attaches.

Les attaches d'Annette, au contraire, étaient tissées serré. C'est la raison qu'elle se donnait pour ignorer l'épaisse enveloppe dans le courrier déposé sur le comptoir de la cuisine. Grâce au cachet de la poste de Philadelphie et à l'élégante calligraphie de l'adresse, Mme Jean-Paul Maxime à St. Louis, elle savait très bien qui l'avait envoyée. Et ça pouvait attendre. Ça pouvait attendre longtemps. Aussi longtemps qu'Annette avait espéré que sa mère la serre dans ses bras en lui disant sincèrement et affectueusement : « Je t'aime ».

Non, Ginny ne méritait pas qu'Annette lui consacre du temps alors qu'elle avait tant d'autres choses à faire. Ce matin-là, elle avait d'abord participé à une sortie éducative avec la classe de son fils de douze ans, Thomas. Elle s'était ensuite arrêtée chez Neiman Marcus pour acheter à ses jumelles de seize ans des robes qu'elles porteraient à leur surprise-partie dans une quinzaine. Pendant qu'elle y était, elle avait aussi choisi des souliers assortis et les sous-vêtements appropriés. Au moment où le carillon dans l'entrée allait sonner une heure de l'après-midi, elle grimpait le large escalier en colimaçon, les bras chargés de paquets.

— Laissez-moi vous aider, madame M., lui dit sa bonne, Charlene, en se précipitant vers elle.

Annette la laissa prendre les paquets du dessus qui étaient sur le point de tomber et se dirigea vers la chambre des filles. Elle sortit les robes et les disposa élégamment, une sur chaque lit.

Charlene avait les yeux ronds.

— Elles sont magnifiques.

Annette était du même avis.

— Je pense qu'elles leur iront parfaitement, la bleue pour Nicole et la rouge pour Devon. Elles auraient probablement préféré du noir, bien sûr. Elles vont me dire que tout le monde porte du noir. Mais heureusement, comme elles n'ont pas le temps de faire leurs courses elles-mêmes, elles céderont peut-être. Sinon, si elles haïssent vraiment ces robes, je pourrai les rendre et en choisir d'autres, mais au moins nous avons un point de départ.

Satisfaite, elle jeta un coup d'œil sur sa montre.

— Je vais prendre un déjeuner rapide. J'ai rendez-vous avec les professeurs de mon petit Nat à quatorze heures, et le match de Robbie commence à quinze heures.

Elle s'engagea dans l'escalier et se hâta vers la cuisine en entendant la sonnerie du téléphone.

— Allô ! maman, c'est moi.

— Robbie ! Je pensais justement à ton match.

— C'est pour ça que je t'appelle. Ne viens pas, maman.

— Pourquoi ?

— Parce que je ne jouerai pas.

— Comment ça ?

— L'entraîneur vient de me le dire.

— Mais tu as eu une excellente saison l'année dernière.

— Ça, c'était au collège. On est à l'université maintenant.

— Tu es un joueur de premier but exceptionnel.

— Hans Dwyer est meilleur que moi. Et c'est un joueur senior. Je ne suis qu'un junior.

Annette compatissait à la déception de son fils.

— Tu ne joueras pas du tout ?

— Peut-être pendant les dernières manches. Si on a un grand avantage ou si on est battus à plate couture.

— Mais ce n'est pas juste.

— Ça se passe toujours comme ça.

29

— Alors je vais aller au match, au cas où ça se passerait comme ça aujourd'hui, décida Annette.

— Non, maman. Ne viens pas, je t'en prie.

— Ça ne me dérange pas, insista-t-elle. Vraiment.

— Mais ça me dérange, moi. Je ne veux pas que tu viennes. C'est déjà bien assez que je sois mis sur la touche, ce serait dix fois pire si tu étais là pour voir ça.

— Mais je serai là pour encourager toute l'équipe.

— Non, maman.

— Écoute, ne nous disputons pas, dit-elle d'un ton apaisant. Tu vas à ton match et tu fais de ton mieux. Si je décide d'y aller, j'irai. Sinon, je n'irai pas. C'est tout.

Mais elle savait bien qu'elle irait. Seule une incapacité physique lui aurait fait manquer un événement auquel un de ses enfants participait, même s'il n'y jouait pas un rôle important, comme Robbie ce jour-là. Annette se définissait elle-même par sa disponibilité pour ses enfants. Elle voulait que jamais, au grand jamais, ils ne vivent l'expérience de voir d'autres parents dans les gradins, et pas les leurs.

Jean-Paul faisait son possible. Il assistait aux matches, aux concerts et aux récitals chaque fois qu'il le pouvait. Mais c'était rare, et à juste titre. Il était neurochirurgien. Sa journée de travail s'allongeait de sept à dix-neuf heures, et il devait ensuite lire des revues spécialisées, le soir à la maison.

Il était donc deux fois plus important qu'elle assiste elle-même aux matches de base-ball, entre autres. Elle était certaine que Robbie protestait parce que c'était de rigueur pour un garçon de dix-sept ans, mais que dans le fond il souhaitait qu'elle soit là.

C'est pourquoi elle ne fut pas étonnée quand il ignora sa présence dans les gradins et passa à côté d'elle en la saluant à peine à la fin du match. Elle ne s'attarda pas non plus. Il reviendrait à la maison par ses propres moyens quand il serait prêt. De toute façon, elle devait aller chercher Thomas à sa leçon de trompette et le conduire chez son professeur de mathématiques, puis passer prendre Nat chez son ami et le ramener dîner à la maison.

Elle avait à peine terminé de servir ce premier repas quand les filles arrivèrent en papotant. Elles ne furent vraiment pas emballées par les robes, mais pas parce qu'elles n'étaient pas noires.

— Nous avions prévu aller faire des courses nous-mêmes avec Susie et Beth après l'école demain, dit Nicole.

Annette trouvait que ça n'avait pas de bon sens.

— Vous n'aurez pas le temps. Vous avez deux examens le lendemain.

— Mais nous avons déjà étudié, l'assura Devon.

— Vraiment?

— Bien... un peu, et nous terminerons après nos courses.

— C'est vrai, maman, insista Nicole. On a prévu ça depuis des siècles.

— Et ces robes-ci alors? demanda Annette en désignant les lits.

— Elles sont superbes.

— Mais c'est ton choix, pas le nôtre.

— Elles vous iront si bien, affirma Annette. Ce sont des robes magnifiques.

— Oui, mais nous aurions voulu les choisir nous-mêmes.

— Tu fais trop de choses à notre place, maman.

— C'est parce que j'adore faire des achats pour vous.

— Bien sûr, parce que grand-mère ne l'a jamais fait pour toi et que ça t'a manqué, mais ce n'est pas notre cas.

— À propos de grand-mère, demanda Devon, qu'y a-t-il dans sa lettre?

Annette avait presque oublié l'enveloppe qui était toujours en bas.

— Je ne sais pas.

— Tu ne l'as pas ouverte?

— Pas encore.

— Tu n'es pas curieuse?

— Pas vraiment, dit Annette en souriant et en tendant les mains vers ses filles.

Elle accordait beaucoup d'importance aux contacts physiques, même les moindres.

— Je m'intéresse beaucoup plus à vous, les filles. Voulez-vous manger tout de suite ou plus tard?

Elles mangèrent, et Annette leur tint compagnie ainsi qu'à Robbie quand il rentra. Elle ne mangea elle-même qu'au retour de Jean-Paul et elle mettait les dernières assiettes dans le lave-vaisselle quand la lettre en provenance de Philadelphie apparut devant ses yeux.

— Fais-tu exprès d'ignorer ceci? demanda Jean-Paul de sa voix basse, marquée d'un léger accent.

Cette voix était apaisante, rassurante. Elle donnait confiance à ses patients et réconfortait Annette.

— Ça se pourrait.

— Comme d'habitude alors : œil pour œil...

Elle rit doucement, un peu tristement.

Il brandit la lettre devant elle. Elle la prit entre ses doigts humides et la laissa tomber sur le comptoir.

— Je m'en occuperai plus tard. Quand j'aurai fini tout le reste.

Elle donnait la priorité absolue à ses enfants. Rien ne devait venir gâcher le temps qu'elle passait avec eux.

Or c'est précisément ce que produirait une communication en provenance de sa mère. C'était toujours le cas. Annette réussissait à écarter ses sœurs de ses pensées et à les ignorer, mais pas Ginny. Les souvenirs d'une intimité factice et d'une vie de famille ratée suscitaient en elle encore trop de rancune. Ginny avait toujours été là sans y être vraiment. L'objectif primordial d'Annette dans la vie était d'être présente corps et âme.

Elle ne laisserait certainement pas sa mère la déranger ce soir-là.

Mais elle ne pouvait quand même pas éterniser la soirée. Nat et Thomas finirent par se coucher, et les trois plus vieux étudiaient dans leurs chambres ou étaient au téléphone. Ils l'avaient tous embrassée chaleureusement en la congédiant gentiment pour la nuit.

Annette passa sa chemise de nuit et se glissa dans le lit à côté de Jean-Paul. Il était adossé aux oreillers, ses lunettes de lecture sur le bout de son nez aquilin dont les jumelles avaient heureusement hérité, ses longues jambes nues et détendues sous les draps.

Rassurée par sa présence réconfortante, elle ouvrit enfin la lettre de sa mère et commença à la lire. Elle se mit à bougonner presque aussitôt.

— Quoi? demanda Jean-Paul.

— Elle commence en disant qu'elle suppose que nous sommes tous les sept en bonne santé, puisque ni moi ni mes sœurs ne l'avons informée du contraire. Pauvre maman. Elle continue de faire semblant de croire que nous sommes une belle grande famille unie. Mais ni Caroline ni Leah ne le sauraient si l'un d'entre nous était malade. Je ne leur ai pas parlé depuis des semaines.

— C'est triste, releva son mari d'un ton songeur, mais sans blâme. Comment te sentirais-tu si nos enfants devenaient des étrangers les uns pour les autres en vieillissant?

— Très malheureuse. C'est pourquoi je les élève pour qu'ils soient des amis. Ils n'ont pas à se disputer mon temps ou mon affection comme mes sœurs et moi devions le faire avec Ginny. J'en ai plus qu'il n'en faut pour tout le monde.

Elle retourna à la lettre et se remit à ronchonner.

— Elle vient de rentrer de Palm Springs et elle dit que c'est plus tranquille à Philadelphie... Ça, par exemple! Elle a vendu la maison. Et elle en a acheté une autre, dans le Maine? Ça ne tient pas debout! s'exclama-t-elle en regardant Jean-Paul et en fronçant les sourcils.

— Pourquoi?

— Maman est d'abord et avant tout un pilier de la société. Elle ne connaît personne dans le Maine. Et ce n'est même pas à Portland. C'est dans une petite ville sur la côte, quelque chose comme une colonie d'artistes, d'après ce qu'elle dit. Et elle va avoir soixante-dix ans !

Annette leva de nouveau les yeux vers Jean-Paul, pour se faire rassurer cette fois. Si elle en voulait à Ginny de sa performance comme mère, elle n'était pas indifférente au fait qu'elle vieillissait.

— Soixante-dix ans, c'est tout un bail !

— Ton père était plus âgé que ça quand il est mort.

— Mais ce n'est pas pareil pour maman. Elle fait à peine soixante ans.

— De plus, c'est une femme, alors tu t'identifies à elle.

— Non. Absolument pas.

Elle échappa au regard amusé de Jean-Paul en retournant à la lecture de la lettre, mais continua de passer ses commentaires à mi-voix.

— Star's End, c'est le nom de l'endroit, est un cadeau d'anniversaire qu'elle s'offre. Elle dit qu'il y a un jardin magnifique. Leah va être aux anges. Elle va pouvoir couper des fleurs et en faire des arrangements à cœur joie. Mais évidemment, dans le fin fond du Maine il n'y aura personne d'important pour pousser des oh ! et des ah ! devant son génie de la décoration.

— Annette, la gronda-t-il.

Annette en avait gros sur le cœur.

— Pas de problème. Maman va en pousser des oh ! et des ah ! Leah a toujours été sa préférée.

— Voyons.

— C'est vrai. Leah était la seule qui partageait le penchant de maman pour le golf. Hé ! Hé ! Maman dit qu'elle a une faveur à me demander. Elle dit qu'elle sait que je pourrais refuser. Comme elle a de l'intuition, Ginny ! ricana-t-elle.

— Annette !

Elle finit par ressentir une pointe de remords.

— Je m'excuse. J'ai de la difficulté à être indulgente quand il est question de ma mère.

Elle se tut et continua sa lecture. Le silence se prolongea

jusqu'à ce que Jean-Paul le brise en posant ses papiers dans un froissement.

— Quoi?

— Cette femme est absolument incroyable!

Elle regarda attentivement ce qu'il y avait dans l'enveloppe puis la lança au pied du lit.

— Il y a un billet d'avion. Elle veut que je passe les deux dernières semaines du mois de juin à l'aider à s'installer. Elle dit qu'elle a toujours admiré l'atmosphère chaleureuse qui règne dans notre maison. Comme si c'était la décoration qui donnait de la chaleur. Elle ne comprend donc pas que la chaleur vient des personnes, pas des choses.

— Elle veut que tu décores sa nouvelle maison?

— Non, pas vraiment la décorer. Plutôt quelque chose comme l'aider à lui donner une âme.

— Ça pourrait être amusant, dit Jean-Paul, si sérieusement qu'Annette se détourna vivement, stupéfaite.

— Je n'irai pas!

— Pourquoi pas?

— J'ai des obligations ici, des obligations drôlement plus importantes pour moi que d'accorder une faveur à ma mère. Je ne peux pas simplement faire ma valise et quitter la maison pendant deux semaines. Je ne lui dois pas ça. Elle ne l'a jamais fait pour moi. Par ailleurs, ce serait différent si elle avait aussi envoyé des billets pour toi et les enfants, mais elle n'y aurait jamais pensé. Elle n'a aucune idée de ce que ma famille représente pour moi.

— Elle pensait probablement que les enfants seraient à l'école.

— Cette erreur montre bien comme elle est loin de la réalité. C'est la période de désœuvrement entre la fin de l'école et les activités d'été. Thomas et Nat ne tiendront pas en place jusqu'à leur départ pour la colonie de vacances, et Robbie et les filles ne commenceront pas à travailler avant la toute fin du mois. Ces deux semaines seraient le pire moment pour moi. Et de toute façon, je ne veux pas y aller.

— Ta mère dit qu'elle admire ton goût.

— Ouais...

— Sinon, elle ne te demanderait pas ça. Elle n'a pas choisi Caroline ou Leah.

Annette devait reconnaître que cela lui faisait plaisir. Elle était celle des trois qui incarnait le mieux ce que Ginny avait essayé de réussir, sans y arriver.

Jean-Paul se taisait. Voyant qu'il ne reprenait pas sa lecture, elle lui donna un petit coup de coude. Il posa ses lunettes et dit :

— Je pense que tu devrais envisager la possibilité d'y aller.

— Il n'en est pas question.

— Pourquoi? Elle te demande une faveur. Je sais bien que tu penses que tu ne lui dois rien, mais tu lui dois au moins la vie. Autrement, je ne t'aurais pas connue, et nos enfants ne seraient jamais nés. Et c'est ta mère, Annette.

— Mais on a besoin de moi ici.

— C'est ce que nous pensons, bien sûr, soupira-t-il, mais nous pourrions peut-être vérifier si nous sommes capables de nous organiser sans toi pendant deux petites semaines de nos vies.

— Évidemment que vous en êtes capables.

— Vraiment? Nous ne le saurons jamais si nous n'essayons pas.

— Mais c'est un moment tellement mal choisi.

— En fait, dit-il doucement, ce n'est pas du tout une mauvaise période. Rob et les filles seraient là pour surveiller Thomas et Nat. Ils pourraient leur organiser des activités à tour de rôle pour les garder occupés.

Annette se dressa sur un coude et le regarda bien en face.

— Es-tu sérieux?

Il réfléchit un instant avant de lui dire oui.

— Mais il s'agit de ma mère, Jean-Paul. Tu connais mes sentiments à son égard.

— Oui bien sûr, je les connais. Mais je ne les ai jamais vraiment compris. Qu'est-ce qu'elle a donc fait de si terrible?

Annette tassa un oreiller contre la tête du lit.

— Il s'agit plutôt de ce qu'elle n'a pas fait.

Elle se laissa retomber sur l'oreiller pour s'éloigner de Jean-Paul par représailles pour les doutes qu'il exprimait.

— Elle jouait son rôle de mère comme une automate. Elle posait les bons gestes et faisait tout ce qu'elle était censée faire, mais elle ne manifestait jamais d'émotion. Pas sincèrement. Je t'ai déjà raconté l'épisode de la chambre à coucher. C'est un exemple parfait.

— Je n'ai jamais compris ce qu'il y avait de si grave dans cette histoire.

— Jean-Paul, gémit Annette, elle m'a traitée comme une moins que rien.

— Parce qu'elle a redécoré ta chambre pendant que tu étais à la colonie de vacances ?

— Parce qu'elle n'a pas tenu compte de moi. Elle ne m'a pas demandé ce que je voulais. Elle ne m'a pas demandé si je souhaitais un changement. Non. Elle a décidé ce qui serait fait et quand. Et pas seulement pour moi. Pour Caroline et Leah aussi. Elle a fait place nette dans nos chambres cet été-là, sans tenir compte de nos goûts personnels. Quand nous sommes revenues à la maison, nous avons trouvé trois chambres somptueuses, presque pareilles et sans aucun caractère.

— Elle voulait vous offrir de jolies choses.

— Elle faisait ce qu'elle voulait, pas ce que nous voulions. Elle ne s'en préoccupait pas. Le problème est justement là. Elle ne s'est jamais vraiment intéressée à nous et à nos vies. Elle s'est toujours montrée distante envers nous. Quand nous étions enfants, elle trouvait toujours à redire. Nous avions toujours l'impression que c'était notre faute si nous ne réussissions pas à lui plaire. Nous avions toujours l'impression d'avoir fait quelque chose de mal.

— C'était peut-être seulement à cause de sa personnalité. Tout le monde ne peut pas être aussi chaleureux que toi. Tout le monde ne peut pas être attaché à sa famille aussi profondément que toi.

— Mais ça nous a toutes marquées, cette incapacité perpétuelle à lui plaire. Par l'idée fixe de devenir la meilleurs avocate au monde, pour Caroline. Et elle l'est peut-être devenue, même si c'est un vrai glaçon. Par l'idée fixe d'être aimée, pour Leah. Ça lui arrive peut-être parfois, une nuit de temps en temps.

— Et par l'idée fixe d'être la meilleure mère au monde, pour toi.

— Pas une idée fixe. Le mot est trop fort.

— Mais juste quand même. C'est ce qui est le plus important pour toi dans la vie.

— Peut-être, concéda-t-elle, mais qu'y a-t-il de mal à ça?

— Rien. Seulement tu as peur de nous laisser seuls, même pour quelques malheureuses semaines.

— Je n'ai pas peur.

— Je pense que oui. Tu as peur.

Annette aurait été offensée si elle n'avait pas été aussi sûre de l'amour de Jean-Paul. Mais ils étaient les meilleurs amis du monde, en plus de tout le reste.

— Qu'est-ce que tu veux dire? lui demanda-t-elle.

Il attendit un instant avant de lui répondre d'une voix douce.

— Nous sommes toute ta vie. Tu te consacres entièrement à nous. L'amour qui règne dans notre famille représente tout ce qui t'a manqué quand tu étais une petite fille. Et tu as peur de le perdre.

Elle hocha la tête, mais il continua.

— Tu as peur de perdre quelque chose si tu n'es pas là pour nous tendre un mouchoir de papier chaque fois que nous éternuons. Tu aurais l'impression d'être aussi négligente que ta mère. Et tu crains que l'amour ne s'évanouisse.

Elle bougonna.

— Je ne suis pas si mauvaise que ça.

— Mais tu as peur. Si tu n'es pas constamment mêlée de

près à la vie de nos enfants, tu as peur qu'ils t'en veuillent et s'éloignent de toi comme tu t'es éloignée de ta mère.

— Toutes les femmes redoutent le jour où leurs enfants quitteront le nid.

— Mais toi, tu ne devrais pas, dit-il avec plus d'insistance. Tes enfants t'aiment. Ils savent combien tu les aimes et ils apprécient ce que tu fais pour eux. Ce qu'ils vivent avec toi est complètement différent de ce que tu as vécu avec Virginia. Ils ont de l'affection pour toi, Annette. Si tu n'es pas là, ils vont s'ennuyer de toi.

— Voilà ! C'est justement pour ça que je ne me mettrai pas à la disposition de maman.

La voix de Jean-Paul se fit plus grave.

— Mais ils doivent apprendre qu'ils peuvent s'ennuyer de toi et survivre quand même en ton absence. Cela fait partie de leur apprentissage de la vie d'adulte. Ils doivent apprendre à se passer de toi, puis à se réjouir de ton retour.

— Mais pourquoi se passer de quelqu'un si ce n'est pas obligatoire ?

— Tu devrais le faire, Annette. Tu te mêles parfois trop de leurs vies. Tu dois les laisser respirer un peu.

— Et toi ? demanda-t-elle avec inquiétude. As-tu besoin de respirer aussi ?

— Oh ! moi, je respire très bien avec toi à mes côtés. Mais toi aussi tu as besoin de respirer, dit-il avec un sourire triste.

— C'est ici, avec ma famille, que je respire le mieux.

— Mais il faut aussi que tu te voies comme une personne. Tout le monde a besoin de ça. Moi, je peux le faire au travail. Dans ton cas, le travail est la maison et vice versa. Sans distinction, sans possibilité de faire la part des choses. Et puis il y a ta mère. Tu as raison, elle prend de l'âge. C'est déjà beau d'atteindre soixante-dix ans. Tu ne peux pas savoir combien il lui reste de temps à vivre.

— C'est ce qu'elle dit, marmonna Annette. Pour essayer d'attirer ma sympathie.

— Tu devrais faire la paix avec elle.

— Nous sommes en paix.

Il la regarda et hocha doucement la tête sans dire un mot.

— Si on peut dire, concéda Annette.

Elle était incapable de faire abstraction des derniers mots de la lettre de Ginny. « Nous n'avons pas été proches l'une de l'autre dans le passé, mais cela ne veut pas dire que nous ne pouvons pas trouver de terrain d'entente. Ce serait agréable de prendre ensemble le temps de nous parler. »

— Ça pourrait certainement être mieux, dit Jean-Paul.

— Mais je ne veux pas y aller.

Il soupira.

— Je sais bien.

Il lui tendit les bras et la serra contre lui. Elle ne résista pas.

— Penses-y quand même, veux-tu ? Imagine comment tu te sentirais si tu avais soixante-dix ans et que j'étais mort...

Elle lui mit la main sur la bouche.

— Je ne veux même pas y penser.

Il prit sa main et la serra dans la sienne.

— Mais ça pourrait arriver. Imagine que tu aies soixante-dix ans et que tu demandes la même chose à un de tes enfants. Comment te sentirais-tu si cet enfant refusait ?

— Je serais foudroyée, mais ma mère n'est pas moi. Je doute que ça fasse une grande différence pour elle que j'y aille ou non.

— Elle a pris la peine de t'envoyer un billet d'avion. Ça prouve que c'est important pour elle.

Annette pensait bien qu'il avait raison. C'était ça le pire. Jean-Paul avait presque toujours raison les rares fois où il n'était pas d'accord avec elle. Mais tout cela était fait si gentiment qu'elle ne pouvait pas lui en vouloir.

Bien sûr, les enfants pourraient survivre en son absence. Bien sûr, ils ne se mettraient pas à la détester si elle allait passer deux semaines avec sa mère vieillissante. C'était seulement pour une fois. Il n'y avait ni bal, ni récital, ni match de championnat pendant ces deux semaines. Elle serait revenue avant qu'ils n'aient eu le temps de souffrir de son absence. Bien sûr, ils ne cesseraient pas de l'aimer pour autant.

Sa tête le savait bien, mais son cœur? C'était tout autre chose. Jean-Paul avait raison à ce sujet-là aussi. Il avait tout à fait raison. Elle avait peur. Un tout petit peu. Peur de ressembler à sa mère.

3

Leah St. Clair vivait dans le quartier chic de Woodley Park. Au cours de ses pérégrinations quotidiennes en ville, elle passait devant les ambassades, le Département d'État, la Maison-Blanche et le Capitole. Et presque tous les soirs, elle frayait avec des gens qui y travaillaient. C'étaient ses amis, ils formaient son cercle social. Ce n'était pas le seul cercle social de Washington, ni le plus élitiste, mais c'était un cercle fermé. Il y avait des règles d'adhésion, et on pouvait toujours prévoir qui serait invité à telle ou telle réception, que ce soit à des fins politiques, charitables ou sociales. Leah savait toujours qui elle rencontrerait et ce qu'elle dirait. Elle connaissait le scénario par cœur.

Ce soir-là, elle avait reçu vingt-quatre personnes à dîner. Les derniers invités venaient de partir, et le traiteur s'apprêtait à plier bagage dans la cuisine. Leah passait le salon au peigne fin, ramassant les miettes, essuyant les marques de condensation laissées par les verres et faisant disparaître les taches sur le marbre, le verre et le bois.

Magnifique réception, Leah. Nourriture exquise. Somptueux bouquets.

Elle s'arrêta un instant pour admirer les grands lis rouges et blancs qui jaillissaient de trois élégants vases de cristal. En s'approchant, elle sentit leur parfum qui embaumait. Ce n'étaient pas ses fleurs préférées. Elle aimait mieux l'odeur du lilas et du chèvrefeuille. Mais l'arôme des lis valait quand même mieux que le relent des cigares.

Elle résista à l'envie d'ouvrir les fenêtres. En cette nuit d'avril, l'air était tiède et humide. Ce qu'elle aurait voulu, c'était de l'air sec, piquant et tonique.

Elle retira les restes des bougies des chandeliers d'argent et ramassa les gouttes de cire figée dans la paume de sa main avec les paillettes qui avaient décoré la table.

Superbe présentation, Leah. Simple, mais élégante. Scintillante. Raffinée.

Et le repas avait été exquis, le tournedos bien moelleux, la béarnaise réussie à la perfection. Même les têtes de violon, dont elle avait dû expliquer elle-même la préparation au chef, avaient été sublimes.

Elle fronça les sourcils en voyant une tache rose sur le tapis d'Orient du boudoir. Ce qui avait été un excellent bordeaux rouge était en passe de devenir une tache indélébile. Pour éviter cela, elle alla chercher du détachant, releva sa robe longue et s'agenouilla. Elle vaporisa et épongea, vaporisa et épongea. La tache s'estompait peu à peu. Elle continua de vaporiser et d'éponger jusqu'à ce qu'il ne reste qu'une ombre, puis se rassit, fière d'elle.

— Nous partons, madame St. Clair, lui dit le traiteur.

Elle lui fit un sourire satisfait et un signe de la main sans se lever. Elle l'avait déjà remercié et avait donné les pourboires attendus à ses employés. Elle savait d'expérience qu'elle trouverait une facture plutôt salée dans le courrier dès le lendemain matin.

La porte se referma. Le silence s'établit et son contentement s'évanouit.

Elle jeta un autre coup d'œil sur le tapis pour s'assurer que la tache avait à peu près disparu, puis se leva et regarda autour d'elle. Elle n'avait pas tout à fait l'impression d'être vraiment chez elle après l'invasion étrangère subie ce soir-là. Le vide était absolu, les traces de la réception peu nombreuses, mais aga-

çantes. Elle se sentait abandonnée, seule dans un monde arti-
ficiel.

Un bon nettoyage réglerait le problème. Quand sa femme de
ménage aurait terminé sa journée le lendemain, la réception serait
chose du passé, la fumée des cigares aurait disparu, sa maison
redeviendrait sa maison, et Leah pourrait se détendre.

Elle replaça une chaise d'appoint, redressa des tableaux, et
jeta quelques serviettes de table en papier que les traiteurs
avaient oubliées.

Quelle magnifique réception! Magnifique!

La conversation n'avait pas langui, tantôt passionnante, tantôt
amusante. Les raseurs s'étaient heureusement abstenus d'intervenir. Elle essaya d'identifier le point saillant de la soirée, mais
les événements se confondaient avec ceux d'autres réceptions.

Pour échapper au trouble qui s'emparait d'elle, elle éteignit
les lampes et grimpa l'escalier jusqu'à sa chambre. Là, dans le
noir, elle quitta sa longue robe blanche qui étoffait sa silhouette
un peu malingre et, vêtue seulement de la combinaison de soie
qu'elle portait dessous, s'approcha de la fenêtre. La cour en bas
baignait dans un reflet ambré à travers les branches en bourgeons. Un banc et une série de chaises en fer forgé offraient
l'image un peu floue d'un jardin de ville typique.

À l'idée qu'elle travaillerait dans le jardin le week-end suivant, elle se sentit plus calme.

Elle se laissa tomber sur la banquette sous la fenêtre et
s'adossa au mur vert forêt. Elle adorait cette pièce, avec ses meubles de rotin blanc qui se découpaient sur le vert des murs et sa
vue sur le jardin. Elle ne partageait pas l'avis de ses voisins qui
se plaignaient de l'exiguïté des chambres du troisième étage.
Cette exiguïté la réconfortait. C'était un petit coin douillet. Entre
ces murs se trouvait une parcelle de l'univers parfaitement familière et absolument sûre.

Elle frotta doucement sa tête contre le mur, puis la pencha
vers l'avant et retira les épingles qui avaient retenu son chignon
bien serré pendant toutes ces heures. Elle les empila, puis se

passa les mains dans les cheveux. Comme une éponge séchée trempée dans l'eau, sa crinière blonde se gonfla et boucla, lui faisant comme un appui-tête quand elle s'adossa de nouveau.

Elle repensait à la réception. Elle regardait le jardin. Elle écoutait le silence.

Elle soupira une fois, puis une autre et, quand sa vue s'embrouilla, elle ferma les yeux. Elle était fatiguée. Tout simplement. Comme toujours avant ses règles, elle était un peu larmoyante. Il y avait aussi, bien sûr, la désillusion habituelle après une réception. Mission accomplie. Plus rien à faire, sinon en organiser une autre.

Une délicieuse idée lui fit rouvrir les yeux. Elle allait redécorer l'appartement. Ça lui remonterait le moral. Elle pourrait changer le papier peint du salon. Non, la cuisine plutôt. Une cuisinière neuve. Une plus grosse cette fois-ci, comme celles des professionnels. Elle adorait cuisiner. Si elle offrait trois petits dîners pour huit personnes plutôt qu'un repas monstre pour vingt-quatre, elle pourrait faire la cuisine elle-même.

Ses amis ne l'apprécieraient pas nécessairement. Les femmes en particulier se sentiraient peut-être menacées et formuleraient sans doute des commentaires mesquins. Leah n'avait surtout pas besoin de ça. Elle n'était déjà pas assez sûre d'elle-même.

Elle pourrait peut-être quand même se procurer cette cuisinière. Elle pourrait cuisiner juste pour elle. Ou bien, merde ! pour la soupe populaire.

Elle se releva de la banquette et se dirigea vers le fauteuil placé dans un coin de la chambre. Un châle en cachemire était drapé sur le dossier. Elle le mit sur ses épaules et se pelotonna au creux des coussins moelleux du fauteuil. Elle se recouvrit entièrement du châle jusqu'au cou.

Une cuisinière, peut-être...

Mais ça pouvait attendre. L'été approchait, et elle partirait. Si elle arrivait à choisir une destination évidemment. Elle avait réfléchi aux suggestions faites par son agent de voyage. Mais Hong Kong était trop grouillant d'activité, le Costa Rica trop chaud, Paris associé à trop de souvenirs. L'Alaska peut-être. L'agent de voyage lui proposait une croisière intime où elle ne se sentirait peut-être pas trop perdue.

Ce qu'elle aurait vraiment voulu, c'est participer à un rodéo. La légende du Old West gardait un certain attrait.

Mais elle n'avait jamais aimé monter à cheval, ni vivre à la dure. Elle se demanda si elle pourrait survivre à un rodéo, même en compagnie d'une amie. De toute façon, ça n'intéressait aucune d'elles. Elle se dit qu'il valait peut-être mieux rêver de choses comme un rodéo, même de luxe comme celui auquel elle pensait, que de les vivre réellement.

Ça ne faisait quand même pas de mal d'y penser. Elle avait fait venir de la documentation. Elle se demandait quand elle la recevrait.

Elle se rendit compte tout à coup qu'elle n'avait pas vu son courrier ce jour-là. Il était arrivé tard à la fin de l'après-midi, alors qu'elle était prise par les préparatifs de la soirée.

Son châle bien serré contre elle, pieds nus, elle redescendit l'escalier jusqu'à la cuisine où se trouvait le courrier, coincé entre deux boîtes en cuivre. Elle avait hâte de voir ce qu'elle y trouverait. Elle adorait recevoir du courrier. Un parfait inconnu pouvait vous faire signe. Quelque chose de complètement inattendu pouvait arriver. Pour ce qu'elle en savait, sa vie était peut-être sur le point de prendre un virage excitant.

Elle passa le courrier en revue. La documentation sur le rodéo n'y était pas. Non plus qu'une lettre d'un admirateur secret qui viendrait de se décider à déclarer sa flamme. La seule communication un peu surprenante ce jour-là venait de sa mère.

Leah savait d'expérience qu'elle ne pouvait pas en attendre beaucoup de réconfort. Mais l'espoir a la vie dure, même après bien des années. Excitée malgré elle, elle déchira l'épaisse enveloppe et lut la lettre qui s'y trouvait. Elle s'arrêta à mi-lecture pour jeter un coup d'œil sur le billet d'avion. Quand elle eut fini, elle remit la lettre dans l'enveloppe avec le billet et l'emporta en haut. Elle alluma la lampe basse près du lit, se blottit sous l'édre-don, sortit de nouveau la lettre et la relut.

Peut-être pas beaucoup de réconfort, mais un compliment tout de même, ce qui était flatteur. Si Virginia St. Clair faisait rarement des compliments, ce n'était pas par arrogance, fierté ou recherche de la perfection. Leah ne l'avait compris que tout récemment : c'était simplement que, lorsque les félicitations auraient été de mise, sa mère avait l'esprit ailleurs.

Leah refusa d'envisager toutes les raisons qu'elle aurait eues de ne pas aller dans le Maine. Au contraire, elle s'endormit en pensant à la demande de Virginia et passa toute la nuit bercée par l'espoir et le rêve.

L'excitation la réveilla à huit heures le lendemain matin. Elle éclata de rire devant l'étonnement de sa femme de ménage qui avait l'habitude d'entrer sans la réveiller et de ne la voir que beaucoup plus tard. Ce matin-là, Leah avait de plus les yeux brillants et les cheveux en bataille. Elle débordait d'entrain. Elle attacha ses cheveux, passa un vêtement d'intérieur en soie et s'ac-corda un bol de framboises à la crème sur la table en bordure de la cour. Elle sirota son café en lisant le journal et passa le temps avec plus ou moins de fébrilité jusqu'à dix heures. Alors seule-ment elle osa téléphoner à sa mère.

Virginia était sortie.

— Si tôt ? demanda-t-elle d'un ton consterné.

— Elle est chez le coiffeur, dit Gwen.

Gwen était plus que la gouvernante. Elle était le bras droit de Virginia.

— Je crois bien qu'elle y sera jusqu'à midi.

Leah ne se laissa pas démonter.

— Alors, j'essaierai de la joindre vers midi et quart.

— Elle se rendra directement à son club en sortant de chez le coiffeur.

— Le déjeuner ne devrait pas durer trop longtemps, insista Leah, j'essaierai de nouveau vers quatorze heures.

— Elle a une partie de bridge après le déjeuner.

Des souvenirs du passé lui remontèrent à la mémoire. Quand ce n'était pas une chose, c'en était une autre.

— Et ensuite ? demanda Leah, sur ses gardes maintenant.

— Je pense, dit Gwen en s'excusant, qu'elle ira chez la couturière. Les Robinson donnent un dîner ce soir, et la nouvelle robe que ta mère a commandée n'était pas prête avant aujourd'hui.

— Ah non ! dit Leah.

Une nouvelle robe pour un dîner passait évidemment avant ses filles. N'importe quel imbécile savait ça.

Elle pensa qu'elle pourrait attraper Virginia à la maison au moment où elle serait en train de se préparer pour la réception, mais elle trouva tout à coup que ça n'en valait pas la peine. Elle dit à Gwen qu'il n'y avait pas de message, appuya sur l'interrupteur, puis composa un autre numéro. Un numéro qu'elle n'avait pas composé depuis longtemps.

Plusieurs heures plus tard, blottie dans un coin familier de la causeuse en cuir d'Ellen McKenna, elle se déchargea le cœur.

— J'ai été excitée toute la nuit. Je pensais que maman trouvait peut-être ma présence vraiment réconfortante, qu'elle avait peut-être vraiment besoin de moi, qu'elle avait peut-être vraiment envie d'être avec moi. Puis j'ai essayé de lui téléphoner aujourd'hui, mais elle est sortie pour faire toutes sortes d'activités auxquelles elle attache évidemment plus d'importance qu'à moi. Bon, bon, je peux l'accepter. Il n'y a rien de changé. Mais tout ça paraît si absurde.

— Tout quoi ?

— Sa lettre. Le fait qu'elle ait vendu la maison, ce qui représente un énorme changement. Maman est une créature sociable. Je ne peux pas croire qu'elle se retire du monde.

— C'est ce qu'elle est en train de faire d'après toi ? demanda doucement Ellen, sans porter de jugement.

Elle était presque aussi menue que Leah, mais avait vingt ans de plus et les cheveux gris. Elles avaient déjà discuté en long et en large du fait qu'elle ressemblait beaucoup à Virginia.

— Que sais-tu à propos de Downlee ?

— Seulement ce qu'elle écrit dans sa lettre, que c'est un village. Mais maman n'est pas faite pour vivre dans un village. Elle a vécu toute sa vie dans une grande ville.

— Elle a peut-être toujours rêvé de vivre ailleurs.

Leah se posa la question. Aussi incroyable que cela paraisse, elle n'en savait absolument rien. Elle n'avait aucune idée des rêves que Virginia pouvait entretenir, si elle en avait.

— Mais si elle avait cette idée-là derrière la tête, réfléchit-elle tout haut, quelque chose aurait dû transparaître l'année dernière. Nous avons passé des heures assises ensemble dans des cabinets de médecins. Il me semble que c'était l'occasion ou jamais de penser à l'éventualité de la mort et de songer à la possibilité de réaliser ses rêves.

Ellen se taisait.

— Je sais, ajouta Leah après réflexion. Elle ne s'est jamais confiée. Je ne devrais pas être surprise après toutes ces années au cours desquelles elle a gardé ses pensées pour elle. Je pensais seulement, je pensais...

Elle essayait de prendre du recul, comme Ellen lui avait montré à le faire pendant quatre années de thérapie, et de considérer ses attentes et ses émotions à distance, et donc avec plus d'objectivité.

— J'avais espéré que ce qui s'est passé l'année dernière aurait changé les choses. J'étais présente quand elle a eu besoin de moi. Et elle m'a remerciée. Mais quand le pire a été passé, elle a repris son petit bonhomme de chemin. Elle est redevenue aussi indifférente qu'avant.

— Qu'est-ce que tu aurais souhaité ? demanda doucement Ellen.

— Un bouquet de fleurs, un coup de téléphone une fois de temps en temps, une invitation à Palm Springs. Merde alors ! ajouta Leah en gesticulant. Je ne sais pas, moi. J'aurais voulu qu'on aille déjeuner ensemble et qu'on se parle.

Elle regarda la lettre qui était sur ses genoux en fronçant les sourcils.

— Elle dit quelque chose là-dedans. À la toute fin. Elle dit qu'elle regrette que nous ne nous soyons jamais vraiment parlé et qu'elle espère que nous pourrons le faire dans le Maine. Elle dit qu'elle se réjouit d'avance d'avoir l'occasion de passer du temps avec moi.

Elle donna une chiquenaude découragée à la lettre.

— Chassez le naturel, il revient au galop.

— C'est peut-être un effet à retardement de l'idée de la mort qui l'a sans doute effleurée l'année dernière, suggéra Ellen.

— Je le croirais si elle avait été à la maison pour attendre mon appel. Ou si elle avait dit à Gwen de vérifier que je viendrais. Gwen fait tout ce que maman lui demande. Mais maman était sortie. Comme si ça n'avait aucune importance que j'accepte ou non son invitation. D'accord, soupira-t-elle, alors elle prétend vouloir que nous nous parlions. Mais maman est superficielle. Les discussions substantielles lui donnent la frousse. Elle les fuit comme la peste.

Tout cela n'expliquait cependant pas les mots que Ginny avait écrits. Des mots auxquels Leah se raccrochait malgré elle.

— Peut-être veut-elle vraiment que nous nous parlions. Peut-être va-t-elle vraiment essayer. Mais, ajouta-t-elle avec plus de réalisme, cette invitation n'est peut-être que sa façon de me remercier pour ce que j'ai fait l'année dernière. Après tout, c'est moi qu'elle invite dans le Maine, pas Caroline ou Annette.

— Leur as-tu parlé récemment ?

— Pas depuis que j'ai reçu cette lettre.

Ellen fronça les sourcils comme pour dire que ce n'était pas le sens de sa question.

— Ça fait un bout de temps, soupira Leah.

— Ça te met toujours mal à l'aise.

Leah hocha la tête.

— Quand je pense à téléphoner à Caroline, je l'imagine toujours enterrée sous des dossiers d'une importance capitale. Elle pense que je suis une tête de linotte. J'ai l'impression qu'elle sera contrariée que je la dérange. Et quand je pense à téléphoner à Annette, je suis absolument certaine qu'elle est en train de s'occuper des enfants.

— Elle aimerait peut-être quand même avoir de tes nouvelles.

— Elle ne me téléphone pas, elle.

— Elle pense peut-être que tu ne t'intéresses pas à ce qu'elle fait.

— Ce n'est pas une raison. Elle est plus vieille que moi. Elle devrait prendre l'initiative. De plus, c'est elle qui est censée incarner l'esprit de famille. Si elle me considérait comme un membre de sa famille, elle m'appellerait.

— Elle se dit peut-être la même chose à ton sujet. Elle pense peut-être que tu as plus de temps libre qu'elle.

— Évidemment qu'elle pense ça. Elle pense que je gaspille ma vie.

— Est-ce qu'elle te l'a déjà dit ?

— Pas en toutes lettres, mais je sais qu'elle le pense.

— Comment le sais-tu ?

Il y avait des mimiques et des intonations. Il y avait des commentaires comme en font les femmes, des allusions indirectes. Et, au grand désespoir de Leah, il y avait aussi sa propre hypersensibilité. Ellen l'avait aidée à en prendre conscience, mais pas à s'en débarrasser tout à fait.

— Il me semble, dit Leah d'un air penaud, que nous en avons déjà beaucoup discuté.

— Mais pas depuis un certain temps. Je ne t'ai pas vue depuis des mois, Leah. J'imagine qu'il n'y a pas eu de grands bouleversements dans ta vie.

— Pas de grands bouleversements.

Sinon, elle aurait appelé Ellen avant. Ellen en savait plus à son sujet que personne d'autre au monde et, s'il était un peu triste de devoir payer quelqu'un pour lui raconter ses malheurs, Leah s'en moquait. Ellen représentait une police d'assurance sur sa santé mentale. Elle valait beaucoup plus que ce qu'elle demandait.

— Tout est paisible?

— Ce n'est peut-être pas le bon mot.

— En as-tu un autre?

— Tranquille.

— Et un autre?

— Monotone.

Le mot plana dans l'air.

— Est-ce que c'est mauvais la monotonie?

Leah réfléchit.

— Je ne sais pas. La monotonie n'est pas traumatisante. Elle n'est pas menaçante. Peut-être un peu quand même.

— De quelle manière?

Leah essaya de préciser ce qu'elle voulait dire.

— C'est effrayant, de penser que je continuerai à mener la vie que je mène aujourd'hui jusqu'à la fin de mes jours.

— Ce n'est pas ce que tu veux?

— En partie. J'ai été nommée présidente de la prochaine campagne de financement de la Société du cancer. C'est un honneur. J'ai travaillé fort pour l'obtenir.

— Alors, qu'est-ce qui est effrayant?

— Après ça. Au-delà, soupira-t-elle. Je sais, je sais. Si je n'aime pas la vie que je mène, je peux en changer. J'ai le pouvoir de le faire.

Elle en avait discuté de long en large avec Ellen au cours de leurs dernières séances de thérapie. Mais rien n'avait changé depuis ce temps, ni la réticence de Leah à exercer ce pouvoir, ni l'incapacité d'Ellen de le faire à sa place. Comme thérapeute, Ellen ne pouvait pas faire plus. Leah devait faire elle-même le reste du chemin.

— J'y pense souvent, dit alors Leah. J'attends le moment propice. Si une occasion intéressante se présente, je la saisirai. À condition, bien sûr, que je puisse reconnaître ce qui est bon pour moi, ajouta-t-elle en fronçant les sourcils. Mon dossier n'est pas très éloquent jusqu'à maintenant. Ron d'abord, puis Charlie. Je dois reconnaître que j'ai commis de grossières erreurs.

— Pas récemment. Pas depuis un certain temps. Ne te condamne pas pour des choses qui sont arrivées il y a bien longtemps. Tu étais plus jeune alors, et naïve. Je suis certaine que si tu faisais maintenant la connaissance de Ron ou de Charlie, ils ne t'intéresseraient pas du tout.

— Mon Dieu ! j'espère bien que non. Mais il m'arrive aussi de me dire que n'importe qui vaudrait mieux que personne. Dieu merci ! ça ne dure pas, mais ça me rend deux fois plus prudente. Peut-être trop. La prudence peut paralyser.

— Et c'est comme ça que tu te sens aujourd'hui, demanda Ellen après quelques minutes, paralysée ?

— Un peu. Je suis déconcertée. J'aurais besoin de parler avec quelqu'un qui me connaît bien.

— Tu as des amis.

Leah examinait ses mains.

— C'est difficile de se confier au genre de personnes que je connais. Le commérage est... bien, c'est un mode de vie. Quand on voit toujours les mêmes personnes tous les soirs, il arrive qu'on n'a plus rien à dire. On laisse alors échapper quelque chose qu'on a entendu dire. On ne voudrait pas, pas si on est gentil en tout cas. Mais on le fait quand même pour combler un trou dans la conversation.

Elle releva les yeux.

— Je ne veux pas le justifier. Je déteste ça. Mais je ne peux pas condamner tous ceux qui le font. Je ne peux pas dire que mes amis sont de mauvaises personnes seulement parce qu'ils font des commérages de temps en temps.

Elle se sentait sur la défensive, mais elle voulait démontrer quelque chose.

— J'aime mes amis. Mais je dois être prudente quand je leur confie quelque chose, c'est tout. Toi par contre, ajouta-t-elle avec un sourire, tu es liée par le secret professionnel, alors je peux te dire n'importe quoi, et tout ce que je veux.

Ellen sourit. Son visage prit une expression douce et radieuse, à l'image de la mère que Leah aurait toujours voulu avoir. Dans ses souvenirs, Virginia n'avait jamais paru douce et radieuse. Virginia n'avait jamais prêté une oreille attentive à ses malheurs.

— Je ne sais pas quoi faire, Ellen. Si je vais dans le Maine, je succomberai à mon besoin maladif de rechercher l'approbation de maman. Si je n'y vais pas, je risque de me la mettre à dos pour toujours.

Ellen l'approuva de la tête, et c'était en partie ce pour quoi Leah était venue la voir.

— C'est un bon résumé de la situation. Tu y vois très clair, Leah.

— C'est normal, après tout ce temps, ne penses-tu pas ? Oui, je recherche encore son approbation comme je l'ai toujours fait. Et oui, même si je suis consciente que je le fais, je continue à le faire. D'où le dilemme dans lequel je me trouve. Maman ne m'invite pas pour me combler d'affection. Bien sûr, elle dit qu'elle veut passer du temps avec moi, mais c'est probablement parce qu'elle sait que c'est la meilleure façon de me convaincre d'y aller. À la limite, on pourrait même dire qu'elle n'a pas du tout besoin de moi là-bas.

— Compte tenu de ses problèmes de santé et du fait que tu les connais, peut-être se sentirait-elle rassurée de te savoir auprès d'elle.

— Mais elle va bien maintenant. Le docteur l'a dit. Ce n'était qu'une fausse alarme, gonflée hors de toute proportion par la peur qu'elle ressentait. Même si elle ne le reconnaîtra jamais. Et puis sa gouvernante sera là, Gwen fait absolument tout pour elle. Sans compter les déménageurs qui feront le déballage et le personnel qui est sans doute déjà dans la maison. Alors, je suis flattée. Mais un peu sceptique.

Ellen réfléchissait.

— D'après toi, pourquoi a-t-elle choisi d'écrire plutôt que de téléphoner ?

— Par lâcheté. Elle pensait que je refuserais, alors elle a écrit et envoyé le billet comme si c'était une affaire conclue. Ou alors, ajouta Leah, c'est par effronterie, par parade. Je ne sais pas lequel des deux.

— Lequel des deux te donnerait le plus le goût d'y aller?

— Aucun des deux en fait. Je suis bien ici. Je suis habituée à être ici. Je connais les gens ici, et ils me connaissent.

Ellen devina ce que Leah ne voulait pas dire.

— Et dans le Maine, il y aura des gens que tu ne connais pas.

— Je suis mal à l'aise avec des étrangers.

— Mais tu t'ennuies ici.

— Je m'ennuie, mais je me sens bien. De plus, je deviens enragée chaque fois que je vois maman. Elle est toujours si parfaitement calme et posée. Même quand elle a eu ses problèmes cardiaques, elle se comportait comme si elle avait été résignée à son sort. D'accord, c'était une façon de camoufler sa peur, mais je t'assure que, dans le fin fond, j'étais plus effrayée qu'elle. Je suis près de croire que c'est la raison pour laquelle elle voulait que je sois auprès d'elle, pour exprimer à sa place les émotions qu'elle camouflait. Elle pouvait ainsi laisser croire aux médecins et aux infirmières qu'elle s'efforçait de rester calme pour me rassurer et qu'elle avait donc un comportement normal. Elle est coriace, la petite madame. Et elle a du cran.

Leah ne pouvait pas s'empêcher de jeter son venin.

— Si elle veut s'installer ailleurs sur ses vieux jours, c'est tant mieux pour elle. Mais elle a du front de me demander de lui consacrer deux semaines de ma vie pour l'aider à le faire. Elle ne m'a jamais consacré deux semaines de sa vie, même pas l'été où j'ai été si malade.

À quinze ans, Leah avait souffert de boulimie alors que ce n'était pas encore à la mode. Elle avait perdu connaissance et était entrée d'urgence à l'hôpital, où elle était restée un mois. Virginia avait fait mine d'oublier tous les problèmes qui avaient précédé cet incident. Les jours suivants, elle s'était montrée prévenante, mais pas au point de modifier sa routine habituelle. Elle n'avait pas manqué une seule partie du tournoi de golf auquel elle participait à ce moment-là.

— En avez-vous reparlé pendant que vous étiez ensemble l'année dernière? demanda Ellen.

— Non. Ce n'était pas le moment de me mettre en colère contre elle. Je voulais lui apporter aide et soutien.

— Comme elle ne l'a jamais fait pour toi. C'était un peu une façon de prendre ta revanche.

Leah fit une moue.

— Quelque chose comme ça. Mais ça n'a pas marché. Maman a beaucoup d'intuition. Elle a fait semblant de ne pas comprendre mes motifs, et ce sera la même chose dans le Maine cette fois-ci. Je ne devrais pas y aller. Je ne devrais vraiment pas. Je devrais lui retourner le billet par la poste avec un « merci beaucoup, mais non merci ». Je devrais lui dire que je n'ai tout simplement pas le temps.

Elle mourait d'envie de le faire, mais à la vérité elle avait le temps. Elle pouvait disposer de ces deux semaines, et même de bien d'autres. À moins qu'elle ne décide de redécorer la cuisine. Ou de faire un voyage. Ce serait une bonne leçon pour Virginia si Leah refusait carrément son invitation.

Elle regarda Ellen dans les yeux, l'air désespéré.

— Mais je ne le ferai pas, n'est-ce pas? Je vais aller passer ces deux semaines avec elle, même si je ne connais pas âme qui vive dans le Maine, et je vais jouer le rôle de la fille dévouée, même si je sais qu'elle s'en moque comme de l'an quarante.

— Peut-être pas, Leah. Elle va bientôt célébrer un anniversaire marquant qui pourrait l'affecter. Tu auras peut-être des surprises.

— Ça me plairait bien. Ça serait une raison d'y aller.

— En vois-tu d'autres?

— C'est ma mère.

— Une autre?

— Elle me le demande à moi, pas à Caroline ou à Annette.

— Une autre encore ?

— Elle a presque soixante-dix ans et elle pourrait mourir demain. Je me sentirais coupable le reste de mes jours. Dans le fin fond, je veux toujours avoir son approbation. C'est peut-être ma dernière chance.

La dernière chance. Une pensée lourde de conséquences.

— Elle dit qu'elle veut passer du temps avec moi. Elle dit qu'elle veut que nous nous parlions. C'est ce que j'ai toujours voulu. Comment pourrais-je refuser ?

Elle avait beau chercher une façon de refuser, elle n'en trouvait pas.

— Ça résume bien la situation, je pense. Je ne veux pas y aller. Mais je ne peux pas ne pas y aller.

Elle se releva du canapé, et Ellen la raccompagna jusqu'à la porte.

— Il y a autre chose, Leah. Tu peux composer avec le fait que tu sois mal à l'aise avec des étrangers. Tu vas te prouver à toi-même que tu peux le faire. Même si tu n'as pas encore une aussi haute opinion de toi que tu devrais, c'est parce que tu es une bonne personne que tu vas aller dans le Maine. Vraiment bonne. Tu n'es pas du tout comme ta mère. Tu es affectueuse et tu n'as pas peur de le montrer. C'est une attitude saine.

— Oui, et à la fin des deux semaines, quand elle va me faire un beau sourire, me donner une petite tape dans le dos et me renvoyer à la maison, qu'est-ce qui va arriver ?

— Tu sauras alors que tu as fait tout ce que tu pouvais et que tu n'as rien à te reprocher. Tu auras pris deux semaines de vacances, tu auras été capable de survivre dans un nouvel environnement et tu reviendras ici sans avoir rien perdu. Tu as les yeux grands ouverts, Leah. Tu sais exactement à quoi t'attendre. Ça va bien aller.

Au cours des semaines suivantes, Leah s'accrocha à cette idée, tout en essayant de trouver une raison qui la contraindrait à ne pas utiliser le billet d'avion envoyé par Virginia.

Elle téléphona à Susie MacMillan dont le troisième mari était un ex-ambassadeur qui avait gardé des relations dans le corps diplomatique. C'étaient des fidèles des réceptions de Leah.

— Allô! Susie. C'est Leah. Comment vas-tu?

— J'allais sortir, répondit Susie tout essoufflée. Mac et moi allons dîner à l'ambassade, puis nous partons pour Newport.

— Je pensais organiser une grande fête à la fin du mois, proposa Leah. Serez-vous de retour?

— Probablement pas. Ne compte pas sur nous, Leah. Une autre fois peut-être.

Leah fit un essai auprès de Jill Prince. Elles étaient toutes deux membres du conseil d'administration de la Société du cancer. Le mari de Jill dirigeait un des plus importants groupes de recherche de Washington.

— Allô! Jill. C'est Leah. Quoi de neuf?

— Mon Dieu! Leah, je mène une vie de folle. C'est la fin de l'année scolaire, alors je passe mon temps dans les barbecues, les banquets, les récitals et tout le bataclan. Par-dessus le marché, je dois préparer le séjour des enfants à la colonie de vacances. Et toi, qu'est-ce que tu fais?

— Pas grand-chose. J'avais pensé que nous pourrions déjeuner ensemble la semaine prochaine.

Jill soupira.

— Je ne peux pas, Leah. Je ne peux rien planifier avant le départ des enfants. Puis, après les avoir laissés à la colonie de vacances, nous nous rendrons au Québec. On pourrait se voir à mon retour.

Leah fit un autre essai auprès de Monica Savins. Monica n'avait ni mari ni enfants. Mais elle avait des amants.

— J'adorerais aller faire une cure avec toi, Leah, mais ce n'est vraiment pas le moment. Je sors actuellement avec Phillip Dorian, ajouta-t-elle sur le ton de la confidence.

Voyant que Leah ne réagissait pas, elle ajouta:

— Il est membre de l'Orchestre symphonique. C'est un violoniste. Il a des mains absolument extraordinaires.

Elle prit une grande inspiration, puis poussa un soupir extasié.

— Une autre fois peut-être. Je dois te laisser maintenant. Je déjeune avec Edward. Tu connais Edward. Il travaille à CNN[1].

Elle baissa de nouveau le ton.

— Edward ne sait pas que je vois Phillip, et je ne voudrais pas qu'il l'apprenne. Tu n'en diras rien à personne, n'est-ce pas ?

Leah promit de n'en rien faire. C'était une promesse qu'elle n'aurait pas de difficulté à tenir, car la vie sentimentale de Monica la mettait mal à l'aise. Et ses propres préoccupations lui suffisaient. Elle téléphona à quelques autres amies, mais il devint évident que les activités sociales seraient presque inexistantes pendant ces deux semaines de juin. Les gens qu'elle connaissait seraient soit en voyage, soit à leurs maisons de campagne, soit en visite chez des amis.

De son côté, Leah se retrouverait seule à Washington dans la canicule, avec le fantôme réprobateur de sa mère. À moins qu'elle ne s'envole vers le Maine.

Certaines choses semblent inévitables. C'en était une.

Par ailleurs, sa vie était alors dans une impasse, et il lui apparut tout à coup que c'était peut-être à cause du compte qu'elle avait à régler avec Virginia.

Elle voulait que ça change. Absolument. Rapidement. Désespérément.

---

1. Chaîne de télévision américaine spécialisée dans les actualités. (NDT)

4

Caroline aurait bien aimé que son vol soit annulé à cause d'un bris de moteur. Mais ce ne fut pas le cas, et son avion décolla à l'heure. Elle se mit alors à espérer un retard à cause du brouillard ou de l'intensité du trafic aérien, ou, mieux encore, un atterrissage ailleurs qu'à Portland. Elle se serait installée avec plaisir dans une chambre d'hôtel à Boston, Providence ou Hartford. Avec l'ordinateur portatif qu'elle avait apporté et un télécopieur loué, elle aurait pu travailler presque aussi efficacement que dans son bureau à Chicago.

Mais à son grand désespoir, l'avion atterrit à l'aéroport de Portland avec cinq minutes d'avance, sans bruit et en douceur. Elle avait un seul petit sac de voyage qu'elle aurait pu garder avec elle dans la cabine. Mais elle l'avait fait enregistrer, incitant presque la compagnie aérienne à le perdre. Ce fut pourtant l'un des premiers à apparaître sur le carrousel.

Elle le mit en bandoulière. Le porte-documents où se trouvaient ses dossiers et son ordinateur était plus lourd. Elle le saisit fermement. Elle se dirigea vers la rangée de téléphones la plus proche et appela au bureau.

— Allô ! Janice, dit-elle à sa secrétaire. Je suis à Portland. Je voulais m'assurer que tout allait bien.

Janice avait dix ans de plus que Caroline. C'était une secrétaire juridique hors pair et elle avait tant d'intuition que c'en était agaçant.

— Il n'y a pas eu beaucoup de changements depuis que vous avez appelé de l'aéroport O'Hare, répondit-elle pour la taquiner. Thimothy travaille toujours sur le dossier Westmore et Beth sur le dossier Lundt.

Timothy et Beth étaient les jeunes assistants de Doug et de Caroline. Elle leur avait laissé à tous deux une tonne de choses à faire en son absence.

— Est-ce que j'ai reçu des appels ? demanda Caroline.

— Bien sûr que non. On a déjà dit à tout le monde que vous étiez absente.

— Hum ! si jamais quelqu'un téléphone, vous savez où me rejoindre, n'est-ce pas ?

— J'ai le numéro de téléphone de votre mère à portée de la main.

Caroline jeta un coup d'œil à sa montre.

— Il est presque quatorze heures. Je vais partir dès que le chauffeur de Downlee arrivera.

Elle regarda vers la station de taxis et ne vit rien qui ressemblât au break à la carrosserie en similibois que Virginia lui avait décrit.

— Le trajet doit durer deux heures. J'ai l'impression qu'il n'y aura pas de téléphone dans la voiture. Si vous devez me joindre entre-temps laissez un message à Star's End. Je rappellerai dès mon arrivée. Doug est-il là ?

— Ne quittez pas.

Doug prit aussitôt la communication.

— Ça fait longtemps qu'on a eu de tes nouvelles.

— Je voulais simplement te dire, lui déclara Caroline, que tu peux me joindre facilement, même si je ne suis pas en ville.

— Le numéro de téléphone de ta mère est encore à l'endroit précis où tu l'as affiché hier.

— Bien. N'hésite pas à m'appeler s'il arrive quoi que ce soit. Ce n'est pas parce que je suis en vacances que je ne travaille pas. Bien au contraire. N'oublie pas ça. J'ai tous les dossiers qu'il me faut pour préparer la cause Baretta, mais si vous avez besoin de moi je peux être de retour en quelques heures.

— Tout va bien, dit Doug.

C'était précisément ce qu'elle craignait.

— Même si ce n'est pas grand-chose, n'hésite pas à me téléphoner.

— Caroline...

— Je te laisse. Mais n'oublie pas. Je suis à votre entière disposition.

Elle raccrocha l'appareil, puis ajouta tout bas :

— Pour mon plus grand malheur.

Elle observa la station de taxis, mais ne vit toujours pas le break. Elle décrocha de nouveau le téléphone.

— Allô ! soupirait-elle un instant plus tard.

Ça lui faisait un velours d'entendre la voix de Ben lui dire simplement allô.

— Salut ! ma belle. Es-tu déjà arrivée ?

— Je suis à Portland et j'attends le fichu taxi. J'ai fait une erreur, Ben. Je me demande bien ce que je fais ici. Pourquoi t'ai-je laissé me convaincre que je devais venir ?

— Ce n'est pas moi qui t'ai convaincue. C'est toi-même, assise en face de moi ici l'autre soir, qui as dressé la liste de toutes les raisons que tu avais d'aller dans le Maine.

— Tu m'as laissée faire. Tu n'as pas discuté. Tu m'as laissée partir sans remuer le petit doigt. Tu aurais dû m'en empêcher, Ben. Tu savais que je ne voulais pas venir.

— Je savais aussi que tu ne te le pardonnerais jamais si tu ne le faisais pas. Voyons ! Ça ne sera pas si terrible.

— Facile à dire, bougonna-t-elle. Ce n'est pas toi qui vas manquer Dieu seul sait quoi au bureau pendant deux semaines.

— Mais tu as apporté du travail. Penses-y. Tu pourras faire tout ça assise sur la plage.

— Je ne crois pas qu'il y ait de plage. C'est le Maine ici. Il ne doit y avoir que rochers.

— Alors, tu t'assoiras au bord de la piscine. C'est encore mieux. Tu n'auras pas de sable dans tes dossiers.

Il pouffa de rire.

— Ha, ha !

— Sans blague. Tu vas travailler et te détendre. Le changement de décor va te faire du bien. Imagine. Tu seras à l'abri des sarcasmes de tes associés et de mes galanteries.

— J'aime bien tes galanteries. C'est pour ça que je voulais que tu viennes avec moi.

Elle avait pensé que c'était une idée géniale, mais pas Ben.

— Tu voulais que j'aille avec toi pour te servir de tampon. Mais ta mère ne m'a pas invité. C'est toi qu'elle a invitée. Tu dois faire ton devoir, ma belle.

— Ce que je devrais faire, dit Caroline, c'est fumer une cigarette. Si ce fichu taxi n'est pas là dans cinq minutes, je te jure que je vais m'en acheter un paquet.

— Non, tu n'iras pas.

— Si c'est un exemple du genre de service auquel on peut s'attendre dans le Maine, je ne resterai pas ici un jour de plus.

— Comme si tu n'attendais jamais à Chicago.

— Oui, c'est bien vrai, mais au moins c'est moi qui ai choisi ce pour quoi j'attends. Pas dans ce cas-ci. Tout aurait été plus simple si j'avais loué une voiture pour me rendre à Downlee par mes propres moyens. Mais Ginny a dit que quelqu'un viendrait me chercher. Et ça fait vingt minutes que j'attends.

— Ce n'est pas bien long.

— Toutes les personnes qui étaient dans le même avion que moi ont eu le temps de ramasser leurs bagages et de quitter l'aéroport. Les gens que je vois maintenant sont arrivés par un vol ultérieur. Quel groupe bizarre, ajouta-t-elle après les avoir observés.

— Bizarre comment ?

— Hétéroclite. De tous âges, de toutes tailles, de tous genres. Tu ne le croiras pas, mais il y a même des hommes qui portent des complets-veston.

Elle consulta le tableau d'affichage électronique situé derrière le carrousel.

— C'est le vol de St. Louis, via Boston. Ça explique tout. Ou presque.

Elle sembla tout à coup estomaquée.

— Ah, mon Dieu!

— Qu'est-ce qui ne va pas?

— Il y a une femme qui ressemble à ma sœur, mais ça ne se peut pas. Maman n'a jamais parlé d'inviter Annette.

— Est-ce que c'est elle?

— Je ne peux pas dire. Elle me tourne le dos. Elle a la même coiffure. Les cheveux bruns et mi-longs. Mais il me semble que j'ai entendu dire qu'Annette avait fait couper et teindre les siens depuis la dernière fois que je l'ai vue. Elle a toujours voulu être blonde.

— Est-ce que c'est Annette?

— Je ne peux pas dire. Peut-être. Elle porte un bermuda et un chemisier. De bonne coupe, comme les vêtements que porte Annette. Mais ça ne peut pas être elle, décida Caroline. C'est l'effet de mon imagination, parce que cet avion arrive de St. Louis, et que j'ai actuellement tendance à tout voir en noir. Ginny ne m'aurait pas fait ça.

— Est-ce qu'elle t'a dit clairement qu'elle n'invitait que toi?

— Non. Mais elle me l'a laissé entendre. Dans sa lettre, elle ne parlait que de moi et elle utilisait le singulier.

La femme qui attendait près du carrousel jeta un coup d'œil sur sa montre. Elle se retourna et regarda directement vers la rangée de téléphones où se trouvait Caroline.

Caroline se détourna vivement, espérant qu'elle n'avait pas été vue. Elle avait besoin d'un peu de temps pour reprendre ses esprits.

— Si ce n'est pas elle, dit-elle à Ben, c'est son sosie. Merde! Maman m'a flouée. Merde! Ben.

— Calme-toi, ma chérie. Ce n'est pas si grave.

Mais Caroline était furieuse.

65

— Elle m'a volontairement induite en erreur parce qu'elle savait que je ne viendrais pas si je pensais que l'une ou l'autre de mes sœurs serait ici. Elle m'a leurrée en me laissant croire qu'elle n'avait invité que moi, et pas les autres. Mais si Annette est ici, maman n'a pas besoin de moi. J'aimerais bien mieux me retrouver au bureau. C'est un abus inacceptable. Je dois m'occuper de ma carrière.

— Tu pourras t'en occuper quand tu reviendras.

— C'est important ma carrière. Si un de mes clients a des ennuis, il faut que je sois là.

— Tes associés vont s'en occuper à ta place. C'est pour ça que tu fais partie d'un cabinet. Tes clients peuvent se débrouiller sans toi.

— Merci beaucoup.

Il soupira.

— Allons, Caroline. Tu sais bien ce que je veux dire.

— Oui, je le sais. Tu me l'as assez répété ces dernières semaines. Je ne suis qu'une avocate à la tête enflée qui n'est vraiment indispensable à personne.

— C'est ce que tu as bien voulu entendre, pas ce que j'ai dit. J'ai dit que tes clients avaient un grand besoin de toi, mais que tu ne devais pas en faire tout un monde. Tu n'es pas leur propriété. Tu as le droit de décrocher une fois de temps en temps. Tu as bien mérité des vacances.

— Si j'avais voulu des vacances, je serais allée quelque part où j'ai envie d'aller. Et certainement pas avec Ginny.

Elle baissa le ton.

— Ou avec Annette! Comment a-t-elle bien pu inviter Annette?

— Elle a peut-être pensé qu'Annette avait besoin de prendre congé des enfants.

— C'est de la manipulation. Pure et simple. C'est un jeu de pouvoir. Une façon de contrôler la situation. Ginny veut que nous soyons proches l'une de l'autre, alors elle nous réunit. Elle fait semblant de croire que nous nous entendons bien. Elle refuse d'admettre que nous n'avons rien en commun.

— Sauf elle.

— Et à peu près rien d'autre, ronchonna Caroline.

— Mais c'est pour ça que tu es là. Souviens-toi. Tu es là parce qu'elle est ta mère et qu'elle te l'a demandé. Il semble qu'elle a aussi invité une de tes sœurs. Et alors ?

Caroline eut tout à coup une idée affreuse.

— Et si par hasard elle les avait invitées toutes les deux. Si elle avait organisé une fichue réunion de famille.

— Ça ne changerait rien aux raisons que tu avais d'y aller.

L'idée d'une réunion de famille horripilait Caroline.

— Je me trompe peut-être, dit-elle. Ce n'est peut-être pas Annette après tout.

Elle jeta un autre coup d'œil vers le carrousel. Elle examina de nouveau la femme qui regarda attentivement sa montre et se dirigea tout droit vers la rangée de téléphones où Caroline se trouvait.

Tout espoir s'enfuit. Elle se retourna brusquement en marmonnant à Ben :

— C'est Annette. Il n'y a aucun doute. La parfaite petite maman. La parfaite petite épouse. Elle et moi n'avons rien en commun.

— Bon ! alors elle s'assoira au bord de la piscine pendant que tu escaladeras les rochers.

— Tu ne comprends pas, marmonna Caroline avec insistance.

Elle étira la tête. Annette se trouvait à quatre cabines téléphoniques de la sienne.

— Ce qui est grave, c'est que maman n'a pas été honnête. Elle aurait dû me dire précisément ce qu'elle avait organisé.

— Tu lui diras ta façon de penser.

— J'en ai bien l'intention. Et je vais te dire quelque chose d'autre, dit Caroline, fière de la détermination qu'elle manifestait tout à coup. Maman fait mieux d'avoir une sacrée bonne raison de m'avoir trompée, sinon je retourne à Chicago dès demain. Comprends-moi bien, Ben. Dès demain.

Annette était anxieuse. Depuis que Jean-Paul l'avait tirée du lit à l'aube ce matin-là. Ou plutôt non. En fait, il y avait des semaines que ça durait. Depuis qu'elle s'était fait forcer la main pour entreprendre ce voyage. Comment aurait-elle pu faire autrement alors que ses cinq enfants et leur père lui serinaient qu'elle ne pouvait pas laisser tomber Ginny? Quel genre d'exemple aurait-elle donné si elle avait refusé? Quel genre de message aurait-elle transmis à ses enfants?

Elle avait essayé de prévoir toutes les situations d'urgence susceptibles de se produire en son absence et avait laissé des instructions pour tout le monde dans la maison. Elle avait quand même passé des heures à discuter avec Robbie et les jumelles des mesures à prendre en cas d'imprévu. Elle avait laissé des listes de numéros de téléphone près de chaque appareil. Elle avait collé avec du ruban adhésif le mode d'emploi détaillé sur le four à micro-ondes, la cafetière, la laveuse et la sécheuse. Charlene connaissait, bien sûr, parfaitement le fonctionnement de tous ces appareils, mais elle était sujette à des allergies qui la retenaient chez elle au moins un jour par semaine.

Annette n'avait rien laissé au hasard.

Pendant qu'elle attendait ses bagages, elle ressentit une soudaine inquiétude. Robbie devait amener Thomas et Nat faire du canoë à Forest Park ce matin-là. Les trois garçons étaient de bons nageurs, mais les deux plus jeunes étaient novices en canoë. Annette voyait en pensée l'un des deux qui brandissait sa pagaie et faisait tomber l'autre à l'eau. Robbie allait à sa rescousse. Et le canoë chavirait. Elle aurait dû insister pour qu'ils attendent le week-end et que Jean-Paul puisse les accompagner. Mais Thomas et Nat étaient fous de joie d'y aller avec Robbie qu'ils adoraient, et Annette avait cédé pour se sentir moins coupable de partir.

— Allô! Charlene. C'est moi. Je viens d'atterrir à Portland. Est-ce que les garçons sont de retour?

— Pas encore, madame M.

— Mais il est treize heures et quart à St. Louis. Ils avaient prévu être sur l'eau dès dix heures. Ils devraient être de retour depuis longtemps. Es-tu certaine qu'ils n'ont pas téléphoné?

— Ils n'ont pas téléphoné.

— Est-ce qu'une des filles est à la maison?

— Non. Elles sont allées se baigner chez Lauren Kelby.

— Bien, Charlene, dit Annette en maugréant. J'essaierai de les rappeler quand je serai arrivée chez ma mère.

Elle raccrocha l'appareil, puis composa le numéro du bureau de Jean-Paul. Il était en salle d'opération.

— Voulez-vous que je le fasse demander? proposa sa secrétaire.

Mais Annette ne pouvait pas dire qu'il s'agissait d'une situation d'urgence. Pas encore.

— Ne le dérangez pas maintenant. Mais quand il aura terminé, pourriez-vous lui demander de téléphoner aux garçons pour s'assurer qu'ils sont bien revenus du lac?

Ayant obtenu une assurance à cet effet, Annette composa un autre numéro. C'était celui de Lauren Kelby, et on lui répondit en utilisant ce qui devait être un téléphone sans fil au bord de la piscine à en juger par les rires confus en bruit de fond.

— Allô! Lauren. C'est madame Maxime. Est-ce que je pourrais parler à une de mes filles?

— Bien sûr, dit Lauren. Devon, Nicole, c'est votre maman! Tout essoufflée, Nicole répondit.

— Maman! Où es-tu?

— À l'aéroport de Portland. Nicole, je suis inquiète au sujet des garçons. J'ai appelé à la maison et Charlene n'a pas eu de leurs nouvelles. Ils allaient seulement au lac. Ils devraient être déjà de retour.

— Ils allaient déjeuner à Union Station après. Thomas et Nat voulaient se rendre à un magasin de sport qui s'y trouve. Comment s'est passé le vol?

— Très bien.

Il n'avait jamais été question de déjeuner à Union Station.

— Quand ont-ils décidé ça?

— Au petit déjeuner, après ton départ.

Elle soupira.

— J'étais inquiète.

— Ils vont bien, maman. Quel temps fait-il là-bas?

Annette jeta un coup d'œil dehors.

— Il fait beau, je pense. Je ne suis pas encore sortie de l'aéroport. J'attends mes bagages.

— Es-tu avec grand-maman?

— Non. Je ne la verrai pas avant d'arriver à Star's End. Bon! Voici les bagages. Enfin! Peux-tu me rendre un service, ma chérie? Téléphone à Charlene et dis-lui où sont les garçons parce que je viens d'appeler ton père.

— Oh! maman. C'est pas vrai.

— Il était en train de faire une opération, mais il doit téléphoner à la maison dès qu'il sera libre pour vérifier où ils sont.

— Ils vont bien. Nous allons tous bien. Vraiment.

Annette soupira, puis sourit.

— Je n'ai tout simplement pas l'habitude de ne pas être là. Bon! Voici ma valise. Je dois y aller. Je téléphonerai en arrivant à Star's End.

— Ce n'est pas nécessaire...

— Je te reparlerai à ce moment-là.

Elle lança deux baisers dans l'appareil et, après avoir raccroché, elle se précipita vers le carrousel et s'empara de sa plus grosse valise. La plus petite mit plus de temps à arriver. Ses deux valises à la main, elle se dirigea vers la porte. Elle quittait à peine la salle de livraison des bagages quand elle s'arrêta net.

À trois mètres d'elle, avec le genre de regard qui la caractérisait si bien, se trouvait sa sœur.

— Caroline! Veux-tu bien me dire...?

Caroline sourit faiblement.

— Comment vas-tu, Annette?

— Bien. Euh ! Surprise. Je ne m'attendais pas à te voir. Qu'est-ce que tu fais ici ?

Caroline l'examina quelques instants, puis soupira.

— La même chose que toi, j'imagine.

— Mais je pensais...

Elle avait pensé que c'était elle que Ginny avait choisie.

— Moi aussi. On dirait que Ginny nous a fait des entourloupettes.

Annette était sidérée.

— On dirait bien. Je ne m'attendais pas à ça.

Si elle avait su, elle ne serait pas venue. Elle serait restée avec sa famille, là où était sa place, plutôt que de subir le bouleversement émotif que lui causait toujours la présence de Caroline.

Caroline donnait l'image de la femme de carrière accomplie. Simplement vêtue d'un jean et d'un chemisier de soie, les cheveux courts et brillants, elle était beaucoup plus élégante qu'Annette.

Annette était contente d'avoir mis des vêtements de lin ce jour-là. Le lin n'était pas aussi élégant que la soie. Mais c'était plus chic que le coton. Ça n'avait d'ailleurs aucune importance, mais c'était le genre de réflexion que suscitait la présence de Caroline. C'est pourquoi elle aurait bien voulu être ailleurs. Ginny aurait dû la prévenir, merde !

— Viens-tu d'atterrir ? demanda-t-elle ne trouvant rien d'autre à dire.

— Ça ne fait pas longtemps.

Caroline jeta un coup d'œil par-dessus son épaule.

— J'attendais la voiture que Ginny a promis d'envoyer, mais j'ai l'impression... Ah ! je crois qu'elle arrive. Oui. Enfin !

En se retournant elle posa son regard sur la grosse valise d'Annette, pleine à craquer.

— Je ne savais pas trop quel genre de vêtements je devais apporter, expliqua Annette.

Elle regretta aussitôt d'avoir ressenti le besoin de se défendre. Elle jeta un regard dévastateur sur l'unique sac de voyage de Caroline.

— C'est tout?

— Oui, bien sûr, dit Caroline.

Elle se retourna et se dirigea vers la station de taxis.

Annette fut frappée par le fait que rien n'avait changé. Caroline était toujours aussi arrogante. Elle pressa le pas pour la rejoindre.

— Caroline, attends.

Il n'y avait pas de temps à perdre. Si elle montait dans le taxi de Downlee, tout serait perdu.

— J'avais l'impression que maman serait toute seule ici. C'est la seule raison pour laquelle je suis venue. Mais puisque tu es ici, je n'ai pas besoin d'y être. Je suis certaine que je peux attraper un vol de retour pour St. Louis.

Caroline fixait le grand échalas qui venait de se déplier pour sortir du break à la carrosserie en similibois.

— Venez-vous de Downlee?

— Ouais.

Il ouvrit le hayon.

— Caroline?

— S'il y en a une de nous deux qui prend un vol de retour, ce sera moi, dit Caroline en lançant son sac de voyage à l'arrière du break.

Elle déposa son porte-documents avec plus de précaution à côté de son sac.

— Tu ne peux pas savoir à quel point ce voyage me contrarie.

Impuissante, Annette regardait le chauffeur déposer la plus grosse de ses valises dans la voiture.

— Les enfants sont en vacances, dit-elle. S'il y a une période de l'année où j'aime être avec eux, c'est bien maintenant. Je pense que je vais reprendre cette valise, ajouta-t-elle en s'adressant au chauffeur.

Mais Caroline lui ôta des mains la seconde valise.

— Comme nous ne voulons pas rester ni l'une ni l'autre, la meilleure chose à faire est de rester toutes les deux, au moins jusqu'à ce que Ginny se soit expliquée. Je ne sais pas comment tu te sens, mais j'ai un peu l'impression d'être exploitée.

Annette était découragée. Downlee était à deux heures de route. Elle ne voyait pas comment elle aurait le temps de s'y rendre, de parler avec Ginny et de revenir à Portland assez tôt pour prendre ce même jour un vol de retour pour St. Louis.

— Monte, dit Caroline, plus doucement cette fois. Plus tôt on y sera, plus tôt on pourra repartir.

Annette se retourna et jeta un coup d'œil nostalgique vers l'aéroport avant de se glisser dans la voiture. Les sièges étaient recouverts de velours et semblaient neufs. La voiture elle-même semblait neuve. Elle était surprise.

Caroline devina ce qu'elle pensait.

— Je sais, murmura-t-elle alors que le chauffeur quittait l'aérogare. Je pensais voir une bagnole poussiéreuse et démantibulée.

— Et la maison? murmura Annette à son tour.

— Maman choisit toujours ce qu'il y a de mieux, alors j'imagine qu'elle est en bon état. Mais je peux me tromper, car je n'aurais jamais pensé non plus qu'elle pourrait s'installer ici.

— Pourquoi penses-tu qu'elle fait ça?

— Elle a dit qu'elle se faisait un cadeau.

— Mais pourquoi ce cadeau-là?

— Elle m'a écrit qu'elle cherchait un endroit plus tranquille.

— Penses-tu que c'est la vraie raison?

— Qui sait?

— Tu ne lui as pas parlé?

Caroline la regarda.

— Non. Et toi?

— Non.

Elle s'en voulait de ne pas l'avoir fait. Si elle avait parlé à Ginny, Annette aurait peut-être su que Caroline serait là et se serait épargné le voyage.

Mais c'était fait. Elle était là. Pour le moment du moins. Il n'y avait rien d'autre à faire que de regarder le paysage.

— Alors, dit Caroline. Comment vont les enfants?

Annette sourit. Ça, c'était son rayon. Les enfants étaient son sujet de conversation préféré.

— Ils vont très bien. Ils grandissent. Rob est à l'université.

— Le petit Rob?

— Tu ne l'as pas vu depuis l'enterrement de papa. Il a seize ans maintenant.

— Pas vrai?

Annette fit signe que oui. Elle était fière de ses enfants. Ils étaient sa raison de vivre. Mais Caroline ne pouvait pas comprendre ça.

— Comment va ton travail?

— Je suis très occupée, mais ça va bien.

— Tu as l'air fatiguée.

— C'est parce que j'ai brûlé la chandelle par les deux bouts pour préparer ce voyage.

Elle regardait par la vitre, la mâchoire serrée. Il était évident qu'elle était en rogne tout autant qu'Annette.

— Comment va Jean-Paul?

Annette prit une grande inspiration.

— Je l'ai mis sur ma liste noire, si on peut dire. C'est lui qui a insisté pour que je vienne.

— La même chose avec Ben.

— Tu le vois encore?

— Oui.

Annette avait rencontré Ben à l'enterrement.

— Il m'a plu. Il a l'air d'être fou de toi.

— Il l'est, dit Caroline en levant la main. Mais ne te fais pas d'idées. Je l'ai éconduit. Je ne suis pas prête à me marier.

Si ce n'est pas maintenant, ce sera quand? se demanda Annette en son for intérieur. Le mariage était l'un des sujets sur lesquels sa sœur et elle étaient en complet désaccord. Ça ne servait à rien de recommencer à en discuter alors qu'elles étaient confinées dans un espace restreint, sans possibilité de s'échapper, avec un paysage inconnu qui défilait à toute allure.

Annette se pencha vers l'avant de la voiture.

— Je m'appelle Annette Maxime. Quel est votre nom?

— Cal.

Cal avait le teint pâle, des cheveux gris clairsemés coupés en brosse et une voix sourde. Même s'il ne semblait pas d'un abord facile, Annette avait besoin d'un dérivatif.

— Sommes-nous toujours à Portland?

— Ouais.

— Nous en avons pour combien de temps encore?

— Encore un peu.

— Toujours sur l'autoroute?

— Jusqu'à Falmouth.

— Et après?

— On va prendre la route au bord de la mer.

Annette s'adossa de nouveau.

— Je me demande si ça va devenir plus pittoresque. Les arbres par ici sont bien jolis, mais j'avais espéré quelque chose de plus idyllique.

— Ben a dit que c'était idyllique. Mais probablement pas avant que nous atteignions la côte.

À la mention de la côte avec l'image des vagues qu'elle suscitait, Annette pensa aux garçons sur le lac avec leur canoë. Elle regarda sa montre et se demanda s'ils étaient rentrés à la maison, ou avaient au moins téléphoné. Penchée de nouveau vers l'avant, elle semblait chercher quelque chose.

— Pas de téléphone, murmura Caroline. J'ai déjà vérifié.

Annette s'adossa.

— J'ai l'impression d'être coupée du monde.

— Tu peux le dire. Exactement. As-tu un téléphone dans ta voiture?

— Nous en avons dans toutes les voitures. Comme mesure de sécurité. Si les enfants avaient un accident, je veux qu'ils puissent appeler pour avoir de l'aide. Et toi? En as-tu un?

— Tu parles! Et Leah, penses-tu qu'elle en a? demanda-t-elle après une hésitation.

— En fait, dit Annette d'un ton songeur, je pense que sa compagnie d'assurance l'a laissée tomber.

Leah était la championne des accrochages.

— Elle n'a plus de voiture. Elle prend un taxi quand elle doit se déplacer.

— Bonne décision.

— Hum! Caroline? Penses-tu qu'elle va venir aussi?

— Je ne sais pas, dit Caroline en se retournant vers la vitre.

Annette voyait en pensée Ginny qui les invitait l'une après l'autre et laissait entendre à chacune qu'elle était la seule. Était-ce une erreur involontaire? Vraisemblablement pas. Ginny pesait toujours bien chacun de ses gestes. Évidemment, si Annette avait dit cela à Jean-Paul, il l'aurait trouvée cynique. Elle n'avait jamais le beau rôle quand il était question de sa mère. Pauvre Jean-Paul. Il ne pouvait tout simplement pas comprendre. Il ne savait pas ce que c'était de grandir en se sentant toujours un peu négligée.

Annette s'en voulait de s'apitoyer ainsi sur son sort. Elle se pencha vers le chauffeur.

— Alors, Cal. Êtes-vous né à Downlee?

— Pour sûr.

— Comment est-ce?

— Petit.

— Combien d'habitants?

— Une couple de cents à longueur d'année. Deux fois plus l'été.

— Alors il y a foule actuellement.

— Pas tant que ça. Juste la famille et les amis.

— Et des touristes?

— Non.

— Tant mieux, dit Annette à Caroline. Parfois, à Hilton Head, nous sommes pris dans un embouteillage rien que pour aller acheter du lait à l'épicerie. Ça m'horripile. Mais les enfants adorent cet endroit. Nous louons la même maison tous les ans.

Caroline hocha la tête, les yeux toujours fixés sur la vitre. Annette pensa qu'elle avait l'esprit ailleurs ou alors qu'elle s'ennuyait. Elle s'ennuyait probablement. La vie d'Annette ne l'intéressait pas. Ce qui rendait la conversation un peu difficile.

Annette se rabattit donc sur Cal.

— Est-ce que vous connaissez bien Star's End ?

— Ouais.

— Comment est-ce ?

— Très bien.

— Maman m'a écrit qu'il y avait des travaux à faire. S'agit-il de l'électricité et de la plomberie ?

— Oh ! il y a des salles de bains. De la lumière aussi.

Annette avait l'impression que son ton était un peu sec. Il devait penser qu'elle était riche et gâtée. Elle se demanda si ce serait la même chose avec tout le monde à Downlee.

— Quelle est l'étendue du domaine ?

— À peu près vingt hectares.

— Y a-t-il d'autres domaines à Downlee ?

— Non. Ça fait qu'un tas de monde s'est intéressé à cette vente.

Elle ne savait si elle devait considérer que c'était une bonne chose ou non.

— De qui maman a-t-elle acheté ?

— Mathew Pierce. Un chic type, avant qu'y meure.

— Quand ça ?

— Y a un an. Y vivait tout seul, ça fait que la place était pas mal démanchée. Probable que c'est ça que votre mère a voulu dire. Mais y a déjà pas mal de travail de fait.

— Ah ! oui ?

Annette regarda Caroline qui était aussi surprise qu'elle.

— Quel genre de travail ? demanda Caroline.

— Les murs, les planchers.

— Quand ?

— Tout le printemps, depuis janvier.

— Janvier, articula silencieusement Annette en regardant Caroline qui avait les yeux écarquillés.

Elle ajouta à voix basse :

— Quand elle m'a écrit au mois d'avril, elle m'a dit que la maison avait besoin de travaux, sous-entendant qu'ils n'étaient pas encore faits.

— Elle est douée pour sous-entendre des choses.

Annette se retourna vers Cal.

— Qui a dirigé les travaux ?

— Une décoratrice de Boston. Une petite madame bien gentille. Elle a engagé des gens du coin.

— Bien. Voilà au moins une bonne chose.

Plus doucement, elle demanda à Caroline :

— Si Ginny a une décoratrice, pourquoi aurait-elle besoin de nous ?

Caroline grommela.

Annette sentait la moutarde lui monter au nez.

— Elle m'a écrit qu'elle voulait que je l'aide à s'installer.

— À moi aussi. Elle nous a attirées ici sous de faux prétextes.

— Intentionnellement.

— Mais nous sommes des adultes, pas des enfants. Elle ne peut pas nous contrôler comme ça. Quelle idée peut-elle bien avoir derrière la tête ?

— J'ai hâte de le savoir.

— Je te jure qu'il vaut mieux pour elle qu'elle ait de bonnes raisons à nous donner, dit Annette, sinon on prendra un taxi ensemble pour retourner à l'aéroport et on attrapera un vol de retour toutes les deux. Ça lui donnera une bonne leçon de se retrouver toute seule.

Caroline la regarda d'un air circonspect.

— Soit toute seule, soit avec Leah.

Annette ferma les yeux. Elle secoua la tête, puis la baissa.

— Ou avec Leah, murmura-t-elle en soupirant. Tu as parfaitement raison.

5

Leah respira profondément. Des odeurs de mer, d'églantine et d'épinette embaumaient l'air. Pelotonnée sur une chaise longue, elle était enveloppée dans une couverture en laine. Dessous, elle portait un maillot de bain et un sarong en soie de couleur vive qui auraient parfaitement convenu pour un après-midi au bord de la piscine, si le soleil avait été plus fort. Mais bien que la brise marine fût un peu fraîche, elle se sentait délicieusement bien sous sa couverture.

Oui, elle se sentait bien, un peu paresseuse même. Elle ne se décidait pas à rentrer dans la maison pour s'habiller plus chaudement. D'ailleurs la plupart des vêtements qu'elle avait apportés ne convenaient pas. Ils étaient trop raffinés, trop ajustés, trop chic. Ils convenaient pour ses séjours chez des amis sur la côte du Maryland ou à Newport. Mais ce n'était pas pareil à Star's End. Même si la maison et les plates-bandes étaient fort élégantes, elles étaient aussi sans prétention, un peu sauvages et parfaitement naturelles.

L'air humide faisait des ravages dans sa chevelure, mais elle s'en moquait. L'air était vivifiant, le parfum des églantines réconfortant et l'odeur des épinettes enivrante. Elle se sentait heureuse.

Un autre mot pour le dire ?

Comblée.

Un autre ?

Au bercail.

Ça n'avait pas grand sens. Compte tenu des circonstances, elle aurait dû se sentir perturbée. Les choses ne s'étaient pas passées tout à fait comme elle l'avait pensé.

Elle avait quitté Washington la veille au matin, vingt-quatre heures plus tôt que prévu, mais elle ne voyait pas pourquoi elle aurait attendu davantage. Elle n'avait plus rien à faire en ville. De plus, l'idée de faire une surprise à Virginia lui plaisait beaucoup. Elle avait passé la plus grande partie du vol à s'en réjouir d'avance.

Elle avait loué une voiture à Portland et avait pris la route vers le nord, un peu inquiète. Elle n'était pas très bon chauffeur, le soleil se couchait, et la route lui était inconnue. Après la sortie de l'autoroute, il y avait plusieurs embûches qui n'étaient pas mentionnées dans les indications que lui avait fournies l'agence de location. Elle prit une mauvaise direction une fois, s'en rendit compte et reprit la bonne route après avoir perdu une demi-heure. La deuxième fois qu'elle se trompa, ce fut pire. Elle se retrouva à la nuit noire sur un chemin de terre dans un trou perdu. Elle fit demi-tour et revint sur ses pas. Elle frôla quelque chose qui obstruait la route et qu'elle n'avait pas vu, et fit une éraflure de près d'un mètre sur le côté de la voiture.

Un peu secouée, elle s'arrêta à un petit restaurant sur le bord de la route. Quand elle sortit de la voiture, elle se sentit plus détendue, puis l'excitation reprit le dessus. Elle repartit ensuite avec un entrain accru, en possession d'indications plus précises fournies par le propriétaire du restaurant. Plus elle approchait de Star's End, plus elle était dans tous ses états.

Elle adorait les surprises. Elle était certaine que Virginia serait contente.

Elle arriva à Downlee à vingt-deux heures, mais passa tout droit et s'en rendit compte cinq minutes plus tard. Le centre du village se résumait à une rue principale bordée de magasins, faiblement éclairée par les pâles rayons d'une lune à son déclin. Elle traversa le village une première fois, atteignit une série de maisons très espacées, fit demi-tour et retraversa le village.

Tout paraissait endormi. L'idée d'avoir à réveiller un étranger la terrifiait. La simple idée d'avoir à aborder un étranger la terrifiait aussi. Mais il lui fallait de l'aide.

Arrêtée au milieu de la route, elle se demandait quoi faire quand une voiture de patrouille surgie de nulle part approcha lentement. Soulagée, elle baissa la glace. Elle sentit l'air marin sur ses joues.

— 'soir, dit le policier en portant la main à son chapeau.

Il avait la figure ronde et paraissait plutôt aimable.

— Des ennuis de voiture?

— Je cherche Star's End, dit-elle. Je ne sais pas du tout où ça peut être.

— Star's End? Pourquoi?

— Je suis Leah St. Clair. Ma mère est la nouvelle propriétaire.

Il sortit la tête par la glace pour la regarder plus attentivement.

— Vous êtes sa fille?

— C'est bien ça.

— Je ne savais pas qu'elle avait une fille.

— Elle en a même trois.

— Quel âge avez-vous?

Comme Leah ne voyait pas ce que son âge faisait à l'affaire, elle répondit simplement :

— Je suis la plus jeune. J'habite à Washington. Je ne suis jamais venue par ici auparavant. Est-ce que la maison est loin?

— Pas très loin. Le camion de déménagement était là aujourd'hui.

Il avait rentré la tête dans la voiture, mais continuait à la fixer des yeux.

— Alors, elle est veuve à présent?

— Maman? Oui, en effet. Elle ne m'attend pas avant demain. Je serais là depuis longtemps si je ne m'étais pas perdue. Je voudrais bien arriver à Star's End avant qu'elle ne se couche. Quelle route dois-je prendre?

— Prenez Hullman Road.

— Je ne sais pas où c'est.

— Donc, vous êtes la plus jeune des filles. Quel âge a la plus vieille?

Elle se dit qu'il valait mieux répondre aux questions d'un représentant des forces de l'ordre quand on se trouvait sur son territoire.

— Elle vient d'avoir quarante ans, dit-elle. Y a-t-il des indications pour Hullman Road?

— Suivez-moi.

Elle s'engagea dans la route derrière l'auto de patrouille qui freina quelques minutes plus tard. Elle s'arrêta à côté.

— Voilà Hullman Road, dit-il en lui indiquant la droite. La maison est tout au bout.

Il porta la main à son chapeau, contourna sa voiture avec l'auto de patrouille et repartit.

Il faisait sombre dans Hullman Road. Le feuillage des arbres qui bordaient la route était trop dense pour laisser passer le clair de lune. Elle remonta la vitre et verrouilla les portières. Le faisceau lumineux des phares lui indiquait le chemin, et elle appuya sur l'accélérateur. La voiture démarra tout doucement.

Elle suivit la route tout en virages et en côtes pendant ce qui lui parut une éternité. Les yeux grands ouverts, Leah se cramponnait au volant. Elle commençait à croire qu'elle s'était de nouveau trompée de route quand les arbres firent place à une clairière. Elle vit ensuite un bosquet d'arbres et d'arbustes bien aménagé. Quand elle se fut engagée dans la large courbe de l'allée, ses phares éclairèrent enfin la maison.

Son ravissement lui fit perdre le souffle. C'était une immense maison de style victorien, à deux étages. En partie en bois et en partie en pierre, elle avait des fenêtres à pignons, une porte cochère cintrée et une tourelle à l'angle de la galerie qui faisait le tour de la maison. La chaude lueur des lampes éclairait l'intérieur.

Elle se gara dans l'allée en demi-cercle et descendit de la

voiture dans un tourbillon d'air frais et humide. Elle entendait tout près le fracas des vagues sur les rochers. L'odeur du sel, de la mer et de quelque chose d'autre, un peu suave, agréable et familier, dominait tout le reste.

Tout à fait charmée, elle avança en faisant crisser le gravier sous ses pas, passa sous la porte cochère et monta un large escalier de pierre. Elle essaya d'ouvrir la porte d'entrée, mais elle était verrouillée. Elle sonna donc et attendit. Elle espérait que les lampes n'étaient pas allumées seulement pour le coup d'œil, et que quelqu'un était encore debout. Elle entendit un bruit de pas, mais ça aurait pu tout aussi bien être son propre cœur qui battait la chamade. Les surprises l'excitaient.

Le visage de Gwen apparut à la lumière de la veilleuse. Elle ouvrit aussitôt la porte toute grande.

— Je te jure que tu m'as fait peur, ma fille. Je n'avais aucune idée de qui ça pouvait être à cette heure. Je connais bien les usages et les dangers de la ville, mais ici c'est tout nouveau pour moi. On ne t'attendait pas avant demain.

Malgré elle, Leah avait le sourire fendu jusqu'aux oreilles et la voix saccadée.

— Allô! Gwen. Je suis désolée, mais je ne pensais pas arriver si tard. Je voulais faire une surprise à maman. Est-elle déjà couchée?

— Elle n'est pas ici, dit Gwen un peu plus doucement.

Leah eut un coup au cœur.

— Je pensais qu'elle devait venir avec toi.

— Elle a décidé de me laisser organiser les choses d'abord.

Gwen Nmumbi n'était pas une gouvernante ordinaire. Elle était la vraie maîtresse de maison dans toutes les choses que Virginia ne pouvait ou ne voulait pas faire. Généreusement payée, elle avait perdu à tout jamais l'envie de retourner dans le pool de dactylos d'où elle était sortie et elle aimait son travail. Elle faisait la cuisine, faisait les lits et payait les comptes. Quand elle avait besoin d'aide, elle engageait et surveillait elle-même les employés nécessaires. Elle était infatigable et énergique. Et, comme elle était sensible aussi, elle semblait navrée de devoir annoncer à Leah :

— Elle est encore à Philadelphie.

— Ah! non.

— Mais elle devrait être ici demain. Elle a dit qu'elle téléphonerait.

Leah poussa un grand soupir. Il n'y aurait donc pas de surprise malgré tous ses efforts. Mais elle ne pouvait imputer sa déception qu'à elle-même. Elle aurait dû prévoir que Ginny lui ferait faux bond.

— Puisque c'est comme ça, dit-elle, je suppose que je n'ai plus qu'à l'attendre. Comme c'est chouette! Tout a l'air flambant neuf, s'exclama-t-elle après avoir jeté un coup d'œil vers l'intérieur de la maison.

Gwen la fit entrer pour qu'elle ait un meilleur aperçu.

— Presque tout. Les travaux ont pris des mois.

— Des mois? Je pensais que maman venait tout juste d'acheter la maison.

— Elle l'a achetée l'automne dernier, dès qu'elle a été mise en vente. Elle la lorgnait depuis longtemps.

Et vlan! pour les rêves qu'on partage, songea Leah. Elle se sentit un peu blessée, mais pas longtemps. Sa bonne humeur était inébranlable. Star's End avait une qualité qui vous remontait le moral.

Gwen la prit par le bras.

— Viens. On va aller chercher tes affaires et je vais te montrer ta chambre. Je te laisserai ensuite explorer la maison toute seule. Mes vieux os commencent à me faire souffrir. La journée a été longue.

Leah savait qu'elle avait dû passer des heures et des heures à déballer. Vêtue d'un chemisier et d'un pantalon, un gilet jeté sur les épaules, elle semblait pourtant encore fraîche et dispose. Gwen était comme ça. Grande, mince, encore droite comme un piquet à soixante ans, elle avait une élégance naturelle. Il n'y avait pas d'autre trace du travail qu'elle avait abattu ce jour-là que ses cheveux gris et crépus qui retombaient en mèches humides sur son front café au lait.

Gwen resta bouche bée devant le contenu de la malle arrière de la voiture de location.

— Je ne savais pas trop quoi apporter, expliqua aussitôt Leah. Les chandails prennent beaucoup de place, et les tenues de soirée aussi. Je ne voulais rien écraser. Sans oublier le maquillage, les trucs pour les verres de contact, les trucs pour les cheveux, et les livres. J'ai presque tous les titres suggérés dans le *Washington Post* la semaine dernière. Il faut que je sois encore dans le coup à mon retour.

Gwen lui jeta un regard malicieux et lui tendit deux valises. Elle prit les trois autres elle-même, deux en bandoulière et une à la main.

— Tu pourras toujours lire tes livres, mais tes machins de soirée ne te seront pas d'une grande utilité. Personne ne s'habille ici.

— Il doit bien y avoir des restaurants chic.

— Personne ne s'habille ici.

Leah poussa un grand soupir, puis se mit à examiner la maison.

Le hall d'entrée était vaste. Les murs nus étaient frais peints et avaient un besoin criant de décoration, mais le parquet aux larges planches était déjà garni d'un tapis ovale sensationnel, et la spirale de l'escalier reposait sur une grande plaque de marbre. Elles suivirent la rampe en acajou brillant jusqu'en haut de l'escalier. Gwen ouvrit une porte dans le couloir et tendit la main à l'intérieur pour atteindre l'interrupteur qui commandait deux lampadaires avec abat-jour et un ventilateur au plafond.

— Ta mère a pensé que cette chambre te plairait.

Et elle avait eu raison. Il y avait un immense lit à quatre colonnes flanqué de tables de chevet assorties, une coiffeuse et un coin boudoir meublé d'une causeuse, d'une table recouverte de tissu et de deux fauteuils. Tout était dans les tons de lavande et de blanc avec quelques touches de vert. C'était bien différent de sa chambre à Washington, mais pas tant que ça. Ici comme là-bas, on avait l'impression d'être dans un petit coin douillet, ce qui était étrange car cette pièce était beaucoup plus vaste et ouverte sur l'extérieur que l'autre. À Washington, il n'y avait qu'une seule fenêtre en saillie qui donnait sur le jardin. Ici, quatre immenses fenêtres donnaient sur la mer. Quatre. Leah aurait dû se sentir exposée et vulnérable, mais ce n'était pas le cas.

Gwen interrompit le cours de ses pensées pour lui montrer la salle de bains.

— Elle communique avec la chambre voisine. Il y a des serviettes et du savon, tout ce dont tu peux avoir besoin.

— Il y a un jacuzzi, remarqua Leah.

— Il y en a partout, sais-tu. Ta maman ne lésine pas quand elle fait quelque chose.

— Tu peux le dire.

Mais Gwen n'ajouterait rien. En dernière analyse, elle demeurait toujours loyale envers Ginny.

— Ma chambre est au fond du corridor, en haut de l'escalier de service. Je vais me retirer maintenant, à moins que tu aies besoin d'autre chose.

Leah lui assura que non, puis tourna son regard vers les fenêtres et la mer au-delà. Le jeu des reflets de la lune sur l'eau était éblouissant, le rythme des vagues envoûtant. Elle leva la guillotine pour laisser entrer une bouffée d'air frais et s'accouda sur le rebord de la fenêtre. Elle écouta le bruit des vagues et la corne de brume à Houkabee Rocks qui lançait à intervalles réguliers de longs appels, sourds et nasillards. Elle huma l'air salin et jouit du moment présent. Elle se redressa ensuite en souriant. La perspective de s'endormir au bruit des vagues était séduisante, mais ce serait pour plus tard. Elle n'avait pas du tout sommeil.

Il y avait six chambres à l'étage et, au rez-de-chaussée, deux grands salons, une bibliothèque dans la tourelle et, pour le plus grand plaisir de Leah, une immense cuisine toute neuve qui donnait sur une salle de séjour remplie de sièges profonds. Comme sa chambre, cette pièce faisait face à la mer. Elle pensa que la vue devait être spectaculaire le jour.

Par les portes-fenêtres de la cuisine on accédait à une grande terrasse en bois, prolongement de la galerie qui faisait le tour de la maison sans doute. La terrasse longeait aussi la piscine d'eau salée que Virginia avait décrite dans sa lettre. En regardant vers la piscine, Leah vit des arbres à sa gauche, un terrain dégagé droit devant elle et, à sa droite, une falaise.

Elle était ravie. Elle marcha jusqu'au bord de la falaise et y resta un certain temps, éprouvant le même genre de sensation pénétrante que celle qui l'avait saisie à sa descente de la voiture quand elle avait senti l'odeur de la mer et des premières chaleurs. Les pensées qui essayaient de s'implanter dans son esprit étaient aussitôt balayées par la même brise qui faisait qu'elle se sentait en si bonne forme. Elle n'essaya pas de comprendre ce paradoxe. L'impression lui suffisait. Le plaisir. Le bien-être.

Elle revint vers la piscine. Elle aurait pu rentrer dans la maison, mais l'idée de rester encore un peu dehors lui parut beaucoup plus séduisante. Elle se laissa donc tomber sur une longue balançoire bien rembourrée suspendue à une grosse branche d'un chêne solitaire. Il y avait là une odeur boisée qui s'ajoutait à l'omniprésent parfum salé et suave. C'était un mélange capiteux.

La tension que Leah ressentait encore à la suite des fatigues du voyage, de ses interrogations sur le sens de celui-ci, ou de sa déception due à l'absence de Virginia, disparut aussitôt. Elle se sentait le cœur et les membres légers. Elle s'allongea sur la balançoire, la tête appuyée sur l'accoudoir rembourré, mais elle se redressa aussitôt et retira les épingles de ses cheveux. Elle passa ses doigts dans ses mèches libérées et sentit qu'elles se mettaient à boucler, mais ça ne la dérangeait pas, pour une fois. Quand elle s'allongea de nouveau sur la balançoire, sa tête se posa sur le coussin formé par les ondulations de sa crinière, presque aussi exubérante que la brise qui faisait osciller tout doucement la balançoire d'avant en arrière.

Elle ferma les yeux et respira très très profondément.

Et tout à coup ce fut le matin. À sa grande surprise, elle était toujours sur la balançoire, pas courbaturée du tout et plus reposée que depuis bien des semaines. Rien ne lui semblait étrange. Dès qu'elle ouvrit les yeux, elle sut où elle était. Elle se sentait bien, heureuse, chez elle.

Elle sentit sur son visage un souffle d'air plus frais que la veille au soir, mais tout son corps était bien au chaud sous une grande couverture en tricot de laine. Elle ne se souvenait pas l'avoir vue chez sa mère. Virginia pouvait cependant l'avoir reçue en cadeau à un moment donné et mise de côté. Si c'était le cas, c'était une bonne idée de l'avoir ressortie maintenant. Son motif en patchwork allait très bien avec l'environnement.

Elle la remonta jusqu'à son menton et s'accorda encore quelques minutes de paresse. La couverture sentait la laine et quelque chose d'autre, d'inconnu et d'agréable. Elle se demanda quand Gwen l'avait apportée.

Gwen n'était nulle part. Mais il était évident qu'elle était sur pied depuis longtemps. Les bagages de Leah avaient été défaits, ses vêtements suspendus dans l'armoire, ses livres empilés, ses articles de toilette disposés près du lavabo en marbre vert pâle. Leah prit une douche et enfila un chandail et un jean blanc, trop chic toutefois, même si c'était le pantalon le plus sport qu'elle avait apporté. Elle plia la couverture sur le dossier de la causeuse comme pour se l'approprier et redescendit.

Sur le plan de travail de granit dans la cuisine, Gwen avait laissé une note accrochée à un panier rempli de brioches encore chaudes, pour lui dire qu'elle était allée à l'épicerie. Leah prit une brioche. En se retournant, elle eut le souffle coupé. Par-delà les hautes fenêtres de la salle de séjour, une profusion de fleurs de toutes sortes garnissaient des plates-bandes qui s'étendaient de la terrasse à la mer. Elle s'approcha des fenêtres et observa. Il y avait des hémérocalles et des asters, des iris pourpres, des phlox blancs, d'immenses lupins bleus. Elle se tourna vers la piscine et vit des onagres qui fleurissaient à côté de gypsophiles et, à sa grande surprise, des pavots, des pavots rouge vif.

Elle sortit par les portes-fenêtres et suivit la galerie vers l'avant de la maison. Les roses et les blancs, les bleus et les jaunes jaillissaient de toutes parts formant comme un écrin naturel autour de l'allée en demi-cercle. Elle vit des pivoines et des cœurs-saignants. Les premières roses trémières et les dernières ancolies. Des dahlias frais plantés, leurs bourgeons cramoisis petits encore, mais pleins de promesses.

Juste devant la maison, des alysses ondoyaient, basses et blanches devant des arbustes vert-de-gris. Son odorat l'attira ensuite en bas de la galerie et au-delà de la pelouse, vers la mer jusqu'au bord de la falaise. C'est là qu'elle découvrit les églantiers. Ils étaient en pleine floraison et leur parfum, si délicat la veille au soir, éclatait en plein soleil. Leah avait l'impression que leur odeur lui était aussi familière que la sienne propre.

Elle avait cueilli une fleur sur une branche et la humait en jetant un regard ébloui vers la mer quand un mouvement, plus loin sur la falaise, lui fit palpiter le cœur. Il y avait un homme. Il était en train d'enlever les fleurs fanées dans les iris. Elle pensa que ce devait être le jardinier, mais elle ne pouvait pas en deviner beaucoup plus à cette distance. Elle voyait qu'il était grand et agile. Il travaillait avec aisance, se penchait et se relevait sans arrêt. Elle voyait aussi qu'il portait un jean et une chemise foncée et qu'il avait les cheveux bruns. Mais c'était tout.

Elle eut l'idée de s'approcher de lui pour le féliciter de son travail, mais quelque chose l'en empêcha. Elle s'attarda encore un peu parmi les églantiers puis revint sans se presser vers l'avant de la maison. Elle allait traverser l'allée quand elle le vit de nouveau. Son cœur se remit à palpiter. Il était plus près d'elle cette fois-ci et dévissait un tuyau d'arrosage d'un robinet au coin de la maison.

Sa chemise était en jean, et les manches roulées jusqu'aux coudes laissaient voir ses avant-bras au hâle récent, plus brique que brun. Ses cheveux étaient ébouriffés par le vent, sa mâchoire barbue, ses mains grandes et salies. Elle observait le mouvement de ses épaules pendant qu'il enroulait le tuyau et le rythme auquel les muscles noueux de ses avant-bras se contractaient et se détendaient.

Il n'était pas d'une beauté classique. Sa carrure était trop imposante. Mais ça lui donnait un certain charme. Leah n'avait jamais vu un homme aussi sensuel. Elle était incapable de le quitter des yeux.

Elle pensa qu'il devait avoir près de quarante ans. En principe, ils pourraient devenir amis. Si elle réussissait à lui parler. Mais elle avait la bouche trop sèche pour ça.

Elle se demandait si elle devait passer à côté de lui ou retourner sur ses pas, sans réussir à se décider, quand il leva les yeux.

Elle fit un sourire un peu niais et le salua de la main. Pendant un instant il parut très surpris et la regarda fixement. Puis il cligna des yeux, inclina cérémonieusement la tête et lui fit un signe de la main pour lui rendre son salut. Il la regarda encore un peu, ramassa le tuyau et traversa la pelouse.

Elle prit l'autre direction. Elle ne touchait plus terre. Elle contourna la maison et rentra dans la cuisine. Son cœur battait très fort. Elle fit un grand sourire en voyant Gwen qui avait dû revenir pendant qu'elle était sur la falaise.

— Les fleurs sont absolument extraordinaires, s'exclamat-elle. Je n'en reviens pas qu'elles réussissent à pousser ici.

— Oh! elles ont besoin d'être cajolées, dit Gwen en rangeant les provisions dans le réfrigérateur. Mais le jardinier est très habile. Est-ce que tu l'as vu?

— Oui, à l'instant. Est-ce qu'il travaille ici à plein temps?

— Bien sûr, avec un domaine de vingt hectares.

— Mais il y a une grande partie en forêt.

— Et une grande partie cultivée. Tu as vu les fleurs, ma fille. Tu sais combien de soins elles exigent.

Leah le savait très bien. Les fleurs, c'était son rayon.

— Est-ce qu'il était compris avec la maison, ou est-ce que maman l'a engagé?

— Il était compris. À ce qu'on m'a dit, s'il n'avait pas eu

l'œil à tout après la mort de l'ancien propriétaire, la maison serait tombée en ruine. Il habite ici, sur le domaine, dans un cottage au bord du bois. Il y a une petite serre tout à côté.

Gwen était occupée à laver des baies.

— Hem! hem! c'est un bel homme. Je vais te dire, ma chère, s'il avait quinze ans de plus et si c'était un Noir, ces brioches que tu vois là se seraient vite retrouvées dans son cottage.

Leah éclata de rire.

— Il n'y a pas de quoi rire, dit Gwen.

— Je m'excuse. Est-ce que maman a appelé?

— Pas encore.

— Elle doit penser que je suis en route. Je devrais peut-être lui téléphoner pour lui dire que je suis ici. Elle n'est plus à la maison, n'est-ce pas?

— Grand Dieu! non. Pas sans les meubles. Pas sans moi. Elle est chez Lillian.

— Ah! elle lui fait ses adieux. Je ne devrais pas la déranger.

— Ça ne lui ferait rien.

Mais Leah ne voulait pas courir au-devant des déceptions. Elle ne voulait pas prendre le risque de s'entendre dire que Virginia avait des raisons impérieuses pour ne pas lui parler au téléphone.

— Quand elle appellera, dit-elle à Gwen, dis-lui que je suis ici et que je suis impressionnée. Je vais lire au bord de la piscine.

Elle s'installa avec un livre, mais elle ne fit que le feuilleter. Elle était distraite par tout ce qu'elle entendait et ce qu'elle voyait. Elle longea les plates-bandes près de la piscine. Elle marcha nonchalamment jusqu'à la falaise et observa le ressac. Elle s'étendit paresseusement sur la chaise longue, son livre à l'envers sur ses genoux et ne pensa plus à rien du tout.

Le soleil monta jusqu'à midi, puis commença à s'incliner. Au moment précis où elle le souhaitait, Gwen apporta un plateau sur lequel il y avait un grand verre de thé glacé et un sandwich au poulet.

— Ça a l'air bon. Maman n'a toujours pas appelé?

— Non, pas encore.

— Est-ce qu'elle a dit qu'elle appellerait avant de partir ou pendant le trajet?

— Elle ne l'a pas précisé.

— Qu'est-ce que tu en penses?

— Je ne le sais pas plus que toi. Elle n'est sans doute pas pressée. Elle sait que j'ai la situation bien en main.

— Mais elle sait aussi que je devais arriver aujourd'hui, ajouta Leah un peu sèchement. Pourquoi m'a-t-elle invitée d'après toi?

— Elle voulait partager tout ceci avec toi. Elle savait que tu aimerais la maison.

— Mais ce n'est pas pour moi qu'elle l'a achetée. Elle doit bien l'aimer elle-même. C'est drôle, je ne l'aurais pas cru. Ce n'est tellement pas son genre.

— C'est peut-être ce qui lui a plu.

— À son âge?

— Une femme n'est jamais trop vieille pour changer, dit Gwen d'un ton significatif.

— Je m'excuse.

Leah se demandait quoi faire dans cette situation.

— J'essaierais bien de joindre maman moi-même, mais elle doit déjà être en route si elle a prévu arriver aujourd'hui. Et je n'ai vraiment pas envie de parler à Lillian. Alors je suppose que je n'ai pas d'autre choix que d'attendre.

L'attente aurait dû être pénible. Leah avait de l'impatience à revendre. Mais ça se passait dans sa tête, et seulement par intermittence. Son corps par contre ressentait un parfait bien-être. Il continuait de se détendre au bord de la piscine. De flâner à loisir sur la falaise. D'explorer les jardins.

Elle était assise sur la pelouse bien tondue, près d'une plate-bande, et essayait sans y réussir de se souvenir de ce qu'elle faisait deux jours plus tôt, quand elle sentit qu'il approchait. Il semblait démesurément grand. Elle pensa qu'elle aurait dû se lever, mais elle était incapable de bouger.

Elle se contenta de sourire.

— Salut !

— Salut ! lui répondit-il.

Sa voix était profonde. De près, son visage était énergique. Il ne manifestait plus de surprise, mais il avait l'air grave.

Elle indiqua les fleurs.

— Elles sont absolument superbes.

Il leur jeta un bref coup d'œil, puis s'adressa à elle en la regardant de nouveau. Les mots qu'il prononça tempérèrent la sévérité de son expression.

— C'est à cause de l'air et du sol. Presque tout pousse bien ici, avec l'humidité et tout le reste.

— La période de croissance doit être courte.

Il haussa une épaule.

— Le climat est plus doux ici que dans les terres.

— Mais le vent n'abîme pas les fleurs ?

— Elles sont résistantes.

Il s'accroupit, arracha une mauvaise herbe et tassa le sol avec ses doigts aux bouts carrés qui étaient longs et minces.

— Les pieds-d'alouette tirent à leur fin. Si vous les aviez vus la semaine dernière !

— Ils sont encore magnifiques, dit-elle.

Elle pensa que, s'il vivait en ville, il devrait se raser deux fois par jour tant sa barbe était forte.

— Allez-vous les rabattre ?

— Non. Ils seront plus vigoureux l'an prochain s'ils sèchent sur pied. Mais j'ai taillé les phlox pour qu'ils se répandent et qu'ils soient plus fournis.

Leah détacha son regard de son visage et parcourut les plates-bandes des yeux. Elles étaient luxuriantes et en parfaite santé.

— Tout vient bien.

— À présent, oui. J'ai fait des essais qui n'ont pas marché et que j'ai dû abandonner.

Elle regarda de nouveau son visage. Ses yeux étaient bruns

et étonnamment chaleureux, malgré son air grave. Mais on aurait pu aussi s'étonner de cet air grave. De près, on voyait des rides au coin de ses yeux et des plis autour de sa bouche. Il lui arrivait donc de sourire à l'occasion. Mais pas ici. Pas maintenant. D'aucune façon.

Elle avait encore la bouche sèche. Elle n'avait pas l'habitude de se trouver avec des hommes inconnus. Elle n'avait pas l'habitude d'hommes en sueur, ou d'hommes à l'odeur mâle comme celui-ci.

Mais il la regardait et attendait une réponse. Elle se sentait ridicule. Elle s'éclaircit la gorge et s'efforça de dire quelque chose qui n'aurait pas l'air trop stupide.

— Vous devez avoir de beaux coloris dans les jardins tout l'été.

— J'essaie. J'ai établi une rotation dans les plates-bandes. Quand une sorte de fleur tire à sa fin, une autre est en pleine floraison.

— C'est extraordinaire.

— C'est scientifique. Planifié sur papier.

— On dirait que vous avez un diplôme en bonne et due forme.

— Pour une part, oui.

— Et le reste?

— Je l'ai appris de mon père.

Quelque chose dans sa réponse, ce qu'elle contenait de personnel peut-être, donna à Leah la force de se lever. Elle brossa d'une main le fond de son pantalon et lui tendit l'autre.

— Je suis Leah St. Clair. Je suis la fille de la nouvelle propriétaire.

Il serra ses doigts dans les siens.

— Jesse Cray.

Elle fit un signe de la tête, la gorge serrée. Des doigts chauds, une bonne poigne, des yeux profonds et expressifs. De près, il paraissait aussi naturel et sauvage que Star's End. Elle était profondément intimidée, mais intriguée aussi. Elle s'aperçut qu'elle le trouvait intéressant.

— Êtes-vous venue donner un coup de main pour déballer ? lui demanda-t-il avec aisance.

— Gwen et les déménageurs s'en sont chargés. Je ne fais qu'attendre ma mère.

— Quand doit-elle arriver ?

— Elle devait arriver hier. Aujourd'hui à présent.

— A-t-elle vendu sa maison à Philadelphie ?

— Ouais.

— Elle aura donc sa résidence principale ici ?

— On dirait bien.

— Est-ce qu'elle vous ressemble ?

Leah fronça les sourcils.

— Vous ne l'avez pas rencontrée ?

Il secoua la tête.

— Mais je croyais que vous habitiez ici.

— En effet.

— Et vous ne l'avez pas rencontrée quand elle a acheté la propriété ?

— Elle n'est pas venue.

Leah était abasourdie.

— Jamais ?

— Je l'aurais su si elle était venue, dit-il si simplement qu'elle comprit que c'était vrai.

— C'est vraiment étrange. Inimaginable en fait. Qu'elle achète une maison qu'elle n'a jamais vue.

Sans même penser aux questions d'argent. Leah était époustouflée à la seule pensée que Virginia ait pris un tel engagement sur un coup de tête.

Elle essayait de comprendre quand Jesse ajouta :

— Elle n'avait pas besoin de venir en personne. Il y a des vidéocassettes maintenant. Les agents immobiliers les utilisent. Et sa décoratrice a dû lui faire son rapport.

— Quand même.

Leah n'avait jamais vu Virginia agir de façon impulsive. Mais Jesse avait sans doute raison. Elle avait peut-être vu une vidéocassette.

Leah se sentit obligée de dire :

— Je n'ai appris que tout récemment qu'elle l'avait achetée.

Puis une explication en amenant une autre, elle ajouta :

— Nous ne sommes pas très proches l'une de l'autre.

Et plus timidement :

— Nous ne nous voyons pas souvent. J'habite à Washington.

Ses yeux lui disaient qu'il comprenait, et qu'elle n'avait pas besoin d'en dire plus. C'était aussi bien ainsi, car sous son regard elle avait de la difficulté à réfléchir. C'était lamentable. Elle venait de la ville. Elle aurait dû être experte dans les rapports sociaux et, dans son propre cercle, parmi les gens de son milieu qu'elle connaissait depuis des années, elle l'était. Mais ce n'était pas ici une de ces conversations qu'elle connaissait par cœur. C'était la vraie vie.

Elle battit des paupières et s'éclaircit la gorge. Elle manifesta sa curiosité.

— Je crois comprendre que vous êtes né à Downlee ?

— Oui.

— On ne dirait pas. Je me serais attendue à ce que vous ayez un accent, l'accent du Maine.

Mais ce n'était pas du tout le cas. Sa voix était grave, sonore.

— Ça m'arrive parfois, quand je suis en colère ou ennuyé.

Elle avait de la difficulté à l'imaginer de mauvaise humeur.

— Pourquoi pas tout le temps ?

— De nos jours, un accent serait une affectation plus qu'autre chose. Je passe l'hiver à voyager. Je vais au cinéma et je regarde la télévision. La plupart des gens que j'entends au cours d'une journée ne parlent pas le patois du Down East [1]. Il jeta un regard rêveur vers les falaises.

— La disparition de quelque chose d'unique est toujours un

---

1. Du nord-est de la Nouvelle-Angleterre. (NDT)

peu triste. L'authentique patois du Down East a un certain charme. Je n'aime rien autant que de m'asseoir sur les marches de la boutique du coiffeur pour hommes et d'écouter les grands-pères le parler. C'est comme une vieille chanson.

Ses yeux rencontrèrent les siens, doux et tristes.

— On ne fait plus de musique comme ça.

Leah était incapable de se souvenir d'une vieille chanson qui aurait été aussi mélodieuse que sa voix à lui. Elle inspira profondément.

— Non, c'est vrai.

Après quelques minutes, il la quitta des yeux et dit :

— Eh bien ! je devrais retourner travailler.

Elle l'observa. Il avait les hanches étroites, les jambes longues et la démarche souple. Il ne correspondait pas du tout à l'image qu'on se fait habituellement d'un jardinier.

— Jesse ? l'appela-t-elle.

Il se retourna.

— Auriez-vous objection à ce que je coupe des pieds-d'alouette pour la maison ?

Un beau Brummel de la ville aurait répondu ; « J'en serais très honoré », ou « Faites comme chez vous », ou peut-être, un peu désabusé, « Elles sont là pour ça ». Jesse Cray dit simplement :

— Pas du tout.

Il la salua ensuite d'un geste de la tête et repartit.

— Te voilà enfin ! la gronda Gwen. Je t'ai cherchée partout.

— J'étais dehors dans les plates-bandes de fleurs, dit-elle.

Elle y était encore un peu en pensée. Elle fit un effort pour se ressaisir et dit d'une voix haletante :

— Maman a appelé ?

Gwen fit signe que oui.

— Est-ce qu'elle est à Portland ? Je pourrais aller la chercher. Le trajet se fait bien. J'imagine que j'aurais dû y penser plus tôt. Si elle est déjà là, c'est probablement trop tard. Mais non. Elle pourrait s'installer confortablement au Admiral's Club et...

— Elle est encore à Philadelphie.

— À Philadelphie ? Tu veux rire, s'écria Leah. Qu'est-ce qui se passe ?

— Rien de particulier. Elle a simplement le goût d'y rester encore un peu.

— Avec ses amies.

Leah n'ajouta pas *plutôt qu'avec sa fille*, mais le ton de sa voix trahissait sa déception.

— C'est un gros changement pour elle, essaya d'expliquer Gwen. Je pense qu'elle a l'impression de faire une fin.

— Mais elle les reverra, ses amies. Elles viendront ici, elle ira là-bas, et elles se retrouveront toutes à Palm Springs l'hiver venu.

— C'est quand même un gros changement.

— Peut-être qu'elle ne devrait pas faire ça. C'est peut-être une erreur. Savais-tu qu'elle n'est jamais venue ici et qu'elle n'a jamais vu l'endroit ? Mais bien sûr que tu le sais. C'est toi qui t'occupes d'organiser ses voyages.

Elle gesticulait.

— Je ne comprendrai jamais cette femme. C'est aussi simple que ça. Je m'en vais en haut.

Elle pensa à appeler Ellen. *Je savais bien que je n'aurais pas dû venir. Je lui ai donné moi-même l'occasion de me démolir. Comme d'habitude.* Mais elle n'en fit rien. Ellen n'aurait rien pu lui dire qu'elle ne s'était pas déjà dit elle-même.

Elle retira son jean blanc, furieuse de constater qu'elle y avait fait une tache d'herbe en s'asseyant par terre près des plates-bandes, enfila son maillot de bain et enroula un sarong autour de ses hanches. Elle prit un autre livre que celui qu'elle avait trouvé assommant plus tôt et retourna au bord de la piscine.

Elle resta tranquillement assise une dizaine de minutes. Mais elle avait la chair de poule. Elle pensa tout à coup que, puisque Virginia n'arriverait pas ce jour-là, elle n'avait pas à essayer d'impressionner qui que ce soit. Elle remonta aussitôt dans sa chambre, détacha ses cheveux et les laissa tomber sur son dos, s'enveloppa dans la couverture de laine en patchwork et redescendit.

La douleur commença alors à s'apaiser. La déception et la frustration aussi. Elles s'envolèrent au vent, avec toutes ses autres pensées, ne laissant place qu'à de profondes bouffées d'un pot-pourri capiteux et enchanteur, un mélange d'air salin, d'églantine et d'épinette.

Elle était étendue, tranquille et comblée. Elle s'assoupit. Elle se réveilla, s'étira, sourit.

Elle pensait que les choses auraient pu être pires. Star's End aurait pu être une vieille baraque. La maison aurait pu être située sur une île à des kilomètres de la côte, reliée à la terre ferme par un seul bateau postal faisant eau. Elle aurait pu être infestée de chauves-souris. Elle aurait pu se trouver sur un terrain morne et désertique. Elle aurait pu être entretenue par des trolls plutôt que par un jardinier énigmatique aux yeux bruns impénétrables.

Les choses auraient pu être pires, pensa-t-elle de nouveau en respirant profondément. Mais elle perdit le souffle quand elle vit apparaître deux silhouettes qui venaient de l'arrière de la maison et qui s'interposèrent entre elle et la mer.

6

Leah se redressa sur sa chaise longue.

— Qu'est-ce que vous faites ici ?

Caroline s'approcha d'elle.

— Ginny ne t'avait pas prévenue ?

— Pas du tout.

Debout à côté de Caroline, Annette dit d'un ton moqueur, en prononçant bien distinctement chaque mot :

— Nous venons l'aider à s'installer et à donner du cachet à sa maison. Nous allons y mettre de la chaleur.

— Mais surtout, ajouta Caroline sur le même ton, nous venons partager des moments d'intimité avec elle, un temps précieux qu'elle regrette de ne pas nous avoir consacré auparavant.

D'un ton plus ferme, elle ajouta :

— Es-tu certaine que tu n'étais au courant de rien ?

Leah avait fort bien reconnu les mots que ses sœurs venaient de répéter. Elle était absolument déconcertée.

— Comment ça, au courant ? Je ne suis pas sa confidente.

— Tu la vois plus souvent que nous.

— Je ne savais même pas qu'elle avait acheté cette maison, encore moins que vous seriez ici l'une ou l'autre.

Et ça ne lui plaisait pas du tout. Elle s'était sentie si bien, assise toute seule au bord de la piscine, bien au chaud dans sa couverture de laine, les cheveux dénoués. Depuis leur arrivée, elle se sentait gauche, et c'était entièrement la faute de Virginia.

— Elle m'a envoyé une lettre avec un billet d'avion. Elle m'a écrit les mêmes choses qu'à vous. Elle a planifié tout le scénario.

— Tu peux le dire, répondit Caroline l'air renfrogné.

— C'est une vraie sorcière, s'écria Annette en regardant sa montre. Il faut que j'appelle à la maison. Je ne peux pas le croire. Y a-t-il un téléphone quelque part?

Leah lui indiqua la cuisine. Elle resserra la couverture autour d'elle, enroula ses cheveux et les coinça entre sa tête et le dossier de la chaise. Elle leva les yeux vers Caroline.

— Êtes-vous venues ensemble?

— Dans le taxi. Nous nous sommes rencontrées à Portland. Ginny a dû coordonner nos vols. Et toi? Quand es-tu arrivée?

— Hier soir. Le vol que j'aurais dû prendre atterrissait à quatorze heures dix cet après-midi.

— Juste après le mien et avant celui d'Annette.

Caroline détourna les yeux.

— Elle m'a laissé entendre qu'elle n'avait invité que moi. À Annette aussi.

— À moi aussi. Pourquoi Annette est-elle si pressée d'appeler à la maison? Quelque chose ne va pas?

— Elle pense que sa famille ne peut pas se passer d'elle, dit Caroline avec un sourire moqueur.

— Il me semble que c'est plutôt le contraire. Sa famille est toute sa vie. Je suis surprise qu'elle soit ici sans eux. Es-tu certaine qu'ils ne sont pas cachés quelque part?

— Certaine, dit Caroline avec un demi-sourire plus naturel.

Leah pensa que c'était un sourire charmant et, à dire vrai, Caroline était une femme charmante. Leah n'aimait habituellement pas sa façon de s'habiller, trop soignée et sévère. Mais ce jour-là elle paraissait très bien. Bien mieux qu'elle-même. D'ailleurs, même habillée, elle n'aurait pas été correcte. Son seul pantalon qui aurait pu être de mise était son jean blanc, dont le fond était maintenant taché d'herbe.

Mais les jeans blancs n'étaient pas vraiment de mise. Seuls

les blue-jeans correspondaient au style de Star's End. Rien d'autre que les blue-jeans. Caroline, elle, l'avait deviné.

— Où est donc la mater familias ? Ne me dis tout de même pas qu'elle est déjà en train de jouer aux cartes au village. Pourquoi n'est-elle pas avec toi ?

— Elle n'est pas ici.

— Où est-elle ? demanda Annette qui revenait.

— Elle est encore à Philadelphie.

— Tu veux nous faire marcher, s'écrièrent-elles toutes les deux.

— Pourquoi n'est-elle pas ici ?

— Qu'est-ce qu'elle attend ?

— Quand va-t-elle arriver ?

Elles auraient voulu que Leah ait des réponses à leurs questions, mais elles se doutaient bien qu'elle n'en savait probablement pas plus long qu'elles.

— Elle sera peut-être ici demain. Mais en fait elle aurait dû arriver aujourd'hui et elle a changé d'idée. Gwen prétend qu'elle a de la difficulté à faire ses adieux. Ne trouvez-vous pas que ça serait palpitant si elle décidait de ne plus partir ?

— Mais elle a vendu la maison.

— Elle pourrait en acheter une autre.

— Mais elle nous a forcé la main pour nous attirer toutes les trois ici ! ergota Annette. Je ne sais pas comment c'est pour toi, Leah, mais pour moi c'est la pire période de l'année pour laisser la maison.

Leah pensait qu'elle n'aurait vraiment rien eu de mieux à faire quand Caroline se tourna vers elle pour lui demander :

— Pendant que j'y pense, est-ce qu'il y a eu des appels téléphoniques pour moi ?

— Pas que je sache.

— Je vais aller appeler au bureau.

Leah la regarda s'éloigner, puis demanda à Annette :

— Des problèmes au bureau ?

— Caroline le voudrait bien. D'après elle, sa clientèle s'en va au diable quand elle n'est pas là. Comme si ses clients étaient des bébés.

— Ses clients et ta famille, murmura Leah.

En présence de ses sœurs, elle avait toujours l'impression d'être futile et inutile. Peu attrayante aussi. Ça l'enrageait. Elle se sentait si bien avant qu'elles n'arrivent.

— Qu'est-ce que tu as dit?

— Rien.

Mais Annette avait entendu, et le mal était fait.

— Je sais très bien que ma famille peut se débrouiller sans moi, argumenta-t-elle. C'est simplement que j'aime être avec elle. Et il n'y a pas de meilleure période pour ça que les vacances des enfants. Alors peux-tu me dire ce que je fais ici? demanda-t-elle en jetant un regard perplexe autour d'elle.

Elle parut vouloir ajouter quelque chose, puis regarda de nouveau autour d'elle.

— Je dois dire que c'est un endroit charmant. J'ai l'impression de quelque chose de familier, mais ça ne ressemble à aucun autre endroit que je connaisse. La cuisine est fabuleuse! Comment est le reste de la maison?

— Magnifique.

— Tout est déballé et installé?

— À peu près.

— Mais alors pourquoi Ginny nous a-t-elle fait venir? Si elle voulait simplement nous réunir, elle aurait pu choisir un meilleur moment.

— Il n'y aurait pas eu de meilleur moment.

— Pour toi, peut-être. La saison des réunions mondaines est terminée.

Leah se hérissa.

— Ce que je veux dire c'est que, peu importe à quel moment elle nous aurait invitées, aucune d'entre nous n'aurait voulu venir. L'esprit de clan ne court pas dans la famille.

— Bien dit! remarqua Caroline en s'asseyant au bord de la chaise longue à côté de Leah, les coudes sur les genoux. Je ne peux pas croire que Ginny a fait ça. Je ne peux tout simplement pas le croire. Comme si elle pensait qu'on n'a rien de mieux à faire.

Leah se dit qu'elle, en effet, n'avait rien de mieux à faire à Washington. Mais elle n'était pas obligée d'être là non plus. Elle n'avait pas à mettre sa santé mentale en jeu en s'efforçant d'obtenir l'approbation de Ginny. Et de toute façon elle n'avait plus la moindre chance d'impressionner Ginny maintenant. Pas avec Caroline et Annette à ses côtés. En leur présence, elle s'effaçait.

— Les garçons sont rentrés sains et saufs, dit Annette à Caroline.

— Tu en doutais?

— Ils étaient très en retard. C'est normal qu'une mère s'inquiète.

— Ginny n'a jamais été inquiète, elle. Et ça m'étonnerait qu'elle le soit maintenant. Elle est probablement en train de jouer aux cartes à son club en ce moment même, sans se sentir le moindrement coupable d'avoir dérangé nos vies. Elle est sans-cœur.

— Sans-cœur, étourdie, égoïste, il n'y a rien là de bien nouveau!

— Revenons-en aux faits. Où cela nous mène-t-il? Qu'allons-nous faire? Je devrais vraiment repartir, déclara Caroline en regardant vers la falaise.

Annette lui décocha un regard.

— Moi aussi.

Mais Leah n'était pas pressée, elle.

— Je crois que je vais rester. Elle a fait tout son possible pour nous faire venir en nous envoyant des billets. Je ne voudrais pas qu'en arrivant elle constate que nous sommes toutes reparties.

— Bonne fille, se moqua Caroline. Tu seras récompensée pour ça.

— Tu sauras que je me sens vraiment bien ici.

Avant l'arrivée de ses sœurs à tout le moins. Elle ne serait pas du tout déçue si elles reprenaient l'avion le lendemain matin.

Elle se proposerait même pour les conduire elle-même à Portland.

— Quand nous étions enfants, continua Caroline, tu étais toujours celle qui faisait tout pour lui plaire. On dirait que ça n'a pas changé.

— Tu as encore l'air d'une enfant, remarqua Annette en ajoutant d'un ton un peu sec : et c'est un compliment.

Comme Leah avait trente-quatre ans, elle était bien prête à le considérer comme tel, d'autant plus que les compliments de la part de ses sœurs étaient bien rares.

— C'est à cause de mes cheveux.

Lorsqu'ils n'étaient pas retenus avec des épingles, ils refusaient de rester en place à l'arrière de sa tête.

— Ils ne se sont pas encore assagis. C'est un cas désespéré.

— J'ai toujours rêvé d'avoir les cheveux frisés, confia Annette. J'ai toujours rêvé d'avoir les cheveux blonds. J'aurais fait décolorer mes cheveux et je me serais fait donner une permanente si maman m'avait laissée faire. Mais il n'en était pas question. Elle trouvait que mes cheveux étaient magnifiques tels quels.

— C'est vrai, affirma Leah. Ils sont brillants. Ils sont souples. Et tu n'as pas à te préoccuper de l'humidité.

Elle essaya encore d'enrouler ses cheveux à l'arrière de sa tête, mais ils s'échappèrent aussitôt en mille boucles.

— Je ne peux rien en faire. C'est une cause perdue.

— Penses-tu que Gwen était au courant ? demanda Caroline en revenant au sujet de la conversation.

Leah croyait bien que oui.

— Elle organise tous les voyages de maman. C'est elle qui a dû réserver nos places d'avion. Et il y a ici des chambres déjà meublées qui sont prêtes pour nous trois, ajouta-t-elle en commençant à y voir clair. Cela aurait dû me mettre la puce à l'oreille, mais j'ai simplement pensé que Gwen était terriblement efficace.

— Maman ne t'a rien dit à notre sujet dans la lettre qu'elle t'a envoyée?

— Absolument rien, Caroline. Je te le jure. Je ne suis pas plus heureuse de vous voir que vous ne l'êtes de me voir. Si j'avais su que vous viendriez, je serais repartie et j'aurais repris la route pour Portland à la première heure ce matin.

— Tu es venue de Portland en voiture? demanda Annette étonnée.

— C'est ma voiture de location qui est garée devant la maison.

— Mais je pensais que tu ne conduisais plus.

— Je n'ai plus de voiture. Je n'en ai pas besoin en ville, mais j'en loue quand même une de temps en temps.

Annette s'éclaircit la gorge.

— Heureusement qu'on t'en a passé une qui était déjà éraflée.

Leah put se dispenser de répondre grâce à Caroline qui, après avoir jeté un regard étonné autour d'elle, s'exclama :

— Cet endroit me rappelle quelque chose. Il m'est familier.

Annette se leva.

— Fais-nous visiter, Leah. Allons voir comment Ginny a dépensé son argent.

Leah se dit qu'en les faisant visiter elle pourrait s'esquiver dans sa chambre. Elle souhaitait s'habiller et se coiffer. Elle se sentirait moins gauche après.

La couverture s'entrouvrit quand elle se leva.

Caroline en saisit le bord et la maintint ouverte.

— Un sarong en soie. Comme c'est joli! J'imagine que c'est à la dernière mode.

— Probablement, dit Leah en ayant l'impression d'être frivole.

— Tu es toujours aussi mince, remarqua Annette. Manges-tu suffisamment?

— Oui, je mange bien. Mon poids correspond à ce qu'il doit être en fonction de ma taille.

— Comment se fait-il que tu sois plus mince que moi?

— Parce que je n'ai pas eu d'enfants. Tu en as eu cinq.

— Quatre grossesses.

— C'est quatre de plus que Caroline ou moi, dit Leah qui ajouta sincèrement : tu ne parais vraiment pas si mal, Annette.

Elle reprit la couverture des mains de Caroline et amena ses sœurs dans la maison.

Elles firent le tour des pièces du rez-de-chaussée en s'exclamant en chœur. *Ravissant. Jolie tourelle. Belle moulure. Superbes planchers.*

Lorsqu'elles furent à l'étage, Leah s'excusa et alla dans sa chambre pour essayer de recomposer son allure raffinée habituelle. Quand elle eut l'impression d'être redevenue elle-même, elle rejoignit ses sœurs en bas, dehors, dans l'escalier à l'avant de la maison.

— Qu'est-ce que vous en pensez? demanda-t-elle.

— C'est une maison extraordinaire, admit Annette.

Caroline était d'accord.

— Il ne manque que quelques tableaux sur les murs.

— Quelques accessoires çà et là.

— La touche finale, dit Leah en traversant l'allée jusqu'à la pelouse.

— Tu dois être folle des fleurs.

— En effet.

Leah pensa au jardinier et se demanda où il était passé. Elle n'en parla pas à ses sœurs. C'était son secret pour l'instant.

— Qu'est-ce qui semble si familier? demanda Caroline.

— Les roses.

— Quelles roses?

Leah les amena vers la falaise. L'odeur s'intensifiait à mesure qu'elles approchaient et, quand elles y furent, l'éclat des roses leur sauta aux yeux.

— Des églantines, dit Annette après en avoir cueilli une.

— Mais nous n'avons jamais eu aucune sorte de roses à la maison, remarqua Caroline.

— C'est vrai, dit Leah, mais sentez-les. Fermez les yeux. Dites le premier mot qui vous vient à l'esprit.

— Maman.

— Maman.

— C'est son parfum, expliqua Leah. Du plus loin que je me souvienne, elle l'a toujours fait élaborer spécialement pour elle. Encore aujourd'hui.

— C'est probablement surtout à cause des églantines qu'elle a acheté la maison, dit Annette d'un ton songeur.

— Ça serait peut-être le cas si elle était venue les sentir sur place, leur dit Leah sans mentionner que c'était Jesse Cray qui lui avait révélé ce qu'elle savait.

— Tu veux dire qu'elle a acheté Star's End sans y être venue.

— Il semble bien.

— Est-elle en train de perdre la tête ? De devenir sénile ? De manifester les premiers symptômes de la maladie d'Alzheimer ?

— Je ne pense pas.

— Tu veux dire qu'elle a tout simplement décidé de venir s'installer dans une maison qu'elle n'a jamais vue ?

— On dirait bien que oui.

Caroline se croisa les bras.

— Elle est complètement cinglée. C'est évident. Aucune personne saine d'esprit n'abandonnerait subitement la vie qu'elle a toujours menée pour déménager dans une maison inconnue au fond d'un trou perdu.

— Ce n'est pas un trou perdu, dit Leah qui ressentait un désir pressant de défendre Star's End.

— En tout cas, c'est un drôle de village dans un drôle d'État.

— Nous avons adopté une chatte une fois, dit Annette qui réfléchissait tout haut. Elle avait déjà un certain âge quand nous l'avons eue, mais elle nous adorait. Elle se tenait toujours dans la même pièce que nous. Si les enfants l'agaçaient, elle s'écartait et se laissait retomber lourdement un peu plus loin. Elle restait toujours près de l'action, même si elle n'y prenait pas une part active. Comme maman, d'une certaine façon, présente sans y être vraiment.

— Où veux-tu en venir ? demanda Caroline.

Annette la regarda dans les yeux.

— Je veux dire que notre chatte ne s'est jamais éloignée beaucoup jusqu'à l'heure de sa mort, où elle s'est éclipsée toute seule. Si je n'étais pas dupe, je dirais que c'est ce que maman est en train de faire.

— C'est ridicule, dit Caroline d'un ton railleur. Maman n'est pas une chatte. C'est une créature sociable. Elle a toujours été très mondaine. Et elle ne souffre pas d'une maladie mortelle.

— La vie est une maladie mortelle.

— Elle n'a que soixante-dix ans, et elle est en bonne santé.

— Pas tout à fait, intervint Leah.

Ses sœurs se retournèrent vers elle, et elle leur rappela les malaises cardiaques de l'automne précédent.

Caroline parut abasourdie.

— Quels malaises cardiaques ?

— Tu sais bien. Tous les tests qu'elle a passés.

— Elle ne m'a jamais parlé de tests, jura Caroline en se tournant vers Annette. Et toi, étais-tu au courant ?

— Pas du tout.

Aussi abasourdie que Caroline, Annette se tourna vers Leah.

— Quels tests ?

Leah les informa.

— Pourquoi ne nous en as-tu pas parlé plus tôt ?

— Ce n'était pas à moi de le faire. C'était à maman, et je pensais qu'elle vous l'avait dit. Je pensais que vous le saviez.

Annette hocha la tête.

— Ça ne devrait pas me surprendre. Elle s'est toujours identifiée à toi. C'est normal que ce soit à toi qu'elle se soit confiée.

— Elle m'en a parlé parce qu'elle voulait avoir quelqu'un pour l'accompagner tout au long de cette épreuve.

— Gwen aurait pu l'accompagner. Il n'y a presque rien que Gwen ne fait pas pour elle.

— Ce n'est pas pareil, insista Leah. Elle voulait quelqu'un de la famille.

Caroline s'était croisé les bras de nouveau.

— Elle te l'a dit?

— Non, mais ce n'était pas nécessaire. C'est le bon sens même.

— Ou alors, c'est que tu prends tes désirs pour la réalité.

— Le bon sens même, répéta Leah d'un ton irrité.

Ça la choquait quand Caroline était aussi catégorique. Pour une fois, elle n'avait pas l'intention de s'en laisser imposer.

— Tu as ta carrière, et Annette sa famille. De nous trois, je suis la seule qui avait du temps libre pour aller m'asseoir avec elle dans les salles d'attente des médecins.

Mais Caroline hochait la tête.

— C'est encore un jeu de pouvoir. Ginny y est très habile. Elle prend plaisir à donner quelque chose à l'une d'entre nous et à en priver les autres. Ça me rappelle la fois où j'avais déclaré que je ne voulais pas aller au bal des débutantes. Elle vous avait amenées toutes les deux voir du théâtre à New York pendant un week-end en me laissant cuire dans mon jus toute seule à la maison.

— C'est aussi comme la fois où je me suis plainte qu'elle n'était jamais là quand je revenais de l'école, poursuivit Annette. Elle s'est organisée pour que je ne la voie pas du tout pendant une semaine entière.

— Et comme la fois où j'ai dit que je ne voulais pas aller à une école privée, ajouta Leah qui avait aussi ses griefs. Elle vous a acheté des vêtements neufs seulement à vous, les filles, comme si ce que je portais n'avait plus aucune importance. Bon, bon, c'est vrai. C'était sa façon de nous punir. Mais je peux vous dire que ce n'était pas du tout comme ça l'automne dernier. Elle voulait que quelqu'un de la famille l'accompagne et discute avec les médecins, et j'étais la mieux placée. Si vous pensez que ça a été une partie de plaisir, vous vous trompez. Et si vous pensez qu'elle m'en a été reconnaissante, vous vous trompez aussi.

Annette soupira.

— Alors, rien n'a changé.

— Sauf, continua Leah sur sa lancée, que nous nous retrouvons toutes les trois ici, alors que nous voudrions être ailleurs. Alors, les filles. Partez-vous demain matin ou non ?

— Elle aurait été bien contente si nous avions dit oui, confia Caroline à Ben plus tard ce soir-là. Elle voudrait bien avoir l'endroit pour elle toute seule. Elle voudrait bien avoir Ginny pour elle toute seule.

Après réflexion, elle reconnut d'une voix plus calme :

— Je suppose que c'est ce que nous souhaiterions toutes. À bien y penser, ça a toujours été la cause de notre rivalité.

— Ça a été, ou c'est encore ?

— Ça a été. Nous ne rivalisons plus.

Ben sifflota négligemment quelques notes.

— Pas vraiment en tout cas, mais peut-être encore un peu, concéda Caroline. Ce n'est toutefois pas surtout pour ça que j'ai décidé de rester. Je tiens à être ici quand Ginny va arriver.

Caroline lui en voulait à mort.

— Elle nous doit des explications, et je veux les entendre.

— Tu pourrais rentrer à la maison et téléphoner à tes sœurs dans un jour ou deux pour savoir ce que Ginny leur aura dit.

— Je veux l'entendre de sa propre bouche. Après tout, qu'est-ce que ça peut bien faire un jour de plus ? se demanda-t-elle une fois de plus comme elle l'avait déjà fait à plusieurs reprises au cours des heures précédentes. Ou peut-être deux ? De toute façon, je suis déjà rendue et je dois avouer que l'endroit est très agréable. Gwen a préparé un excellent dîner, probablement pour se faire pardonner sa complicité dans ce qui arrive. J'ai vérifié comment les choses se passaient au bureau. Tout va bien de ce côté-là.

— Ouf ! ça c'est un grand soulagement !

— Arrête de te moquer de moi. S'il y avait un problème, je prendrais le premier vol de retour.

— Et si moi j'avais un problème, ferais-tu la même chose?

— Sur-le-champ.

— Mais tu ne veux toujours pas m'épouser.

— Ben...

Il soupira, puis grommela.

— Tu es trop loin.

— C'est ridicule. Nous ne serions pas ensemble ce soir, même si j'étais à Chicago.

— Mais nous serions à une heure de route l'un de l'autre. C'est mieux que vingt.

— Rappelle-toi que c'est toi qui m'as convaincue de venir ici.

— Pas vraiment. Mais peut-être un peu. Est-ce que tu t'ennuies de moi?

— Beaucoup.

Sa voix l'apaisait tellement. C'était incroyable. Avant de l'appeler, elle avait l'impression de ne pas être dans son élément, elle ne se sentait pas sûre d'elle et elle avait les nerfs en boule. Mais sa seule présence à l'autre bout du fil lui avait redonné confiance.

— Je vais essayer d'aller dénicher des tableaux demain matin, lui dit-elle. Les murs ici sont complètement nus. J'espère que le village est bien la colonie d'artistes que tu m'as décrite. Il faut que je trouve quelque chose pour Ginny, et vite.

Elle se dit qu'elle aurait pu demander à Ben d'envoyer une de ses toiles, mais elle avait besoin de s'occuper. Elle ne se voyait pas assise au bord de la piscine et parlant enfants avec Annette ou haute couture avec Leah. La recherche de quelques bons tableaux devrait faire l'affaire.

— Je t'assure que nous avons pris un délicieux dîner, répéta Jean-Paul à Annette qui, inquiète, lui posait la question pour la deuxième fois. Le ragoût que tu nous avais préparé était parfait.

— Nat n'avait pas l'air en forme.

— Quand tu lui as parlé, il venait de perdre une dispute avec

Thomas pour savoir qui contrôlerait la télécommande ce soir. Ne t'en fais pas. Ça va passer. Ce sera son tour demain.

— Nicole semblait bien pressée de me quitter.

— Elle est déjà partie avec Devon. Elles ne t'ont pas dit qu'elles allaient au cinéma?

— Oui, mais j'ai toujours l'impression qu'il y a quelque chose qui ne va pas quand elle me parle sur ce ton.

— Elle avait hâte de partir. C'est tout.

— C'est à la maison que je devrais être, dit Annette qui continuait à se tourmenter. Mais Ginny n'est pas encore arrivée. Je veux attendre et la voir, même si ce n'est pas longtemps. Leah reste et, comme elle reste, Caroline ne veut pas partir. Je ne peux évidemment pas partir si elles restent toutes les deux.

— Tu ne peux pas, dit doucement Jean-Paul après une pause.

— J'ai senti le sourire dans ta voix, Jean-Paul, mais je te jure que ce n'est pas une question de rivalité. Je m'inquiète plutôt des malaises cardiaques de maman l'automne dernier. Leah dit que ce n'est rien. Elle dit qu'elles ont vu le meilleur spécialiste à Philadelphie et que, malgré cela, elles ont demandé un second avis. Pourrais-tu vérifier? T'informer? Voir si c'est vraiment le meilleur spécialiste? Comme ça j'aurai au moins l'impression d'avoir été utile à quelque chose. Mais Ginny avait raison. Cette maison manque de chaleur. Je pense que je vais aller voir si je trouverais des babioles fabriquées dans le coin que je pourrais acheter pour mettre un peu d'ambiance ici et là. Il n'y a pas grand-chose d'autre que je peux faire en attendant l'arrivée de Ginny.

— Comment vont tes sœurs?

Annette soupira.

— Caroline est toujours la même. Arrogante comme d'habitude. Convaincue qu'elle est le prototype de la femme moderne.

— Et Leah?

— Splendide. Je ne l'ai presque pas reconnue quand je l'ai vue. Elle a beaucoup changé.

— Comment?

— Elle est détendue. Simple. Pas du tout femme du monde. Elle avait les cheveux dénoués et en bataille, absolument magnifiques. Elle était enveloppée dans une couverture, dehors au bord de la piscine.

— A-t-elle été aimable ?

— Plutôt. Mais c'est son point fort. Le bavardage mondain superficiel. Elle a parlé de fleurs pendant presque tout le dîner, et c'était aussi bien comme ça. Je ne vois pas trop ce que j'aurais eu à dire si elle n'avait pas entretenu la conversation.

Comme Jean-Paul ne disait rien, elle lui demanda :

— À quoi penses-tu ?

— Je pense que tu sais t'y prendre avec les gens habituellement. Tu tiens bien ta place en société. Je ne comprends pas pourquoi tu aurais de la difficulté à faire la conversation avec tes sœurs.

— Parce que ce sont mes sœurs justement. Ce n'est pas comme lorsque je suis avec d'autres personnes. Je sais que ça semble curieux, mais tu comprendrais si tu avais des frères et sœurs. Les rapports avec un frère ou avec une sœur ne ressemblent à rien d'autre.

— Ce ne sont pas des amis.

— Précisément. On ne les a pas choisis.

— Mais y a-t-il quelque chose qui vous empêche d'être amies, tes sœurs et toi ? Pas pour longtemps. Seulement pendant deux semaines.

Oui, il y a quelque chose, aurait voulu dire le côté d'elle-même qui se sentait menacé. Mais son côté qui avait l'esprit de famille soupira simplement :

— Nous avons été loin les unes des autres pendant tant d'années que je me le demande. Nous sommes trois personnes complètement différentes. Et je ne suis pas la seule à le penser, Jean-Paul. Elles ressentent la même chose.

— Est-ce qu'elles te l'ont dit ?

— Non, mais je le vois bien. Elle sont aussi mal à l'aise avec moi que moi avec elles. Je vais attendre l'arrivée de maman.

Ensuite, si elle ne me donne pas une raison convaincante de rester, je partirai aussitôt.

Leah aurait bien aimé avoir Star's End pour elle toute seule. Elle s'y sentait si merveilleusement bien avant l'arrivée de ses sœurs. Depuis qu'elles étaient là, elle était tendue. Caroline prenait tellement tout au sérieux, et Annette avait une opinion arrêtée sur tout. Chacune semblait penser que sa façon de vivre était la seule bonne. Et Leah ? Elle pensait bien aussi que sa façon de vivre était tout à fait correcte.

Mais encore ?

Pas mauvaise.

Et aussi ?

Futile. Par rapport à celle de ses sœurs, sa vie n'avait pas vraiment de sens. C'est peut-être pour cela qu'elle se sentait si bien à Star's End. C'était un monde complet en lui-même. Un monde fait pour les yeux, pour le nez, pour les oreilles. Un monde si plein de sensations qu'on était assuré d'y être parfaitement comblé. La notion même du sens de la vie n'avait pas sa place ici. C'était un lieu préservé qui avait sa propre signification.

C'est pourquoi elle était redescendue. Caroline et Annette étaient dans leurs chambres et pensaient sûrement qu'elle était dans la sienne. Elle était donc partie en mission secrète pour ressaisir cet état de bien-être.

Elle était blottie dans une chaise de jardin à l'angle de la galerie. Couverte de la tête aux pieds d'une longue chemise de nuit blanche, elle s'était enroulée dans la couverture. Mais comme elle était protégée de la brise, elle ne l'avait pas resserrée autour d'elle. Elle inspira profondément, ferma les yeux et écouta le ressac.

Ses muscles se détendirent. Elle oublia Caroline, Annette et Virginia. Elle oublia qu'elle devrait informer l'agence de location de l'éraflure sur le côté de la voiture. Elle oublia même Washington.

Elle avait l'impression que les églantines émettaient une

odeur très sédative qui pourrait éventuellement créer une accoutumance. En l'absence de l'éclat du soleil, leur parfum était plus subtil, mais plus riche et, d'une certaine façon, plus séduisant.

En entendant un clapotis qui brisait le rythme du ressac, elle ouvrit les yeux. Au bout d'un instant, elle se rendit compte qu'il y avait quelqu'un dans la piscine. Mais ça ne pouvait pas être quelqu'un de la maison. Elle aurait entendu le bruit d'une porte-fenêtre. Elle aurait entendu des pas sur la terrasse. De toute façon, elle ne pouvait pas imaginer une de ses sœurs, et encore moins Gwen, prenant un bain de minuit.

C'était le jardinier, Jesse Cray, qui vivait dans un cottage au bord du bois. Ses bras mouillés et luisants fendaient l'eau. Il levait régulièrement sa tête brune pour respirer au rythme des mouvements de sa nage. Malgré le fracas des vagues contre les rochers au pied de la falaise, elle entendait son souffle et le battement régulier de ses membres.

Elle sentit son cœur palpiter. C'était un homme remarquablement séduisant, un peu fruste en comparaison de ceux qu'elle fréquentait habituellement, mais avec de merveilleuses mains et des yeux bruns si expressifs.

Elle se demanda s'il venait nager tous les soirs, et pendant combien de temps. Elle se demanda ce qu'il portait.

Il continua ainsi pendant près de quinze minutes, en faisant des aller-retour réguliers. Il nagea ensuite jusqu'à l'autre bout de la piscine et appuya ses coudes sur le bord de la terrasse. Il resta immobile pendant encore plusieurs minutes, la tête penchée, avant de se hisser hors de l'eau.

Elle n'avait pas prévu ce geste soudain. Un geste souple et vigoureux. Il se saisit d'une serviette pour s'essuyer la tête. Elle regarda plus bas. Il portait un maillot foncé qui moulait ses hanches.

Le cœur de Leah battait de plus en plus fort, surtout quand il releva la tête et jeta un regard autour de lui. Même si elle n'avait pas fait un geste, il avait quand même senti sa présence. En essuyant ses bras, il s'approcha lentement.

— Il y a quelqu'un ? demanda-t-il doucement.

— Ce n'est que moi, dit-elle en resserrant la couverture autour d'elle, Leah.

Il s'avança jusqu'à elle et s'accroupit.

— Je ne m'étais pas rendu compte que vous étiez là.

— Ça n'a pas d'importance. Je respirais simplement l'air du soir. C'est un endroit merveilleux.

Il passa la serviette sur sa poitrine. Elle fit un effort pour détourner les yeux.

— Venez-vous nager tous les soirs ? lui demanda-t-elle.

— Quand c'est possible. La piscine n'est pas chauffée. L'eau est parfois très froide.

Il jeta un coup d'œil par-dessus son épaule.

— C'est différent, la nuit. Plus intense d'une certaine façon. Quand il fait noir, on est plus sensible aux bruits et aux odeurs.

C'était exactement ce qu'elle venait de ressentir, assise là, les yeux fermés.

— On se sent comblé.

— Tout à fait, dit-il en la regardant de nouveau.

Il tenait sa serviette à la main. Ses cheveux étaient lissés vers l'arrière, ses épaules luisaient. Elle pensa qu'il aurait eu plus froid s'il avait été plus près de la piscine. Mais à l'abri près d'elle il ne faisait pas froid du tout.

— Est-ce que vous nagez ? demanda-t-il.

— Je sais nager, mais je n'ai jamais eu beaucoup de pratique. Là d'où je viens, les piscines servent surtout d'éléments décoratifs. Un vrai gaspillage, non ?

— Je ne peux pas imaginer une piscine dont personne ne se sert.

— Oh ! on s'en sert, mais habituellement pas pour nager. On s'en sert à des fins sociales. C'est un endroit où les gens peuvent s'asseoir, bavarder et se faire voir. Mais surtout pas question de se mouiller. Les hommes font parfois un plongeon, mais les femmes ne veulent pas courir le risque de bousiller leur maquillage.

Il lui effleura la joue.

— Vous ne portez pas de maquillage.

Elle eut brusquement le souffle coupé, incapable d'expirer ou d'inhaler. Elle ne reprit sa respiration qu'au prix d'un grand effort.

— C'est parce que j'étais déjà couchée. Là-haut. Je ne pouvais pas dormir, alors je suis redescendue.

Il toucha le col de sa chemise de nuit, une ravissante bande de dentelle, blanche, presque lumineuse dans le noir, qui sortait de son châle improvisé. Puis il remonta un peu la couverture avant de retirer sa main.

Leah pensa qu'elle allait défaillir. Elle était profondément troublée par sa douceur. Par sa taille et sa carrure. Et par sa pomme d'Adam. Il était terriblement viril.

— Avez-vous appris quand votre mère doit arriver?

Sa mère? Ah! oui, sa mère.

— Heu! non. Demain peut-être. Mais peut-être pas.

— Combien de temps restez-vous ici?

Elle avait les jambes molles. Elle aurait été incapable de se lever, et encore moins de marcher jusque dans la maison.

— Encore quelques minutes.

Il gloussa. Elle essaya de voir s'il souriait, mais il faisait trop noir.

— À Star's End, je veux dire.

Elle se mit à rire. Elle ne pouvait pas s'en empêcher. Elle n'était pas embarrassée de ne pas avoir compris ce qu'il lui demandait. Elle ressentait plutôt une sorte d'ivresse.

— Deux semaines.

Il opina, et pendant un instant elle sentit sur elle le poids de son regard, chaud et attentif, dans l'obscurité. Il se releva ensuite avec autant de souplesse que lorsqu'il était sorti de la piscine.

— Je vais rentrer maintenant. Je dois me lever tôt.

Elle leva les yeux vers lui en essayant de camoufler sa déception.

— À quelle heure?

— Vers cinq heures. Je préfère arroser les plates-bandes avant que le soleil ne soit trop haut. Bonne nuit.

Il s'éloigna.

Leah le regarda se fondre dans la nuit, au-delà de la piscine. Elle retenait toujours son souffle. L'ombre était profonde. Les yeux grands ouverts elle essaya de le suivre du regard, mais il avait déjà disparu.

Dans un soupir, elle laissa échapper un « Ah, mon Dieu ! », et remonta ses genoux contre sa poitrine. Elle posa sa tête sur ses bras, sourit et attendit que le trouble qu'elle ressentait s'apaise.

7

Wendell Coombs traversa la galerie du magasin général et se laissa tomber sur le long banc de bois, du côté gauche. Il s'asseyait toujours à l'extrémité gauche, celle qui se trouvait le plus près de l'est du village, là où il vivait. L'ouest du village était représenté par Clarence Hart, son ami de soixante-dix ans et quelques, qui occupait l'extrémité droite du banc.

Un mètre les séparait. Un mètre les séparait toujours. Wendell n'aimait pas l'odeur de la pipe de Clarence. Clarence n'aimait pas l'odeur du café de Wendell. Personne ne s'asseyait jamais entre eux, sauf parfois un enfant étourdi. Ce fameux mètre était le canal où circulaient les cancans du village, d'est en ouest, aller-retour.

— Clarence, dit Wendell en guise de salut.

— Wendell, répondit Clarence.

— L'beau temps s'en vient.

— Ouais.

Wendell prit une gorgée de café et fit une grimace. Le café était encore trop sucré. Qu'est-ce qui était écrit sur l'affiche, déjà ? Un café machin à la vanille peut-être, ou bien quelque autre café machin de fous. Mavis n'avait jamais servi du café comme ça dans son restaurant. Ça avait été une journée bien triste quand elle avait fermé son établissement. De nos jours, personne ne savait plus préparer une tasse de café comme dans le bon vieux temps.

Le problème, c'étaient les ordinateurs. Le village en était envahi. Les gens les utilisaient pour tenir leur inventaire, pour dresser les comptes de leurs clients et pour commander toutes sortes de grains de café farfelus. Personne ne faisait plus rien comme dans l'ancien temps, sauf les artistes. Mais ils n'étaient pas un cadeau non plus.

Il posa sa tasse sur sa cuisse et observa la rue principale. Tout semblait calme. Comme d'habitude. Mais il savait qu'on ne devait pas se fier aux apparences. Il prit une autre gorgée de café en grimaçant, déposa de nouveau la tasse sur sa cuisse et, sans avoir l'air de s'adresser à lui en particulier, dit à Clarence :

— On dirait ben qu'on a d'la visite.

— Ouais.

Il lança un regard noir à Clarence.

— Comment ça s'fait qu'tu sais ça ?

— C'est Cal. Y les a ramassées à Portland.

— Combien ?

— Deux sur trois.

— La troisième est déjà là, dit Wendell avec soulagement.

Il n'aimait pas ça quand Clarence en savait plus que lui.

— Elle est arrivée avant-hier au soir. Le chef de police a dû y montrer l'chemin, gloussa-t-il. Elle est pas ben ben maligne.

Clarence sortit sa pipe.

— Cal dit qu'elles voulaient pas v'nir.

— Elles ont rien qu'à s'en aller d'abord.

— Y dit qu'elles se détestent.

Wendell n'était pas surpris. Il y avait toujours des disputes dans les familles riches. Et il n'allait certainement pas s'apitoyer sur leur sort. Mais ce serait bien triste qu'il y ait une guerre civile à Star's End.

— Le chef y dit qu'la plus vieille a quarante ans. J'me d'mande si c'est vrai. J'me d'mande si elle en aurait pas plutôt quarante-trois.

Clarence examinait sa pipe.

— Le chef a vérifié, dit Wendell. C't'une avocate de Chicago. Elle travaille pour un nommé Baretta.

Clarence savait ce que Wendell pensait. Tout le village pensait la même chose. Ceux qui avaient parlé la veille avec le chef en tout cas. Downlee n'avait surtout pas besoin d'une avocate qui travaillait pour la mafia dans le coin.

— Cal dit qu'elle a un p'tit ami. Y dit qu'c'est lui qui l'a envoyée ici.

Wendell réfléchit un instant.

— C'est p'têt' un gars de la mafia. C'est p'têt' un dealer. On veut pas d'ça ici.

Clarence ouvrit sa blague. Il était en train de bourrer sa pipe de tabac quand Callie Dalton monta l'escalier.

— 'jour, Callie.

— 'jour, Clarence.

Wendell détourna les yeux. Callie Dalton était la femme d'un traître. Alors que tout le village s'était entendu pour faire front commun contre les indésirables, George Dalton avait quand même accepté de louer de bonnes maisons à des artistes. Les artistes étaient dévergondés. Tout le monde savait ça. Des femmes vivaient avec des femmes. Des hommes vivaient avec des hommes.

Quand des femmes vivaient avec des hommes elles prenaient rarement la peine de passer devant Monsieur le curé ou devant Monsieur le maire. Tout le monde savait bien qu'on devrait les bouter hors de Downlee.

Le seul problème, c'est qu'ils étaient maintenant en majorité et qu'ils apportaient de l'argent frais. Wendell se demandait combien de temps ça durerait. Ils avaient déjà tout changé dans le village. Et puis quoi encore ?

Clarence avait fini de bourrer sa pipe.

— Cal dit qu'celle de St. Louis a des problèmes avec son mari.

— On veut pas d'ça non plus, dit Wendell d'un ton catégorique.

Ces artistes et ces femmes de la ville, c'était juste une bande de dévergondés.

— Si elle pense qu'elle va courailler avec les hommes de Downlee, elle s'met le doigt dans l'œil.

Il salua de la main Hackmore Wainwright qui se dirigeait vers le quai, dans sa camionnette.

— Tu veux que j'te dise. C'est la plus jeune qui va être un problème. Le chef dit qu'elle a l'air d'une pauvre petite blonde sans défense.

Clarence connaissait cet air-là. Il y avait goûté. Bien sûr, sa June à lui était une fille du Maine, alors c'était moins grave. Mais elle l'avait quand même surpris. Elle n'était absolument pas sans défense. En cinquante et un ans de mariage, il avait toujours dû négocier pour obtenir la moindre chose. S'asseoir sur la galerie du magasin général, par exemple. Elle le laissait faire à condition qu'il soit de retour à la maison avant midi pour étendre le linge sur la corde.

— Y faudrait avertir Jesse, proposa Wendell.

Clarence se demanda si ça valait la peine.

— Y faudrait avertir tout le village, ajouta Wendell. On a pas besoin de femmes légères par ici, surtout pas si elles revendent d'la drogue.

Clarence réfléchit à la drogue. Malgré les hordes d'artistes, Downlee était resté plutôt propre.

— Penses-tu que le chef est au courant pour la drogue?

— Y va l'être, promit Wendell.

— Et la maman?

— J'sais pas si elle s'drogue elle aussi. Vu qu'elle est riche, ça doit. Y l'font tous.

Wendell frémissait à la seule idée de la présence de tels éléments à Downlee. Les artistes, au moins, ils travaillaient. À leur façon en tout cas. Il avait bien l'impression que Virginia St. Clair n'avait jamais abattu la moindre besogne.

— J'me d'mande ben pourquoi elle a acheté Star's End. J'sais pas qui elle pense qui va aller à ses réceptions par ici.

Clarence serra sa pipe entre ses dents et se mit à imaginer des réceptions à Star's End. Avec des lumières, de la musique, des rires. Le domaine reprendrait vie.

— Elmira, elle dit quoi?

Wendell pensa à sa femme avec réticence. Il répondit en grognant :

— Elmira dit qu'la maman vient ici pour mourir, mais elle dit n'importe quoi. Moi j'dis qu'c'est un' vraie pitié. Star's End aurait dû être acheté par quequ'un d'autre.

Il prit une autre gorgée de son café qui avait refroidi un peu. Une grosse gorgée qui lui resta dans la gorge. Il fit une grimace aussi grosse.

— Maudit café! dit-il en crachotant. L'problème c'est les ordinateurs. J'te l'dis, les ordinateurs.

8

Caroline fonctionnait encore à l'heure de Chicago et, quand elle se réveilla à six heures comme d'habitude, il était sept heures dans le Maine. Elle avait hâte de prendre une tasse de thé. Elle descendit donc dans la cuisine où Leah en avait déjà fait infuser dans une théière. Elle s'attendait au pire.

Mais le thé était bon. Mieux que ça même.

— Quelle sorte de thé est-ce ?

Leah avait le nez dans son journal.

— Darjeeling ? Non, Earl Grey. Je pense. Je ne suis pas certaine. Il y en avait plusieurs boîtes dans l'armoire.

— Du thé en feuilles ?

La boisson avait une saveur riche et pleine. Caroline était certaine que ce n'était pas du thé en sachet, ce que lui confirma Leah.

— Je suis impressionnée.

Leah haussa les épaules.

— Je sais aussi faire la cuisine. Nous, les mondaines, nous devons quand même manger, tu sais.

— C'est toi qui l'as dit, pas moi, l'avertit Caroline. Je n'ai pas la réplique facile avant d'avoir bu au moins deux tasses de thé. Te lèves-tu toujours aussi tôt ? poursuivit-elle après avoir jeté un regard curieux sur sa sœur.

Leah déposa le journal.

— Je ne vais pas à des réceptions tous les soirs, Caroline. Et on ne peut pas dormir indéfiniment. Mais surtout, le lever de soleil est tellement spectaculaire ici !

Caroline était étonnée.

— Tu l'as vu ?

— Nos chambres donnent vers l'est. J'avais laissé mes rideaux ouverts.

— J'ai fermé les miens sans même y penser. Par habitude.

L'humeur de Leah parut s'améliorer.

— J'avais fait la même chose hier. Mais je me suis rendu compte de ce que j'avais manqué, alors je me suis dit que je ne ferais pas la même erreur deux fois. C'est un spectacle à vous couper le souffle quand le soleil surgit hors de l'eau et qu'il éclaire la falaise, puis les fleurs...

Elle roucoulait de plaisir.

Le regard de Caroline se posa sur le vase au centre de la table. Il était rempli de fleurs d'un bleu vif.

— Des pieds-d'alouette ?

— Eh ! oui. Ils viennent des jardins. J'ai dû raccourcir les tiges plus que je ne l'aurais voulu, plus que pour les bouquets que j'ai mis dans les autres pièces, mais ils étaient tellement remarquables que je tenais à en mettre ici aussi. Leur floraison tire à sa fin.

Caroline sirotait son thé qui était toujours aussi exceptionnel après une demi-tasse, ce qui était déjà exceptionnel en soi. Elle se demanda si c'était dû à l'environnement. Les portes et les fenêtres étaient grandes ouvertes et l'air de l'extérieur pénétrait dans la pièce en créant, comme le thé, une impression de richesse, mais aussi de détente, d'insouciance et de liberté. Elle avait l'impression d'être à l'autre bout du monde ; malgré des différences dans les détails, ça lui rappelait la cabane de Ben.

Elle souffrait de l'absence de Ben.

— J'ai l'intention de faire la tournée des galeries à Downlee ce matin. Qu'est-ce que tu prévois faire ?

— Je pense que je vais lire.

Ça faisait bien l'affaire de Caroline. Elle aimait nettement mieux se promener toute seule à son propre rythme. Cependant, Leah paraissait si menue et si jeune, fragile même. Caroline ne pouvait s'empêcher de se rappeler le temps où elles avaient onze et cinq ans, puis douze et six, et où elle amenait Leah jouer avec elle. Elles s'étaient éloignées l'une de l'autre à l'adolescence et, par la suite, elles avaient emprunté des voies complètement différentes. Caroline s'était plongée dans les études. Leah allait de réception en réception. Elles s'étaient mises à rivaliser pour obtenir l'affection de Ginny.

Toutefois, Caroline ne voulait pas raviver cette rivalité. Star's End était trop paisible pour ça. Elle demanda gentiment :

— Veux-tu venir avec moi ?

Leah sourit, mais hocha la tête.

— Merci, mais je vais rester ici.

Caroline n'insista pas. Elle se mit plutôt à lire les premières pages du journal en buvant une deuxième tasse de thé. Ce n'était pas le *Sun-Times*, mais c'était mieux que rien pour connaître les nouvelles. Quand elle eut fini, elle alla s'habiller à l'étage. En redescendant elle trouva Annette au téléphone.

— Oui, Devon, je comprends ce que tu dis, mais si Thomas a mal au ventre ce n'est pas une bonne idée d'aller au sommet de l'Arch [1]. Elle mit sa main sur le combiné et chuchota à Caroline :

— Il y a un petit pépin.

Elle se remit à parler dans le combiné.

— Non. Une croisière sur le fleuve non plus. Vous feriez mieux de rester sur la terre ferme. Le Sports Hall of Fame [2] peut-être.

Elle leva les yeux.

---

1. La Gateway Arch à St. Louis est une structure métallique en forme d'arche de 192 mètres de hauteur conçue par Eero Saarinen et qui symbolise la porte d'entrée vers l'Ouest. Un poste d'observation est aménagé au sommet. (NDT)

2. Situé à l'intérieur du Bush Memorial Stadium, le Sports Hall of Fame de St. Louis est un musée qui évoque l'histoire des sports et les exploits des vedettes sportives. (NDT)

— Vas-tu au village, Caroline ? Ah ! ça c'est une bonne idée, Devon. Je suis certaine qu'il va adorer ça.

— Je prends la Volvo, dit Caroline.

Les clefs étaient à l'endroit précis où Gwen avait dit qu'elles seraient.

— Attends-moi ! J'arrive ! Devon, je dois me sauver maintenant, mais je rappellerai après le déjeuner. Quoi que vous fassiez, ne laisse surtout pas Thomas manger des mets épicés. Je parie que ce sont les hot-dogs au piment qu'ils ont mangés pour déjeuner hier qui lui ont donné mal au ventre. Fais-lui manger quelque chose de plus doux, comme des bananes ou du pain grillé avec du fromage. D'accord, ma chérie ?

Caroline l'attendait à la porte.

— Ça doit être bien d'avoir un médecin comme mari. Il n'est pas démonté par des choses comme un mal de ventre.

— Voilà justement le problème, se plaignit Annette. Un mal de ventre est si insignifiant en comparaison de ce qu'il voit tous les jours qu'il ne lui accorde aucune importance. J'aurais bien dû me douter que quelqu'un tomberait malade en mon absence.

— C'est seulement un mal de ventre. Tu n'as pas besoin d'être là pour ça.

— Peut-être pas, dit Annette, mais elle ne paraissait pas convaincue.

Caroline négociait prudemment les nombreux virages de la route.

— Je ne voudrais pas conduire ici par un soir pluvieux, avec une couple de bières derrière la cravate.

Elle pensait aux conducteurs avec facultés affaiblies dont elle assumait souvent la défense. Des citoyens de Chicago bien en vue qui se trouvaient plongés jusqu'au cou dans des tribulations juridiques. Ils essayaient de noyer leurs problèmes dans l'alcool, ce qui ne faisait qu'empirer les choses.

— Te souviens-tu quand nous avons eu la varicelle ? demanda Annette.

La varicelle... Caroline lui jeta un regard perplexe.

— Bien sûr. J'avais neuf ans.

— J'avais six ans, et Leah trois. Maman avait décidé que ce serait plus pratique si nous étions toutes malades en même temps. Elle nous a donc toutes amenées voir un petit garçon qui allait à la même école maternelle que Leah pour nous exposer à la maladie. Et ça a marché. Trois semaines plus tard nous étions couvertes de rougeurs. Et qu'a fait Ginny alors ?

— Elle a continué de vaquer à ses occupations. Absolument comme d'habitude.

— Elle nous avait acheté des albums à colorier. Identiques. Pour trois petites filles différentes, d'âges différents, et avec des intérêts différents. Je la revois encore assise dans son fauteuil dans le coin de la chambre, tenant Leah dans ses bras.

— Elle te prenait aussi dans ses bras, dit Caroline.

— Non. Pas moi. Seulement Leah.

Mais Caroline se souvenait très bien, elle se souvenait de sa souffrance.

— Toi et Leah. J'en suis certaine. Quand elle a vu que je ne m'intéressais pas à mon album à colorier, elle m'a donné un numéro de *National Geographics* qui se trouvait dans la bibliothèque du boudoir. Elle m'a dit que j'aurais du plaisir à le feuilleter. Et elle avait raison. Mais ce n'était pas ce que je voulais.

Annette se tourna vers elle.

— C'est elle que tu voulais, et elle n'était pas là. Ou quand elle était là, elle n'était pas assez présente. Elle nous bordait, s'asseyait avec nous pendant quelques instants, nous donnait une petite tape sur la tête et une petite bise sur la joue. Elle disait tout ce qu'elle devait dire, mais je n'ai jamais senti qu'elle était vraiment désolée que je sois malade. Elle traitait ça de façon cavalière. Elle disait : « Vous n'êtes pas les premières à avoir la varicelle, et vous ne serez pas les dernières ». La vie était une longue chaîne monotone d'événements. Il n'y avait jamais rien d'extraordinaire. Tout était beige.

Caroline comprenait bien ce qu'elle voulait dire. Ginny ne donnait jamais dans le rouge, le pourpre ou l'orange. Les choses étaient parfois couleur taupe ou ivoire. Plus rarement, roses ou vert pâle. Mais le beige neutre et classique était la norme.

— J'aurais voulu qu'elle compatisse avec moi, continua Annette. Qu'elle souffre un peu, qu'elle pleure un peu, qu'elle partage mes souffrances.

— Ginny n'a jamais été très sensible.

— Elle n'a jamais paru intéressée. On aurait dit qu'elle avait une liste de tout ce que les mères doivent faire. Elle faisait tous les gestes qu'on attendait d'elle en les cochant un à un sur cette liste. Son travail était alors terminé. Elle avait rempli ses obligations. Elle ne faisait jamais plus ou mieux que son devoir. Elle n'a certainement jamais essayé de se mettre dans notre peau. Mais, moi, je le fais constamment, Caroline. Je compatis avec mes enfants. Alors ai-je tort d'être préoccupée parce que Thomas ne va pas bien?

Bien sûr que non, se dit Caroline. Annette était tombée en plein dans le mille en évaluant la performance de Ginny comme mère, même si de son côté elle avait tendance à passer à l'autre extrême.

— C'est admirable. Mais il n'y a pas de quoi prendre l'avion pour retourner à la maison. Les autres sont capables de prendre soin de Thomas. Il sait que tu penses à lui. Tu as toujours été là quand il avait besoin de toi. Il sait que tu serais là, si ce n'était de cette histoire avec Ginny. Il ne va pas cesser de t'aimer.

— Je sais.

— L'amour qu'on porte à sa mère est le plus résistant. On peut ne pas s'entendre avec sa mère et l'aimer quand même. Quand je travaillais pour le procureur du comté, j'ai vu des enfants maltraités qui auraient dû s'enfuir de chez leur mère sans le moindre regret, mais qui ne le faisaient pas. Ils restaient.

— L'amour n'était pas la seule raison.

— Non, mais c'était la plus forte. Quand on est enfant, on ne peut pas le nommer. Quand on est adolescent, on se révolte contre lui. Quand on quitte enfin la maison, on pense qu'on s'en est débarrassé. Mais ce n'est pas le cas. On peut faire semblant qu'il n'existe plus. Mais, quand on revoit sa mère après une absence, on remarque les rides dans son cou et les taches brunes sur ses mains, et ça dérange. Alors quand elle écrit pour dire qu'elle va avoir soixante-dix ans, on ne peut plus faire semblant. On ressent quelque chose. Un petit quelque chose à l'intérieur qui ressemble à de la peur.

Annette compléta calmement le raisonnement de Caroline.

— Alors, on prend les billets qu'elle a envoyés et on prend l'avion, même si c'est la dernière chose au monde qu'on voudrait faire.

Caroline lui lança un sourire, ravie qu'elles soient sur la même longueur d'onde au moins à ce sujet-là. Puis elle se mit à observer le tout petit centre du village qui était en vue.

Dans la rue principale s'alignaient les magasins qui répondent aux nécessités de la vie quotidienne : quincaillerie, médicaments, timbres-poste, livres, nourriture. Au magasin général, elle laissa Annette qui voulait acheter des babioles aux enfants, puis elle tourna vers le bord de la mer. Là, blottis entre des cabanes de pêche et des ateliers d'entretien de bateaux, se trouvaient de vastes lofts qui servaient à la fois de lieux de travail pour les artistes et de galeries. Elle en dénombra quatre qui donnaient sur la rue, mais le vieux loup de mer qui lui avait donné des indications avait insisté pour lui dire qu'il y en avait plusieurs autres, « en arrière et plus bas ».

Elle en choisit un au hasard, poussa la porte en bois gauchie jusqu'à ce qu'elle s'ouvre et faillit trébucher à cause de la dénivellation du plancher.

— Attention à la marche ! lui cria, trop tard, une voix.

Si Caroline avait été à Chicago, elle aurait demandé à cette voix pourquoi il n'y avait pas d'avertissement affiché sur la porte. Elle lui aurait dit que cette négligence, si elle était invoquée par une personne blessée, pourrait entraîner des poursuites. Mais comme elle était à Downlee, un milieu moins agressif et plus sympathique, elle ne dit pas un mot. Elle se contenta de regarder autour d'elle.

Dans la galerie, il y avait, accrochés sur des murs de bois brut, des tableaux sous lesquels des toiles étaient entassées les unes derrière les autres. Elle vit des paysages, des scènes marines et des natures mortes. Les couleurs étaient éblouissantes.

La même voix se fit entendre.

— Est-ce que vous cherchez quelque chose en particulier?

— Peut-être, dit Caroline. Je le saurai si je le trouve.

C'était peut-être déjà fait. Son regard avait rapidement remarqué une toile sur le mur et ne cessait d'y revenir. C'était la représentation libre d'un champ couvert de fleurs de la couleur de la mer. Elle l'imaginait parfaitement dans le hall d'entrée de la maison de Ginny.

— Êtes-vous seulement de passage? demanda la voix qui se rapprochait.

— En fait, je suis ici pour deux semaines, dit-elle en continuant à regarder le tableau.

Elle se retourna et tendit la main à un homme en blue-jean, barbu et couvert de taches de peinture. Il semblait être dans la cinquantaine avancée.

— Je suis Caroline St. Clair. Ma mère est la nouvelle propriétaire de Star's End.

L'homme ne prit pas sa main tout de suite comme s'il n'avait pas l'habitude de serrer des mains, surtout pas celles des femmes. Mais ses yeux exprimaient de la curiosité.

— Je m'appelle Jack Ivy. Alors, vous êtes la fille de la nouvelle propriétaire?

Elle fit signe que oui.

— Je suis arrivée tard hier.

— Votre mère aussi?

— Non. Elle sera ici aujourd'hui ou demain.

— On dit qu'elle va habiter ici toute l'année.

Caroline était sur le point d'acquiescer quand elle se retint. Elle avait été tellement surprise par la décision de Ginny de déménager à Downlee qu'elle ne s'était pas demandé si elle y passerait toute l'année.

— Je n'en suis pas certaine. Peut-être. Mais il se pourrait aussi qu'elle recherche une température plus douce en hiver.

Elle indiqua l'œuvre qui l'intéressait.

— C'est un merveilleux tableau. C'est vous qui l'avez peint?

— Ouais.

— Avez-vous peint tout ce qu'il y a ici?

— Non, pas tout. Il y a beaucoup d'artistes qui viennent ici pour peindre, et qui repartent. Je garde leurs meilleures œuvres en consigne.

— Vendez-vous surtout aux touristes?

Il gloussa.

— Je mourrais de faim si je ne comptais que sur eux. Non, il y a des gens qui se promènent un peu partout avec mes œuvres. Ils me font faire pas mal d'argent.

Caroline n'en doutait pas. Même si l'homme ne semblait pas cupide. Il lui parut du genre qui n'aime rien mieux que de porter de vieux vêtements et d'être entouré d'objets tout aussi usagés. Il y avait un vieux chevalet sur lequel était posée la toile qu'il était en train de peindre, une table faite d'une grande porte posée sur des tréteaux, et une seule petite machine qui devait servir occasionnellement à produire des factures. Le studio n'était pas décoré et souffrait d'une surprenante absence d'éclairage. Elle en déduisit qu'il devait faire coïncider sa journée de travail avec la présence de la lumière du jour. Et il ne payait certainement pas un gros loyer.

— Votre mère, elle a l'air de quoi? demanda-t-il.

Caroline se retourna un peu vivement.

— Je ne voulais pas vous froisser, ajouta-t-il aussitôt. Je suis seulement curieux. C'est rare que quelqu'un qu'on ne connaît pas du tout s'installe ici. D'habitude, il s'agit de gens qui sont nés ici, qui sont partis et qui reviennent. Ou bien de gens qui déménagent ici pour se rapprocher de leur famille.

Sous cet angle, Caroline pouvait comprendre son point de vue. Mais elle n'ouvrirait certainement pas son cœur à un étranger. Elle ne critiquerait pas sa mère non plus, malgré tous les différends qu'elle pouvait avoir avec elle. Alors, elle dit simplement :

— Elle est sympathique.

— Est-elle jolie ?

— Quelle importance ? rétorqua-t-elle en bonne féministe.

— Fichtre ! vous êtes susceptible, dit-il. C'est vrai que ça n'a pas d'importance. Je suis simplement curieux.

Jack Ivy l'était en effet. Mais Caroline était un produit de la grande ville. Pis encore, elle était le produit d'une profession où les arrière-pensées étaient monnaie courante et la paranoïa un mode de vie. C'était dommage d'être aussi méfiante devant tant de franchise et de simplicité.

Caroline soupira.

— Oui, elle est jolie. Est-ce une scène locale ? demanda-t-elle en regardant de nouveau la toile.

— C'est un méli-mélo d'un tas de scènes locales. Comme presque tout ce que je peins. Je suis incapable de m'asseoir et de reproduire simplement ce que je vois devant moi. Je dois y mettre ma propre touche.

— Il faut remplir sa bouche, mâcher et recracher sur la toile, comme dit un de mes amis. C'est un artiste, lui aussi, dit Caroline.

— Il a tout à fait raison. Où habite-t-il ?

— Au nord de Chicago.

— Vous y habitez aussi ?

— J'habite en ville.

— Et votre mère ? On dit qu'elle vient de Philadelphie.

— En effet.

— Et qu'elle est veuve à présent. Quand son mari est-il mort ?

Caroline redevint prudente. Elle n'avait pas l'habitude de répondre à des questions d'ordre personnel. Mais ce type paraissait sans malice. Et la mort de Nick était quand même un fait public.

— Il y a trois ans qu'il est mort.

— Est-ce que c'était votre père ?

Elle ne comprit pas tout de suite ce qu'il voulait dire.

— Ah!... oui.

Il siffla tout bas.

— Ils ont été mariés tout ce temps-là!

— Je ne suis pas si vieille que ça, dit Caroline d'une voix traînante en l'observant attentivement. Les préjugés veulent que les gens d'ici soient bornés et laconiques. Est-ce que cette curiosité vous est personnelle, ou est-ce que ce sont les préjugés qui sont faux?

Il sourit.

— Les préjugés ne sont pas tous faux. Nous sommes plutôt renfermés. Mais, comme je vous le disais plus tôt, l'achat de Star's End par votre mère nous a étonnés.

Caroline se rappela la conversation qu'elle avait eue dans le taxi avec Cal.

— Allez-vous la considérer comme une bête curieuse et la tenir à distance?

— Pas nécessairement. Mais ça va dépendre d'elle. Nous ne sommes pas des gens mesquins. Seulement prudents. Et curieux, ajouta-t-il en souriant.

Son sourire était si candide qu'elle ne pouvait vraiment pas se mettre en colère. Peut-être aussi se sentait-elle à l'aise parce qu'elle était entourée d'odeurs familières de peinture à l'huile qui lui faisaient penser à Ben. Elle resta là un certain temps, regardant une à une toutes les toiles qu'il y avait dans le studio de Jack Ivy. Elle en acheta une, la première qui avait attiré son attention. Elle se rendit ensuite dans le studio voisin.

Trois femmes y exposaient leurs œuvres. Deux d'entre elles travaillaient à leurs chevalets quand elle entra. Une d'elles s'approcha et lui parla. Elle s'appelait Joy, elle était originaire du Nevada, et elle voulait tout savoir, absolument tout, sur la nouvelle propriétaire de Star's End. Amusée, Caroline éluda ses questions et ne lui en dit pas beaucoup plus qu'à Jack.

Ce fut la même chose à son arrêt suivant. C'était un studio plus petit dans une rue transversale qui était un raccourci vers le quai. À l'intérieur, il y avait des portraits, et un couple, auteur de ces œuvres.

— Nous travaillons par la poste, lui expliquèrent-ils. Vous nous envoyez votre photographie, et nous peignons votre portrait.

Mais ils ne dirent rien d'autre à leur propre sujet. Eux aussi, ils voulaient poser des questions sur Ginny.

Caroline commençait à avoir l'impression d'être une célébrité. Mais elle se refusa à donner des informations précises. Elle pensait que ce n'était pas à elle de le faire. Elle laisserait cela à Ginny.

Annette était de nature plus bavarde que sa sœur, surtout quand elle trouvait un bon sujet de papotage. Elle avait quitté la rue principale du village pour de petites rues transversales bordées de boutiques d'artisans et elle était émerveillée. Elle n'avait jamais vu tant d'objets ravissants à la fois en un seul endroit. Des édredons, des housses de coussins tissées à la main, des tapisseries, et des tapis, tous plus remarquables les uns que les autres. Les artisans qui les avaient fabriqués étaient sur place, prêts à répondre à ses questions sur leur travail jusqu'à ce qu'Annette leur dise qui elle était. Dès lors, ils commençèrent à lui poser des questions à elle.

— Pourquoi votre mère a-t-elle décidé d'acheter Star's End ? demanda quelqu'un.

— Qui va vivre avec elle dans la maison ? demanda un autre.

— Quel genre de personne est-elle ? demanda un troisième.

Annette avait répondu aux deux premières questions sans y penser. Mais celle-ci demandait plus de réflexion. Elle ne dirait certainement pas de mal de Ginny. Elle était trop loyale pour ça.

— C'est une personne très sociable. Je suis certaine qu'elle va passer son temps ici, dans ces boutiques. Elle aime rencontrer des gens.

— Est-ce qu'elle se sent seule depuis la mort de votre père ?

— Il lui manque. Mais elle a beaucoup d'amies qui la réconfortent.

— Est-ce que ses amies vont venir la voir ici ?

— Je suis certaine qu'elles vont venir, dit Annette en essayant de prendre un ton convaincu.

Elle se disait que les relations de Ginny avec ces gens partiraient d'un meilleur pied s'ils pensaient qu'elle leur ferait faire de bonnes affaires.

Annette acheta une couverture de voyage dans les tons de marine et de turquoise, pas seulement pour faire des affaires, mais surtout parce que c'était exactement ce qu'il fallait pour décorer la salle de séjour chez Ginny. Elle apporta son achat dans la boutique voisine. Il y avait là une exposition de poteries qui était de toute beauté. Annette était tellement impressionnée par la vigueur des œuvres qu'elle repoussa les questions qu'on lui posait pour faire ses propres commentaires.

— Il doit y avoir ici quelque chose dans l'air qui fait que vous produisez ce type d'art. C'est pareil partout où je vais. Il y a de la violence dans vos œuvres. De la passion. Je retrouve les mêmes couleurs de la mer et des fleurs chez ma mère, mais avec encore plus d'intensité.

— Ce n'est pas étonnant, lui répondit-on. Star's End est un peu comme un mythe par ici.

Annette était intriguée.

— Un mythe ?

— Une source d'inspiration romantique. On dit que les gens y tombent amoureux.

— Comme c'est charmant, dit Annette en souriant d'un air songeur. À cause de l'emplacement ?

— Ouais.

Elle comprenait. Il y avait vraiment quelque chose de magique dans cet endroit. Elle se demanda si Ginny le savait, ou même si ça l'intéressait. Ginny n'avait jamais été tellement portée à la fantaisie.

Elle comprenait toutefois maintenant la curiosité des habitants du village à l'égard de la nouvelle propriétaire de Star's End. Bien entendu, dans la boutique voisine, on la questionna de nouveau. Elle fit des réponses plus élaborées cette fois-ci, donnant quelques détails sur la vie de Ginny à Philadelphie, sur un voyage qu'elle avait fait récemment et sur une œuvre de bienfaisance pour laquelle elle travaillait.

— A-t-elle été heureuse ?

La question surprit Annette.

— Que voulez-vous dire ?

— Est-ce qu'elle a mené une vie heureuse ?

La question venait d'Edie Stillman, une tisserande qui semblait avoir plusieurs années de plus que Ginny et qui partageait la boutique avec sa fille adulte. Quand Annette était entrée, il y avait aussi une petite-fille, toute simple et souriante comme les gens de la campagne. On voyait que c'était une famille unie, et Annette se dit que c'était sans doute ce qui expliquait la teneur de la question.

— Oui, elle a mené une vie heureuse, répondit-elle.

Mais elle fut frappée de constater qu'elle n'en était pas certaine. Ginny avait toujours semblé heureuse. Elle ne se plaignait jamais.

— Est-ce que leur maison à Philadelphie ressemblait à Star's End ?

— Non. Elle était plus grande et plus austère. Une belle maison aussi, mais très différente de Star's End.

— Est-ce qu'elle parlait parfois de Star's End ?

— Vous voulez dire parler d'acheter une maison de ce genre-là ? En fait, (Annette voulait dire la vérité sans en révéler plus que nécessaire) maman est une personne plutôt indépendante. Elle nous a prises par surprise avec cet achat. Elle adore faire des surprises. Savez-vous que je trouve ces coussins absolument extraordinaires ?

Leurs housses étaient tissées avec des fils qui passaient par toutes les teintes du rose pâle au fuchsia.

— C'est exactement ce qu'il faut pour mettre de la vie dans le salon de maman.

Elle en acheta six de grandeurs différentes et s'éclipsa habilement.

Au centre commercial situé à l'extérieur du village, Leah s'était acheté trois blue-jeans, un autre jean aux jambes coupées, trois tee-shirts blancs et trois de couleur, un immense sweat-shirt, et une paire de baskets. Les blue-jeans, c'était Caroline. Les tee-shirts, Annette. Un mélange des deux lui paraissait convenir parfaitement à Star's End.

Tout en espérant qu'aucune de ses sœurs ne soit là à son retour, elle rentra à la maison vêtue d'une de ses nouvelles tenues. Par bonheur, la Volvo n'était pas en vue. Elle grimpa l'escalier, ses paquets dans les bras, ôta les étiquettes et suspendit ses emplettes dans l'armoire, parmi les vêtements plus chic qu'elle portait habituellement.

Elle devait reconnaître qu'elle avait belle allure avec un jean et un tee-shirt blanc. Tout à fait dans le ton. Tout à fait Gap[3]. Sauf ses cheveux. Ils étaient attachés bien serrés lorsqu'elle avait quitté la maison plus tôt, mais l'air humide était traître. Des vagues étaient apparues dans ses cheveux qu'elle avait si bien lissés. Pis encore, des mèches s'étaient échappées et s'étaient mises à boucler.

Elle retira les épingles et massa son cuir chevelu douloureux, puis elle secoua la tête et sa chevelure se déploya jusqu'au milieu de son dos. Elle se regarda dans le miroir et ramassa les longues boucles d'un côté de sa tête, puis de l'autre. Prise d'une impulsion soudaine, elle mouilla sa brosse et la passa dans ses cheveux une, deux, et même trois fois. Ses boucles n'en demandaient pas plus. Elles se mirent à déferler.

Elle s'éloigna un peu du miroir et se trouva plutôt bien. Des cheveux bouclés allaient beaucoup mieux avec un jean et un tee-shirt qu'un chignon bien serré. En outre, c'était agréable de ne pas avoir d'épingles qui vous rentraient dans le cuir chevelu.

---

3. Chaîne de boutiques de mode qui vendent des vêtements de sport. (NDT)

Elle se dit que son coiffeur, qui adorait ses boucles et la suppliait toujours de les laisser libres, serait aux anges. Elle redescendit et sortit de la maison pour se rendre au bord de la falaise où la brise ferait sécher ses cheveux. Les mains dans les poches arrière de son jean, elle se sentait étonnamment libre.

Elle s'éloigna ensuite du bord de la mer. Elle appréciait vivement la fraîcheur de l'air et ce sentiment de liberté qu'elle éprouvait. Elle continua sa promenade parmi les plates-bandes de fleurs et le long du bois jusqu'à ce qu'elle aperçoive un petit cottage. Couvert de bardeaux en bois gris patiné, il se découpait sur le fond vert des chênes. Il semblait entretenu avec amour. Des volets noirs encadraient deux fenêtres grillagées au rez-de-chaussée et une lucarne unique au-dessus. Comme une grosse bulle, une serre faisait saillie d'un côté de la maison, face à la mer et au soleil levant.

Elle resta là pendant ce qui lui parut une éternité avant de se laisser emporter par la curiosité. Elle s'approcha de la porte d'entrée qui était ouverte et protégea ses yeux du soleil.

— Il y a quelqu'un ?

Elle ignora un mouvement à l'intérieur et attendit en silence.

— Holà ?

Elle vit un canapé et des fauteuils d'un côté, et un coin dînette de l'autre. Juste en face et au-dessus, une mezzanine avec un lit. Dominant le tout, un grand ventilateur à pales ronronnait doucement.

L'intérieur du cottage aurait facilement tenu dans le premier des trois étages de sa maison de ville, mais il paraissait confortable et commode. Douillet. Et sûr. On y percevait de bonnes odeurs aussi. Celle des épinettes qui poussaient derrière les chênes, celle du bois qui avait brûlé dans la cheminée par une soirée fraîche peu de temps auparavant. Elle crut percevoir également une odeur mâle. C'était sa maison à lui. Cet homme était encore un inconnu pour elle, interdit, mais fascinant.

Elle repartit d'un pas plus alerte et se dirigea vers la maison, puis au-delà, pour explorer des parties du domaine qu'elle n'avait pas encore vues. La senteur des églantines s'exhala puis s'apaisa lorsqu'elle passa près d'elles. Elle s'arrêta un peu plus loin. Elle avait déjà aperçu cette partie du cap auparavant, seule puis avec ses sœurs. Comme elle avait la tête plus claire maintenant, elle y jeta un regard neuf. Ce qui lui avait d'abord paru un étalement désordonné d'arbustes lui semblait à présent moins désordonné.

Elle constata que c'était un jardin de bruyères d'une beauté très subtile. Les plants étaient de hauteurs variées. Il y avait des touffes épaisses, des tapis ras et des dômes en forme de bulbes. Les couleurs allaient du gris au vert foncé en passant par le vert pâle et le vert lime. Par endroits, le roc affleurait à nu, tantôt foncé et tantôt blanchi, plus ou moins élevé selon la ligne du cap.

Elle parcourait le jardin du regard, vers la falaise, quand apparut une tête brune aux cheveux humides, puis une paire de larges épaules, des hanches étroites et de longues jambes. L'homme portait un jean et sa chemise de travail mouillée de sueur était ouverte sur sa poitrine.

Le cœur de Leah se mit à palpiter et elle se sentit fondre, surtout quand Jesse l'aperçut et lui sourit. Son sourire la transportait. Il était désarmant et éclatant dès qu'il se manifestait.

— Bonjour, dit-il.

Le sourire qu'elle lui rendit était tout aussi désarmant et éclatant.

— Comment allez-vous ?

— J'ai chaud. Le soleil est fort aujourd'hui.

Il jeta un regard de côté vers le soleil, s'essuya le front avec son bras, puis se tourna vers elle.

— Vous avez une mine resplendissante.

— Merci, dit-elle avec un plaisir démesuré.

Elle faillit ajouter « vous aussi ». Mais c'était le jardinier. Il était sale et en sueur. Elle craignait qu'une telle remarque ne soit mal interprétée. Elle indiqua plutôt les bruyères.

— Je suis impressionnée. Encore une fois. Toujours. Avez-vous fait tout ça vous-même ?

Il la regarda dans les yeux.

— J'y ai travaillé quatre ans. L'endroit était tellement couvert de broussailles qu'on voyait à peine le rocher. J'ai dû prendre le temps de défricher avant de pouvoir planter.

— C'est différent des autres jardins.

— C'est ce que je voulais. Star's End est comme une pierre précieuse. Elle a plusieurs facettes. Vous avez déjà vu les plates-bandes de fleurs et le bois. Ceci maintenant. Il y a aussi un champ de fleurs sauvages.

Elle imagina aussitôt quelque chose d'idyllique et de naturel. Tout excitée, elle demanda :

— Où est-il ?

Il tourna la tête vers le bois.

— Par là. Il commence à peine à fleurir. Les bruyères aussi. En août, il y aura des fleurs dans toutes les nuances du blanc au rose, en passant par l'incarnat et le framboise. À l'automne, les coloris refléteront ceux du bois, dans tous les tons d'or et de rouge.

— De la simple bruyère. Je n'aurais jamais cru.

— La plupart des gens sont étonnés. Ils pensent que c'est une petite plante insignifiante. Comme elle est indigène de Grande-Bretagne, elle prospère dans le climat frais et humide qui règne ici. Si on la plante dans un site adéquat et qu'on en prend bien soin, les résultats en valent la peine.

Elle jeta un regard intrigué au seau qu'il avait posé à terre après avoir gravi les rochers.

— Ce sont des algues, dit-il. C'est un excellent paillis. Organique. Et gratuit.

— Vous allez tout simplement les ramasser sur les rochers ?

— Eh ! oui.

Ça expliquait pourquoi il portait une fourche, mais celle-ci ne retint pas longtemps l'attention de Leah. Son regard fut attiré par les taches de sueur de sa chemise ouverte sur sa poitrine qui était large, musclée et légèrement velue. Il était vraiment bien bâti. Elle en perdait le souffle.

144

Elle essaya de se souvenir de la dernière fois qu'elle avait été aussi impressionnée par un homme, mais elle en fut incapable. C'était vraiment exceptionnel. Elle en voyait pourtant beaucoup, des hommes, des hommes séduisants. Elle les voyait en maillots de bain et elle avait même vu, à l'occasion d'une réception au bord d'une piscine, un homme ivre complètement nu. Mais il y avait bien des années que la vision d'un homme lui avait fait perdre le souffle.

Pas depuis Charlie en tout cas. C'était un bel homme, mais dans le genre intellectuel. Il avait les cheveux frisés, portait des lunettes à large monture, et son ego était gros comme le Texas. Avant Charlie, il y avait eu Ron. Il aurait dû lui convenir parfaitement en théorie. Mais il n'avait pas suscité beaucoup d'étincelles.

Des étincelles, Jesse Craig en suscitait des milliers. Avec lui, elle se sentait vraiment femme, et pas seulement à cause de son apparence au sens strict du terme. Il était bien bâti plutôt que beau, plus direct que poli et, même si c'était un homme grave, son sourire était dévastateur.

C'était peut-être parce qu'il était rare que son sourire était aussi séduisant. Mais il n'y avait pas que son sourire qui lui réchauffait le cœur. Il y avait sa manière douce et directe de lui parler. Il n'était pas prétentieux, mais ne faisait pas non plus semblant d'être timide. Il ne lui faisait pas la cour. Il était là tout simplement. Il paraissait aussi apprécier sa simple présence.

C'est ce qu'elle croyait en tout cas. Mais elle n'était peut-être pas très bon juge en ce qui concernait les hommes. Elle pouvait se tromper. Peu importe, elle aimait ce qu'elle ressentait.

Ça la fit sourire.

— Eh bien, dit-elle en se frottant les mains, je vais vous laisser retourner à votre travail.

Il redevint sérieux.

— Votre mère arrive-t-elle aujourd'hui?

— Je ne sais pas. Mes sœurs sont furieuses qu'elle ne soit pas encore ici.

— Et vous?

— Je suis déçue. J'avais hâte de la voir. Elle m'avait laissé croire qu'elle serait ici quand j'arriverais.

— Est-elle malade?

— Non. Elle prend simplement son temps, je pense.

— Commencerait-elle à regretter d'avoir décidé de venir vivre ici?

Leah réfléchit à la question, mais elle n'avait aucune idée de ce que sa mère pouvait penser. Ginny était un mystère. Une femme très charmante et très correcte qui avait toujours gardé ses pensées pour elle.

— Je n'en sais absolument rien, dit-elle enfin.

— Je pourrais la comprendre.

— Pas moi! C'est l'endroit le plus agréable où je sois jamais allée. C'est magnifique. Réconfortant. Stimulant.

— Il y a des gens qui ne seraient pas d'accord avec vous sur ce dernier point. Ils diraient que c'est ennuyeux.

Elle hocha la tête.

— J'avais apporté un tas de livres, mais chaque fois que je m'assois pour lire, mon esprit s'égare et, avant de m'en rendre compte, je me retrouve debout en train de faire autre chose.

— Êtes-vous déjà allée au village?

Elle lui fit signe que non.

— Vous devriez y aller. C'est agréable.

— Y allez-vous souvent?

— Tous les jours. Pour acheter de la nourriture ou du matériel. C'est un endroit surprenant.

— Surprenant? demanda-t-elle un peu étonnée.

— Ce n'est pas un bled perdu comme on serait tenté de le croire. Les artistes sont des gens raffinés et, grâce à eux, les services offerts le sont aussi. On trouve des croissants au magasin général, et des machines à café pour le cappuccino à la quincaillerie.

— Est-ce qu'ils en vendent?

— Bien sûr, lui dit-il avec un léger sourire. Les artistes adorent le cappuccino. Il y a aussi un restaurant, Chez Julia, qui sert surtout des fruits de mer. Mais on y trouve aussi d'autres mets intéressants. Vous devriez y aller. La propriétaire est à peu près de votre âge. Elle est venue de New York il y a trois ans. Elle vous plairait.

— Ça semble intéressant, dit Leah.

Mais l'idée de se précipiter au village la laissait plutôt froide. Elle se sentait bien et en sécurité à Star's End.

— Si jamais vous voulez que je vous y emmène, faites-moi signe.

Ça, par exemple, c'était tentant, se dit-elle en souriant.

— Je le ferai certainement. Ça a été agréable de parler avec vous, dit-elle en se préparant à partir. Bonne chance avec votre paillis.

Elle se retourna et se dirigea le plus naturellement possible vers la maison. Ce qui n'était pas facile. Elle avait l'impression de flotter sur un nuage qui devait quelque chose à ses cheveux bouclés et ses jeans, à l'air salin qui venait de la mer et au jardin de bruyères plantées avec amour.

Elle venait de passer à toute vitesse près de la piscine et approchait des portes-fenêtres quand la voix courroucée de Caroline la ramena brutalement sur terre.

9

Annette était au téléphone, une main sur son oreille libre, et Caroline, debout à côté d'elle, brandissait une feuille de papier.

— Ce n'est pas le moment d'appeler à la maison, Annette! Nous devons décider ce que nous allons faire!

Elle se retourna brusquement à l'entrée de Leah.

— Leah! As-tu vu ça?

Leah lui prit la feuille des mains. C'était une note laissée par Gwen. Elle avait à peine commencé à la lire quand Caroline s'écria :

— Elle n'arrive pas aujourd'hui ni demain! Peut-être jeudi, dit-elle!

Elle arracha la feuille des mains de Leah.

— Cette femme est égoïste, arrogante et hypocrite. Elle est insupportable. Qu'est-ce qu'elle a? Peut-être qu'elle ne veut pas venir. L'achat de cette maison n'est peut-être qu'une grosse farce! Est-ce qu'elle ne comprend pas que la seule raison pour laquelle nous sommes ici c'est que nous pensions qu'elle y serait aussi? Elle nous fait marcher, Leah, en nous laissant poireauter. Elle va faire traîner les choses en longueur. Je le sens.

Leah était déçue, mais elle n'était pas en colère comme Caroline.

— As-tu demandé à Gwen de quoi il retourne?

— Ah! voilà une bonne question. Gwen nous attendait à l'avant de la maison et elle est partie avec la Volvo à l'instant même où nous sommes arrivées. Elle ne nous a pas dit un seul mot de tout ceci. La petite dame sait où est son intérêt. Où étais-tu quand Ginny a appelé?

— J'étais allée me promener, dit Leah.

Ce qui était strictement vrai. Elle ne voulait pas dire à ses sœurs qu'elle était allée s'acheter des vêtements au centre commercial. Elle voulait leur laisser croire qu'elle avait deviné d'avance ce qu'on devait porter à Star's End.

Annette, l'air exaspéré, se joignit à elles après avoir raccroché le combiné.

— Est-ce que maman a quelque chose qui ne va pas? Pourquoi fait-elle ça? N'a-t-elle donc aucune considération pour nos vies personnelles?

— Est-ce que Thomas va mieux? demanda Leah.

— Pour l'instant. Dieu sait comment ça ira dans une heure.

Caroline tambourina des doigts sur le plan de travail.

— Si on avait osé lui faire quelque chose comme ça, on n'aurait pas fini d'en entendre parler.

D'un ton moqueur, elle chantonna :

— La ponctualité est importante, les filles. La fiabilité est importante. Les gens vous jugent sur ce genre de choses.

Elle reprit sa voix normale.

— Savez-vous que je suis toujours en avance à mes rendez-vous? On se moque de moi au bureau, mais je déteste être en retard. Qu'est-ce que je dis, détester? Je ne peux pas le supporter. Je me mets dans tous mes états si je pense que je vais être en retard. J'ai beau me dire que c'est ridicule, que le reste du monde s'en fiche si je suis en retard parce que la vie est comme ça, mais je n'y peux rien. Je suis incapable de changer.

Leah savait très bien ce qu'elle voulait dire. Elle devait toujours se retenir, prendre effectivement le temps de s'asseoir chez elle quelques minutes, toute prête à partir, les yeux sur l'horloge, pour éviter d'arriver à une réception à l'heure dite. Heure à laquelle ses hôtes n'auraient généralement pas été prêts de toute façon.

— Ça nous a été inculqué, dit Annette. Quand mes enfants ont un rendez-vous chez la dentiste, nous arrivons toujours à l'heure, même si je sais que nous devrons attendre avant d'être reçus. Alors je m'impatiente et je maudis maman. Je voudrais dire à mes enfants : « Qu'est-ce que ça peut bien foutre ? Soyez en retard autant que vous voudrez. Si les gens veulent avoir votre compagnie, votre temps ou votre argent, ça ne les empêchera pas de les vouloir quand même. » Mais je ne peux pas.

— Qu'est-ce que tu fais alors ? demanda Leah.

Comme elle avait toujours sur les bras le problème de faire la part des choses entre ses propres instincts et ceux de sa mère, toutes les suggestions étaient bienvenues.

— J'essaie de trouver un juste milieu, dit Annette. J'apprends aux enfants qu'on ne doit pas faire attendre les gens, mais je n'en fais pas un drame. Nous appelons au cabinet de la dentiste avant de partir de la maison pour voir si elle est à l'heure pour ses rendez-vous. Les rares fois où nous prévoyons arriver en retard nous-mêmes, plutôt que de nous affoler, nous téléphonons pour prévenir que nous sommes en route. En général, on nous dit de prendre notre temps.

— Maman aurait dû nous offrir un choix comme celui-là, grogna Caroline en se passant les mains dans les cheveux. J'ai besoin d'une cigarette. Est-ce que quelqu'un en a une ?

— Pas moi.

— Moi non plus.

— Parfait !

Elle tourna la tête vers les portes-fenêtres puis regarda de nouveau ses sœurs.

— Pendant combien de temps pense-t-elle que nous allons rester ici à l'attendre ? Ça fait déjà un jour que nous sommes ici, et elle nous annonce qu'elle n'arrivera pas encore avant deux jours, sinon plus. Qu'est-ce que nous sommes censées faire ?

— Dépenser son argent, répondit Annette qui se dirigea avec un grand sourire vers le canapé où il y avait un tas de sacs. J'ai trouvé des choses splendides au village. Regardez.

Elle se débarrassa des sacs, drapa une couverture de voyage marine et turquoise sur le dossier du canapé et disposa quelques coussins selon les règles de l'art. Avec plus de précautions, elle enleva le papier journal dans lequel était emballé un bol de céramique à la glaçure en camaïeu de bleus.

— Pour mettre des fruits ou des bonbons.

Elle le posa sur une table basse ivoire en forme de cube placée à côté d'un des fauteuils.

Leah était séduite par ces acquisitions et elle le dit à Annette.

Caroline l'approuva, sa colère enfin un peu apaisée.

— C'est très beau. Le tableau que j'ai acheté aussi.

Elle les amena dans le hall d'entrée, prit la toile et la plaça contre le mur.

Leah s'approcha.

— C'est incroyable. Ce sont les couleurs mêmes de Star's End. C'est exactement ce qu'il fallait pour cette pièce.

Elle soupira, mais sans le moindre dépit.

— Vous avez été bien occupées toutes les deux.

— Ben m'avait dit que Downlee était une colonie d'artistes, dit Caroline, mais je pensais que c'était par pure politesse. Je n'aurais jamais cru y trouver des œuvres d'une telle qualité.

Annette était toujours aussi expansive.

— Vous n'avez pas vu les travaux d'artisanat que j'ai vus. Et je n'en ai pas vu la moitié. Il y a au moins huit autres boutiques que je n'ai pas eu le temps de visiter. Downlee nous réserve bien des surprises.

Leah repensait à ce que Jesse lui avait dit. Elle était heureuse que ses sœurs confirment ses dires. De nouveau euphorique, elle se sentait en sursis avec ce nouveau retard de Ginny. Plus détendue, elle regarda ses sœurs l'une après l'autre.

— Je pense que nous devrions fêter ça.

— Fêter quoi? demanda Caroline. Ginny n'arrive toujours pas.

— Bon, bon, alors elle n'arrive pas. Tant pis pour elle. Elle ne profite ni de notre présence ni de nos découvertes, et nous en profitons pour dépenser son argent. Je pense que nous devrions fêter des emplettes couronnées de succès.

Caroline lui fit une petite grimace affectueuse.

— Tu ferais ça ?

Leah ne se laissa pas démonter.

— Il est peut-être un peu tard, mais avez-vous déjà déjeuné ?

— Non.

— Non.

— Avez-vous faim ?

— Gwen est sortie.

— Nous pouvons grignoter des chips.

Mais Leah ne voulait pas grignoter des chips.

— Il y a des provisions intéressantes ici. Je vais préparer quelque chose.

— Vraiment ?

— Es-tu sérieuse ?

Leah se dirigeait déjà vers la cuisine. Elle déboucha une bouteille de vin blanc et en versa dans trois verres.

— Je ne bois jamais le jour, déclara Caroline. Ça m'empêche de me concentrer sur mon travail.

Annette regardait le vin avec circonspection.

— Je ne voudrais surtout pas que mes enfants pensent que j'ai besoin de prendre un verre au milieu de la journée.

— Tu n'en as pas besoin, suggéra Leah. Tu prends un verre parce que c'est une chose agréable à faire quand on est en vacances. Les enfants ne sont pas ici pour nous voir. Et toi, Caroline, tu n'as pas besoin de te concentrer sur ton travail. Il y a des gens qui s'en occupent à ta place à Chicago.

— Oui, et je gage qu'ils vont tout bousiller. D'une façon ou d'une autre, je le sais, ils vont tout bousiller. Les conversations téléphoniques que j'ai eues ne m'ont pas laissé une bonne impression.

Elle leva quand même son verre.

— À la vôtre !

Un peu plus tard, Leah remplissait de nouveau leurs verres. Elles étaient en maillots de bain et profitaient du soleil du milieu de l'après-midi sur la terrasse à l'arrière de la maison. Elles savouraient la salade niçoise que Leah avait préparée.

— C'est délicieux, souligna Annette. Tu l'as bien réussie.

— J'aime faire la cuisine. Mais on ne peut pas dire qu'il s'agit vraiment de cuisine...

— C'est de la cuisine, insista Caroline. Tu as fait cuire des pommes de terre et des haricots verts, et tu as fait une vinaigrette à partir de rien. Est-ce que tu fais ça souvent?

— Non. Ce n'est pas intéressant de cuisiner pour une seule personne.

— C'est pour ça que j'achète généralement des plats tout préparés, ajouta Caroline.

— Mais toi, tu as une bonne excuse pour le faire, fit remarquer Leah. Tu passes toute la journée au bureau. Moi, je suis plus souvent à la maison, alors c'est stupide de ne pas faire la cuisine. Mais c'est plus amusant de le faire ici. Maman a une cuisine de rêve.

— En tout cas, évite les choses qui font engraisser, l'avertit Annette. Mes cuisses sont énormes.

Leah éclata de rire.

— Voyons donc!

— Elles sont grasses.

— Pas grasses, dit Caroline. C'est juste que tu n'as plus dix-huit ans. Les miennes aussi sont comme ça. Le Stairmaster[1] n'y peut rien.

Leah examina ses cuisses, puis celles de ses sœurs.

— Je dirais sans parti pris que nos cuisses ne sont pas mal. Ginny n'aurait pas honte de nous si ses amies étaient ici.

Caroline dit en bougonnant :

— Pas à propos de nos cuisses du moins. Dieu sait que ses amies, elles, n'auraient obtenu aucun prix pour ça.

---

1. Appareil de gymnastique. (NDT)

— Elles porteraient des maillots de bain avec une jupe, dit Annette d'un ton traînant pour ajouter aussitôt d'un ton plus guilleret : regardez-nous ! Vous avec un maillot collant et un bikini sexy, et moi avec quelque chose de bien sage au drapé en biais. Heureusement que Jean-Paul n'est pas ici. Il n'aurait d'yeux que pour vous deux, pas pour moi, soupira-t-elle.

— Ce n'est pas vrai, dit Caroline.

Leah acquiesça avec une pointe d'envie.

— Il vénère jusqu'au sol que tu foules. Et si maman était ici, elle préférerait certainement ton maillot au mien ou à celui de Caroline. Elle nous demanderait probablement d'aller mettre quelque chose de plus décent si elle attendait des amies.

— Même sans ça, fit remarquer Caroline. Ginny est prude.

— Elle a une conception étroite de ce qui est acceptable, ajouta Annette. Elle trouverait que vous montrez trop vos cuisses et vos nichons. Elle se préoccupe toujours de ce que les gens pensent d'elle. Elle se méfie de ce qu'ils pourraient dire dans son dos.

Leah se rappelait les supplices d'enfant. Certains avaient été très douloureux, mais elle était capable d'en rire maintenant.

— Quand nous étions enfants, vous rappelez-vous comme elle était tendue quand nous nous préparions à aller voir ses parents ?

— Elle voulait que nous ayons l'air de petites filles modèles, commença Annette.

— Avec des robes de chez Saks[2], enchaîna Caroline, des souliers neufs et des cheveux impeccables. Les bigoudis. Je me souviens des bigoudis dans mes cheveux qui étaient, sont et seront toujours raides. C'est pour ça d'ailleurs que je les porte si courts, mais maman ne comprendra jamais ça. Je me souviens d'avoir dormi avec des bigoudis en fil métallique retenus par des

---

2. Grand magasin chic avec des succursales dans plusieurs grandes villes des États-Unis. La plus ancienne se trouve sur Fifth Avenue à New York. (NDT)

épingles en plastique rose. Ils me rentraient dans le cuir chevelu. Quel cauchemar !

— C'est que, pour elle, notre apparence témoignait de son succès dans la vie, dit Leah. Si nous étions belles, ça prouvait qu'elle avait réussi. Si nous avions l'air riches aussi.

— Nous étions riches de toute façon, riposta Caroline. Alors que voulait-elle prouver ?

— C'est que nos grands-parents étaient plus riches que nous, argumenta Leah. Ils attachaient beaucoup d'importance à l'argent. Maman voulait leur prouver qu'elle avait fait un mariage avantageux.

— À nos dépens, sans vouloir faire de jeu de mots, dit Caroline.

— Peut-être.

— Peut-être ? répéta Annette. Leah, tu étais tellement obsédée par ton apparence que tu es devenue boulimique par sa faute. Tu ne peux tout de même pas la défendre.

— Je ne la défends pas. J'essaie seulement de la comprendre. Elle recherchait l'approbation de ses parents. Ce n'est pas très différent de ce que nous faisons n'est-ce pas ? Sinon, pourquoi serions-nous ici ?

— Je suis ici, dit Caroline qui suçotait une olive noire, parce que Ben m'a dit que si je ne venais pas je me sentirais coupable tout le reste de ma vie. Il a de la conscience, cet homme. Et il est séduisant par-dessus le marché.

— À propos d'homme séduisant, dit Annette d'un ton rêveur, l'une d'entre vous a-t-elle jeté un coup d'œil au jardinier ?

Leah s'étouffa avec une bouchée de thon. Elle toussa, reprit son souffle et but une gorgée de vin.

— Qu'est-ce qui ne va pas ?

Une main sur la poitrine, elle répondit :

— Maman en ferait une maladie si elle pensait que tu as des vues sur le jardinier.

— C'était une remarque anodine. Mais il est très séduisant.

156

— Il n'est pas mal du tout, observa Caroline bien affalée sur sa chaise. Un peu fruste peut-être.

— Vraiment séduisant, répéta Annette.

— Et Jean-Paul alors?

— Jean-Paul est magnifique. Et ce type est séduisant.

— Quelle est la différence?

— Magnifique s'applique à toute la personne. Séduisant, seulement à l'apparence. Jean-Paul est intelligent, talentueux et séduisant.

— Ben aussi. Il est merveilleux jusqu'au bout des ongles. Cet autre type n'est qu'un jardinier.

— Je crois que c'est un horticulteur, dit calmement Leah. J'ai parlé avec lui. C'est incroyable tout ce qu'il connaît.

— Il convient parfaitement à cet endroit. Ginny aurait tout avantage à le garder à son emploi. Il va avec le paysage, au propre et au figuré, décréta Caroline qui réfléchissait tout haut.

— Comme les œuvres que nous avons achetées aujourd'hui, dit Annette. Elles sont évocatrices. J'en parlais avec les artisans. Ils disent que ça a un rapport avec Star's End.

Leah était intriguée.

— Comment ça?

— C'est le plus bel endroit de toute la région. Les artistes viennent y puiser leur inspiration.

— Vraiment? demanda Leah en souriant.

Cette idée lui rendait l'endroit encore plus précieux.

— J'ai eu cette même impression, dit Caroline d'un ton songeur. Tout ce que j'ai vu évoquait Star's End. La toile que j'ai achetée n'en était qu'une parmi bien d'autres, et seulement dans la première galerie que j'ai visitée. Partout où je suis allée, ajouta-t-elle en cherchant ses mots, j'ai retrouvé la même impression, la même énergie, la même... la même passion.

Après avoir regardé Leah et Annette tour à tour, elle ajouta, un peu sur la défensive :

— C'est vraiment ce que j'ai ressenti.

— Moi aussi, reconnut Annette.

— J'aurais voulu parler davantage avec les artistes, mais ils ne voulaient parler que de Ginny.

— Avec moi aussi ! Partout où je suis allée, on n'a pas arrêté de me poser des questions. C'était ennuyeux à la longue.

— Pas ennuyeux. Agaçant.

Leah repensa au policier qui lui avait indiqué la route de Star's End le soir de son arrivée. Il avait posé beaucoup de questions lui aussi.

— J'imagine que c'est normal. Downlee est un petit village. Maman est une nouvelle arrivante. Les gens se demandent de quoi elle a l'air.

— Au rythme où ça va, ils ne le sauront peut-être jamais, ronchonna Caroline. Pour l'amour de Dieu, peux-tu me dire quand elle va arriver ?

Elle posait la question pour la forme. Leah ne savait rien de plus qu'Annette ou Caroline. Elles étaient toutes logées à la même enseigne. Leah avait l'impression que ça ne leur était pas arrivé depuis bien longtemps.

Pas plus que d'être assises ensemble, seulement elles trois, pour déjeuner. Bien longtemps.

Pas plus que de parler si longuement ensemble sans se lancer d'attaques personnelles.

Leah trouvait que c'était plutôt agréable. Peut-être était-ce à cause de l'âge, pensa-t-elle. Peut-être devenaient-elles plus tolérantes. Elles vivaient un problème commun et, d'une certaine façon, elles avaient un ennemi commun, cela resserre toujours l'union. Elles avaient aussi un passé commun. Ce n'était certainement pas indifférent.

— Alors, demanda Leah, qu'est-ce que vous faites, les filles ? Vous restez ou vous partez ?

Elle pensait que Caroline parlerait la première, mais celle-ci se contenta de prendre une autre gorgée de vin.

— Je ne pense pas que ma famille souhaite que je revienne à la maison tout de suite, admit Annette.

— Bien sûr qu'ils veulent que tu reviennes.

— Non. Ça les agace quand je téléphone. Ils veulent que je leur laisse la paix. Ils veulent se prouver quelque chose.

— Je reçois le même genre de message de mon bureau, dit calmement Caroline. Et de Ben... Quand je lui ai parlé un peu plus tôt, il a insinué que c'était peut-être moi qui étais dépendante vu que je passais mon temps à téléphoner.

Leah se mordit la langue.

Elles restèrent silencieuses un certain temps, en grignotant leur salade et en sirotant leur vin. Le bruit du ressac sur les rochers en bas de la falaise apaisait les affres de leur situation.

Leah compatissait avec elles. Leurs vies étaient plus compliquées que la sienne, ce qui ne voulait pas dire qu'elle pouvait tout leur passer. Caroline était toujours aussi bêcheuse au sujet de son travail, et Annette poussait le sentiment maternel à l'extrême. Mais Leah n'était vraisemblablement pas la seule à le penser, et les autres qui le pensaient aussi commençaient à se déclarer. Si ses sœurs s'empêtraient dans leurs émotions, c'est qu'elles n'étaient pas aussi insensibles qu'elle aurait été portée à le croire.

Pour une fois, elles ne se déchargeaient pas sur elle. Leah ne se sentait pas aussi insignifiante que d'habitude en leur présence. C'était peut-être parce qu'elle leur avait préparé un repas.

— Je vais rester encore un peu, dit enfin Annette. Ça sera un bon exercice pour moi.

— Je souhaiterais presque qu'ils se cassent la figure, rouspéta Caroline, comme ça ils regretteraient vraiment mon absence. Mais je me sentirais ridicule de retourner au bureau tout de suite.

Elle but sa dernière gorgée de vin et regarda scs sœurs.

— De plus, je veux visiter les autres galeries. Elles regorgent de belles œuvres d'art à acquérir, et Ginny en a grandement besoin.

À l'exception de courts instants où l'une ou l'autre allait faire un petit tour, elles passèrent tout le reste de l'après-midi au bord de la piscine. Leah alla chercher un troisième livre. Elle n'avait pas éprouvé plus d'intérêt pour le deuxième que pour le premier.

Quand Caroline lui dit qu'elle l'avait déjà lu, ça la mit en rogne. Mais les renseignements que Caroline lui donna sur l'auteur l'incitèrent quand même à en entreprendre la lecture.

Caroline lui emprunta un autre de ses livres et commença à lire.

Annette trouva un jeu de Scrabble et les persuada de jouer une partie.

Le soleil se déplaça vers l'ouest et commença à baisser. La brise s'éleva. L'air fraîchit.

— Je recommence à avoir faim, annonça Caroline.

Annette posa ses mots croisés.

— Ne me regarde pas. Si je suis en vacances, je ne prépare pas de dîner.

— Je ne vous recommande pas de me demander de le faire, dit Caroline.

Elles se tournèrent toutes les deux vers Leah.

— Bon, d'accord, dit-elle.

Mais Caroline avait déjà changé d'avis.

— Il ne faudrait pas oublier Gwen, dit-elle avec un froncement de sourcils belliqueux. Qu'elle fasse le dîner. Ça lui apprendra à être aussi hypocrite à propos de Ginny.

Leah eut alors une meilleure idée.

— J'ai entendu dire qu'il y a un bon restaurant au village. Chez Julia. Est-ce que l'une d'entre vous l'a remarqué aujourd'hui ?

— Pas moi.

— Moi non plus.

— Elle sert surtout des fruits de mer, mais le menu est intéressant.

Caroline semblait incrédule.

— Comment un menu de fruits de mer peut-il être intéressant ? demanda Annette.

— Elle vient de New York, dit Leah.

Caroline referma son livre et sourit.

— Qu'est-ce qu'on attend pour y aller ?

— Je sais bien, Ben. J'appelle trop souvent. Mais il fallait que je te dise une chose absolument incroyable. J'ai dîné avec mes sœurs ce soir. Bien sûr j'avais bu du vin tout l'après-midi et ça m'avait remontée, mais ça a vraiment été agréable.

— Seulement vous trois ?

À la surprise qu'elle perçut dans sa voix, elle fut contente de l'avoir appelé. Satisfaite, elle lui dit :

— Seulement nous trois. Remarque que nous n'avions pas beaucoup le choix. Maman est toujours cachée Dieu sait où, et nous avons mis Gwen en quarantaine pour avoir été sa complice. Comme nous ne connaissons pas des masses de gens par ici, nous sommes obligées de rester entre nous. J'avais peur que ce soit désagréable, mais pas du tout. Tu aurais été fier de moi. J'ai été absolument charmante.

— Incroyable.

— C'est vrai, insista-t-elle. Même si nous sommes trois personnes très différentes.

De quoi avez-vous donc parlé ?

— Du restaurant. C'est un endroit adorable. On aurait aussi bien pu être à Chicago.

— Les gens doivent se nourrir dans le Maine aussi.

— Je sais bien, mais c'est vraiment un restaurant de grande classe.

— Tu n'es qu'une snob, lui dit-il affectueusement. De quoi d'autre avez-vous parlé ?

— De livres. De films. De musique. Le temps a passé vite. Et tu seras heureux d'apprendre que je n'ai pas quitté la table une seule fois pour téléphoner au bureau.

— Tu as attendu de rentrer à la maison.

— Même pas. Je vais te prouver que tu te trompes. Je ne dépends de personne là-bas.

— Sauf de moi.

— Toi, ça ne compte pas. Je n'ai pas besoin de t'avoir à l'œil. C'est de ma clientèle que je m'inquiète.

— Ta clientèle va très bien s'arranger.

— Peut-être. Mais j'aime bien savoir ce qui se passe.

— Tu aimes maîtriser la situation.

— Pas toi ? Aimerais-tu que quelqu'un passe une couche de peinture bizarre sur une de tes gravures ?

— Holà ! ma belle. La comparaison ne tient pas. Un artiste est par définition un travailleur solitaire. Mais toi tu fais partie d'un cabinet, ce qui veut dire que, par définition, tu travailles en équipe.

— Et alors ? Mon travail peut être mal fait. On peut me poignarder dans le dos.

— Mais c'est toi qui as choisi de faire partie d'un cabinet.

— Parce que c'est là que se trouve la sécurité, et le prestige, pour une femme en particulier. Je n'aurais pas le genre de clientèle que j'ai sans le cabinet.

— Et alors ? Qu'est-ce que ça pourrait bien faire si tu défendais moins de clients et des mauvais garçons plus sympathiques ? Ça ne voudrait pas dire que tu serais moins autonome. On en revient toujours au même point, Caroline. Tu as toujours voulu être l'avocate la meilleure, la plus forte et la plus courue en ville. Tu ne veux surtout pas que quelqu'un puisse penser que tu es dépendante d'un homme, ou de tes amis, ou de ta position sociale comme ta mère l'était. Mais justement, tu ne l'es pas. Tu l'as déjà prouvé des centaines de fois, et si tu me demandes mon avis, tu maîtriserais bien mieux la situation dans ta propre petite étude juridique.

— Je ne t'ai rien demandé, répondit-elle sèchement, puis elle ajouta plus doucement : comment en est-on arrivés là ?

Ben resta silencieux un moment.

— C'est toujours la même chose. Mais j'y pense davantage en ton absence. Peut-être devrais-tu y penser aussi.

Caroline avait la curieuse impression qu'il venait de lui adresser un ultimatum. Ça faisait dix ans que Ben et elle avaient une liaison en dents de scie. Il avait été patient. Il avait été compréhensif. Mais ce n'était pas un saint. Il n'attendrait pas toujours.

Elle aurait voulu l'engueuler. Elle aurait voulu lui dire qu'elle ne lui avait jamais rien promis. Que si leur relation lui posait un problème à lui, ce n'était pas sa faute à elle. Mais elle ne pouvait pas le dire. Il y avait trop de bon sens dans ce qu'il lui avait dit.

— Je dois te laisser maintenant, dit-elle la gorge serrée.

Puis elle raccrocha l'appareil.

Annette attendit jusqu'à vingt-deux heures pour téléphoner à la maison. Elle pensait que Robbie et les jumelles seraient alors avec des amis, Nat et Thomas endormis, et Jean-Paul assez esseulé pour ne pas lui reprocher son appel.

Il n'y eut pas de réponse. Elle recomposa le numéro, sans plus de succès.

Elle se dit que Jean-Paul avait dû amener les deux plus petits au cinéma et elle termina ses mots croisés. Puis elle essaya de nouveau. Il n'y avait toujours pas de réponse. Elle prit un livre et commença à lire, tout en composant le numéro toutes les quinze minutes, puis toutes les dix, puis toutes les cinq. Elle était dans tous ses états quand Jean-Paul répondit enfin.

— Jean-Paul ! Dieu merci ! J'étais si inquiète ! Où étiez-vous donc ?

— J'étais sorti avec les enfants, lui répondit-il calmement. Tu sais comment ils sont. Dès qu'on a terminé une activité, ils veulent en entreprendre une autre. Ah ! pendant que j'y pense, je me suis informé au sujet du médecin de ta mère. Il a de bonnes références.

— Lui as-tu parlé ?

— Oui. Il m'a confirmé ce que Leah vous avait dit.

Annette perçut dans sa voix une légère hésitation qui serait sans doute passée inaperçue si elle n'avait pas si bien connu Jean-Paul.

— Dis-moi tout ce que tu sais, Jean-Paul.

— Les premiers tests avaient révélé des problèmes mineurs. Lors d'une visite ultérieure, le médecin a trouvé la situation plus inquiétante.

Le souffle d'Annette était haletant. Il poursuivit.

— La tension artérielle de Ginny était élevée. Il lui a prescrit un médicament et lui a suggéré de surveiller son alimentation et d'éviter les émotions trop fortes.

— Est-ce qu'elle a un problème avec son cœur ?

— L'électrocardiogramme a montré une petite irrégularité. Si elle avait eu dix ans de moins, il lui aurait proposé un stimulateur cardiaque. Il lui en a d'ailleurs offert la possibilité, mais elle a refusé. Comme il s'agissait d'un cas limite, il n'a pas insisté.

— Toi, aurais-tu laissé faire ? demanda Annette.

— Je ne peux pas dire. Ce n'est pas ma spécialité. De toute façon, c'est le patient qui a le dernier mot. Il lui a suggéré de consulter régulièrement. J'ai le nom d'un spécialiste à Portland.

— Ça au moins c'est une bonne chose, dit Annette.

— Ce n'est évidemment pas moi qui t'ai dit tout cela, l'avertit Jean-Paul. Les médecins n'aiment pas parler de leurs patients avec une tierce personne.

— Mais tu es un confrère.

— Je suis aussi le gendre de la patiente qui révèle à la fille de la patiente des choses que la patiente, pour une raison ou pour une autre, a choisi de taire.

— Je serai très subtile quand je lui demanderai des nouvelles de sa santé, promit Annette.

Elle était pourtant bien déterminée à poser des questions. Compte tenu de ce que Jean-Paul venait de lui dire, elle se sentait responsable envers Ginny. C'était surprenant, en fonction de leur passé commun, mais très compréhensible, eu égard à la personnalité d'Annette. Elle craignait bien d'être condamnée à toujours prendre à cœur les problèmes des autres.

Sur un ton plus léger, elle demanda :

— Comment se fait-il que vous soyez rentrés si tard ?

— Nous sommes allés manger des glaces.

— À vingt-trois heures passées ?

— Thomas avait faim. Il n'avait pas mangé beaucoup de toute la journée.

— Il ne se sentait pas bien, toute la journée. Des glaces! soupira-t-elle, découragée.

Avec un père médecin! Elle se demandait si elle devait en rire ou en pleurer. Elle avait été bien folle de s'en faire.

Si ça continuait comme ça, elle en prit tout à coup conscience, avant même d'avoir cinquante ans, elle serait toute ridée pour avoir trop froncé les sourcils et elle aurait un ulcère pour s'être trop inquiétée. Pendant ce temps, toute sa famille vivait dans une belle insouciance. Ça semblait injuste.

C'était injuste.

— Des glaces! répéta-t-elle. Parfait! Avec de la guimauve, de la sauce au chocolat et des noix peut-être?

Jean-Paul n'avait pas l'air de trouver qu'il y avait de quoi s'en faire. Eh bien, qu'il ramasse lui-même les dégâts si Thomas était malade.

— Seulement de la sauce au chocolat.

— Tu ferais bien de laisser la porte de la chambre ouverte au cas où il passerait une mauvaise nuit.

— Ne t'inquiète pas.

— Oh! je ne m'inquiète pas, rétorqua-t-elle. Je suis loin, et c'est toi qui es là-bas. Alors si quelqu'un doit s'inquiéter, c'est toi.

— Es-tu fâchée?

Elle était furieuse.

— Qu'est-ce qui te fait penser ça?

— Tu n'as pas la même voix que d'habitude.

— Je me demande quelle voix tu aurais, toi, si ta famille te disait de débarrasser le plancher.

— Personne ne t'a dit ça.

— Pas dans ces mots-là, mais presque. Les enfants ont l'air agacés chaque fois que j'appelle, et tu n'arrêtes pas de me dire de ne pas m'en faire, comme si j'étais une vraie peste.

— Tu te fais des idées, Annette. Tu n'es pas une peste.

— Mais alors, pourquoi est-ce que je ne devrais pas téléphoner? Je m'ennuie de vous tous. Est-ce que vous ne vous ennuyez pas de moi?

165

— Beaucoup. Mais nous ne sommes pas impuissants sans toi. C'est tout à ton honneur. C'est toi qui nous as entraînés, et tu as bien réussi.

Sa fureur se transforma en douleur.

— C'est quand même incroyable ! Je vous ai rendus capables de vous passer complètement de mon amour.

— Nous aurons toujours besoin de ton amour. Mais nous ne voulons pas en être gavés.

— Jean-Paul !

Elle l'entendit qui se disait tout bas :

— Merde. Je ne sais pas m'y prendre.

— Peut-être pas. Mais j'aime mieux savoir ce que tu ressens vraiment.

— Je n'arrive pas à dire ce que je voudrais dire. Je n'aime pas parler comme ça au téléphone. Nous devrions reprendre cette discussion à ton retour.

— Nous avons déjà eu cette discussion, protesta-t-elle.

Elle se sentait comme si on venait de lui arracher le cœur.

— Plusieurs fois. Tu dis que je ne vous laisse pas respirer. D'accord. Je vais vous laisser respirer. Ginny repousse toujours son arrivée, et je ne peux pas partir avant qu'elle soit ici. Par ailleurs, j'ai vraiment plaisir à être avec mes sœurs. Alors je te laisse la responsabilité de la maison. S'il y a quelque chose de particulier, tu pourras m'appeler.

Jean-Paul se taisait.

Elle aurait voulu pleurer. Elle ne comprenait pas pourquoi ils se disputaient à ce sujet-là alors qu'ils ne se disputaient presque jamais. Elle ne comprenait pas pourquoi Jean-Paul ne souffrait pas autant qu'elle. Elle ne comprenait pas pourquoi il ne s'ennuyait pas d'elle davantage.

Personne d'autre ne semblait partager sa conception du sentiment maternel et de l'amour. Complètement anéantie, elle dit :

— Je vais raccrocher maintenant. Bonne nuit, Jean-Paul.

Elle aurait bien voulu qu'il la rappelle, mais le téléphone resta muet.

10

À minuit, Leah se retrouva assise sur la falaise, emmitouflée dans sa couverture de laine, captivée par la mer. L'air était sombre et dense. Le clair de lune teintait l'eau d'un noir argenté. Du haut de la falaise, elle entendait sans les voir les vagues qui se brisaient sur les rochers dans de grandes gerbes d'écume.

Comme toujours et partout à Star's End elle avait une impression d'opulence. La nuit était belle. Elle était enveloppée d'une telle abondance de sensations qu'elle aurait dû se sentir parfaitement heureuse. Mais il y avait en elle une petite zone de souffrance.

Elle se retourna vers la maison. La surface sombre de la piscine était fendue seulement par les mouvements rythmés d'une paire de bras noueux. Elle était sur la falaise depuis une heure. Il nageait depuis près de vingt minutes. Si c'était comme les soirs précédents, il aurait bientôt fini.

Moins de deux minutes plus tard, il posa ses coudes sur la terrasse. Il se reposa un instant avant de se hisser hors de la piscine. Après s'être essuyé, il enroula sa serviette autour de son cou, et sa silhouette sombre et solitaire se découpa de dos dans le noir. Quand il se tourna vers elle, son cœur se mit à battre à grands coups.

Elle retint son souffle tandis qu'il s'approchait. Quand il fut à portée de bras, il s'accroupit sur le rocher.

— Êtes-vous là depuis longtemps ? demanda-t-il doucement.

— Non. Oui... plutôt. C'est agréable. Paisible.

— Avez-vous assez chaud ?

— Oui, oui.

Avec sa chemise de nuit et sa couverture de laine, elle était bien couverte et elle avait chaud. Mais malgré cela elle tremblait en dedans. À cause de la présence de Jesse Cray. Son honnêteté, sa gentillesse et, il lui fallait bien l'admettre, son corps l'attiraient irrésistiblement. La force de cette attirance la surprenait elle-même. Elle tenait à la fois de la curiosité et du désir. Elle mourait d'envie de le toucher.

Il était pourtant évident qu'il n'était pas du tout son genre.

— Nous avons mangé Chez Julia ce soir, dit-elle en essayant de raffermir sa voix. C'était très bien. Merci de la recommandation.

— Il n'y a pas de quoi.

Il s'essuya le visage avec un coin de la serviette.

— Est-ce que vos sœurs ont aimé aussi ?

— Oh ! oui. Grâce à vous, moi je savais à quoi m'attendre, mais elles ont été surprises. Elles sont habituées à la grande ville. Caroline vit à Chicago, Annette à St. Louis. Caroline est avocate.

— Et Annette ?

— Épouse et mère. Son mari est neurochirurgien. Ils ont cinq enfants.

Jesse s'assit sur le rocher.

— Et vous ?

— Pas d'enfants. Pas de mari.

— À quoi consacrez-vous votre temps ?

La question était posée avec tact, mais sans calcul. Il semblait posséder une délicatesse naturelle.

— Je travaille pour des œuvres de bienfaisance et autres choses du même genre. Je suis, dit-elle d'un ton traînant, ce qu'on appelle une bénévole professionnelle.

— Il n'y a rien de mal à ça.

Non, rien de mal. Sauf l'absence d'un salaire, ou d'une ribambelle d'enfants, pour témoigner de ses activités. Il y avait aussi la solitude, le soir.

— Caroline est-elle mariée? demanda-t-il.

— Non. Elle est trop occupée. C'est ce qu'elle dit en tout cas.

— Êtes-vous aussi trop occupée?

— Oh! j'ai été mariée, dit-elle simplement. Deux fois. Mais ça n'a pas marché.

— Je suis désolé.

— Je l'ai été aussi. Les deux fois.

Ginny avait été absolument furieuse. Elle avait aimé Charlie et Ron. C'étaient des jeunes hommes de bonne famille, qui avaient réussi et qui pouvaient offrir à Leah le train de vie que Ginny souhaitait pour elle. Leah s'en serait également contentée, si ces relations n'avaient pas été aussi vides.

— Il arrive que des choses qui devraient nous satisfaire ne le fassent pas, dit-elle à Jesse. Ce qui semble correct en théorie peut se révéler un fiasco. Les voies de la raison ne collent pas toujours avec celles du cœur.

— Vous ne les aimiez pas?

— Je les aimais, mais pas comme il aurait fallu.

Ça avait été un amour cérébral, sans la passion. Le désir de vivre un grand amour l'avait davantage séduite que les hommes eux-mêmes.

— Ils ont dû avoir de la peine.

Elle rit avec simplicité.

— Pas du tout. Les deux mariages n'ont pas duré longtemps. Les deux ruptures se sont faites d'un commun accord. Comme il n'y avait pas d'enfants, nous sommes simplement repartis chacun de notre côté. Je sais que ça peut sembler un peu froid. J'aurais préféré que ça ne se passe pas comme ça. J'aimais bien être mariée.

— Mais pas à ces types-là.

Elle acquiesça.

— Voilà! vous le savez maintenant. Je ne suis qu'une ratée au rayon de l'amour.

— Je gage que vous sortez avec beaucoup d'hommes.

Elle se retourna vers la mer, serra ses genoux dans ses bras, et dit :

— Non, je déteste ça. C'est gênant et embarrassant. Je l'évite autant que je peux. Et vous?

Il haussa les épaules.

— Je sors avec des femmes à l'occasion. Rien de sérieux.

— Jamais?

— J'attends de rencontrer la bonne. Je suis sentimental.

Un homme sentimental. Ça, c'était nouveau.

Il indiqua les vagues d'un coup de tête.

— Il y a un vent d'enfer en bas cette nuit.

— On dirait bien.

Oui, ça c'était nouveau. Tellement rafraîchissant. Tellement sensuel.

— Voulez-vous descendre avec moi?

— En bas de la falaise? demanda-t-elle un peu surprise. Je ne pensais pas que c'était possible.

— Il y a des marches. Pas de vraies marches, mais des rochers qui en tiennent lieu. Je peux vous y amener. C'est un spectacle formidable quand on est aux premières loges.

Elle se leva aussitôt, serrant sa couverture.

— J'adorerais cela, mais je ne suis pas habillée comme il faudrait. Ou bien je vais mourir de froid, ou bien ma couverture va être trempée.

Il se leva d'un bond.

— J'ai de vieux chandails chez moi. Ils ont été trempés tant de fois qu'une de plus ne fera pas une grande différence, et ils vont nous tenir au chaud. Je reviens tout de suite... À moins qu'on y aille ensemble. Voulez-vous venir?

Leah hésita un peu. Elle pensa que Ginny aurait probablement été choquée si elle avait su que sa plus jeune fille se trouvait en plein milieu de la nuit avec le jardinier. C'était un moins que rien selon les normes de la bonne société, et un pauvre par surcroît, mais c'était le plus viril des hommes. De toute façon, Ginny n'était pas là.

— Bien sûr, dit-elle avec un grand sourire, en marchant à ses côtés.

Le cottage brillait d'une lueur ambre qui s'intensifia à leur approche. Jesse lui ouvrit la porte et la suivit à l'intérieur.

— Je redescends tout de suite, dit-il.

Il grimpa deux à deux les marches de l'escalier qui menait à la mezzanine. Il y avait une seule lampe allumée en bas, et la mezzanine était sombre, mais pas assez pour que Leah ne le voie pas tirer des chandails d'une armoire, puis ouvrir le tiroir d'une commode, se mettre nu et enfiler un caleçon sec.

Elle fut envahie par une bouffée de chaleur et détourna les yeux. Le grand couvre-pied tissé suspendu à la balustrade de la mezzanine l'empêchait de voir Jesse plus bas que la ceinture, mais son imagination faisait le reste. Leah se représentait le corps de Jesse dans ses moindres détails. Elle en fut toute remuée.

— Vous êtes toujours là ? lui lança-t-il.

— Toujours là, répondit-elle d'une voix anormalement aiguë.

Elle aurait voulu prendre un ton moins ridicule et plus déterminé. Mais elle avait l'impression qu'elle devait parler fort pour que sa voix porte jusqu'à la mezzanine et c'est presque sur le même ton qu'elle ajouta :

— J'aime votre maison.

Elle voyait des photographies sur les murs autour d'elle, mais elle n'osait pas s'en approcher.

— Elle semble très confortable.

Il dégringola l'escalier, vêtu d'un jean et d'un chandail, un autre à la main qu'il lui passa délicatement par-dessus la tête. Elle laissa tomber sa couverture et glissa ses bras dans les manches. Il les enroula jusqu'à ses poignets et entreprit de libérer ses cheveux de l'encolure, une poignée à la fois.

Le cœur de Leah s'était emballé.

— Excusez-moi. Ils sont tellement abondants. Ils sont indisciplinés.

Mais les yeux de Jesse étaient remplis d'admiration, et sa voix était profonde.

— Ils sont magnifiques. Je n'ai jamais rien vu d'aussi beau.

Il continua de l'admirer un instant, puis lui demanda doucement :

— Êtes-vous prête ?

Elle fit signe que oui. Quand ils atteignirent le bord de la falaise, il lui prit la main.

Ils franchirent le cap et descendirent un sentier escarpé que les ans avaient transformé en une série de gradins en pente. Il n'était pas difficile de descendre le sentier pieds nus. Mais il était plus éprouvant de voir en gros plan le choc de la mer sur la côte. Elle s'élançait, s'écrasait contre les rochers et jaillissait, puis retombait, écumait et refluait. Leah se sentait toute petite et désarmée. Ce sentiment s'intensifia à mesure qu'ils descendaient, et que le fracas se répercutait en elle.

Elle aurait dû avoir peur. Elle aurait certainement eu peur si elle avait été toute seule, même en plein jour. Mais Jesse lui tenait la main. Il la protégeait, et ça faisait toute la différence entre la terreur et l'émerveillement.

Il la conduisit jusqu'à une grosse pierre en saillie, où ils seraient tout juste à l'abri des embruns, et la fit asseoir entre ses genoux. Autour d'eux la mer enflait et refluait, tourbillonnait, éclatait et se retirait. L'impression d'être en plein cœur d'une tempête était beaucoup plus forte que sur la falaise, et c'était fascinant. Elle replia ses pieds sous sa chemise de nuit qui était entièrement recouverte par le chandail de Jesse et se laissa envahir par le charme.

— Ça va ? lui chuchota-t-il à l'oreille.

— Oh ! oui, répondit-elle dans un soupir.

— Avez-vous assez chaud ?

— C'est parfait.

Quand la marée menaça de les éclabousser, il la fit reculer une première fois, en riant, un bras autour de sa taille. Puis à nouveau, un peu plus tard. Chaque fois elle se retrouvait blottie plus près de lui. Plus tard encore, alors qu'il aurait fallu reculer une troisième fois, il lui suggéra de rentrer.

Leah serait restée là toute la nuit. Elle se sentait parfaitement bien, grisée par la mer et la présence de Jesse. Mais, si elle n'avait rien de mieux à faire le lendemain que de dormir toute la journée, ce n'était pas son cas à lui. Elle prit donc la main qu'il lui tendait et l'entraîna sur les rochers. Une fois sur la falaise, ils s'engagèrent sur la pelouse toujours la main dans la main.

— C'était extraordinaire, dit-elle. Y allez-vous souvent?

— Pas aussi souvent que je le voudrais. Le sentiment de solitude qu'on y éprouve est parfois difficile à supporter. C'est bien d'avoir quelqu'un avec qui partager ça.

Elle comprit tout à coup combien elle était heureuse qu'il l'ait invitée. Il n'était pas obligé. Il aurait pu simplement sortir de la piscine et aller se coucher. C'est ce que les hommes qu'elle connaissait auraient fait. Ils n'auraient pas pris la peine de changer leurs habitudes pour le simple plaisir ou la simple beauté de partager quelque chose. Et s'ils l'avaient fait, c'est qu'ils auraient eu une idée derrière la tête.

Avec un peu de cynisme, on aurait pu dire que Jesse Cray était intéressé lui aussi. Après tout, Leah était la fille de la patronne, très riche de surcroît.

Mais Leah n'était pas cynique. Elle voyait Jesse comme un homme indépendant. Il n'avait pas à pointer, ou à lécher des bottes pour obtenir une promotion. Il n'avait rien à prouver à personne. Son travail témoignait en sa faveur, et ce qu'il faisait de son temps libre ne concernait que lui. Il était maître de sa vie.

Ainsi, il avait choisi de lui faire voir la mer à minuit.

— Merci de m'avoir amenée.

Il lui serra la main.

— Merci d'être venue.

Ils marchaient toujours. L'herbe était moelleuse sous les

173

pieds de Leah, séduisante comme la mer avait été envoûtante. La brise agitait ses cheveux et murmurait dans son cou. La main de Jesse tenait la sienne.

Elle entendit un bruit dans le bois.

— Les hiboux, dit-il. C'est leur heure.

Ce qui la ramena sur terre.

— Il est très tard. Je vais reprendre ma couverture et repartir. Je dois vous laisser dormir.

— Je n'ai pas besoin de beaucoup de sommeil.

— Mais vous commencez à travailler tellement tôt.

— Si je suis fatigué, ce sera une bonne fatigue.

Plus ils s'éloignaient de la mer, plus la nuit était calme, et plus l'écho du bruit de la mer résonnait en elle. Elle était toute remuée, cœur battant, pouls galopant, parce que Jesse était près d'elle. Elle n'avait pas encore retrouvé son calme quand ils atteignirent le cottage.

Il lui ouvrit la porte et, lorsqu'ils furent entrés, il lui ôta délicatement son chandail.

Elle leva alors les yeux vers lui. Son visage était grave, mais plein d'un désir et d'une avidité insatiables, mêlés d'un peu de crainte. C'était ce qu'elle ressentait elle-même, et elle fut tout à coup incapable de résister plus longtemps.

Il lui effleura la joue de sa bouche. Elle se tourna vers lui. Leurs lèvres se joignirent doucement une fois, puis une autre. Elle soupira, de soulagement, de plaisir, de désir. Comme son odeur, son goût était franc et mâle. Quand il la prit dans ses bras et la serra contre lui, elle crut défaillir. Il avait le corps bien bâti et ferme. Il l'excitait incroyablement.

Il l'embrassa de nouveau, mais elle en voulait davantage. Elle en mourait d'envie depuis le début. Pas seulement parce qu'elle était esseulée. Elle avait l'habitude de la solitude. Elle avait connu des hommes disponibles aussi. Plusieurs occasions s'étaient présentées au fil des ans, mais elle n'en avait saisi aucune jusqu'alors.

Jesse Cray la fascinait. Il était fruste. Il était sensuel. Il était interdit. Il était viril, excité aussi. Et elle le désirait.

Mieux encore. Il la regardait comme si elle était exceptionnelle, précieuse, unique. Tout ce qu'elle rêvait d'être.

Elle lui passa les bras autour du cou quand il la souleva, et le plaisir intense du contact physique la fit gémir. Il était fort et puissant et il la tenait dans ses bras avec tant d'intensité que son corps en tremblait.

Il l'éloigna un peu pour prendre son visage dans ses mains et, quand il l'embrassa cette fois, il ne fit pas qu'effleurer ses lèvres. Ce fut un baiser profond, humide et prolongé, témoignage d'un désir brut et charnel.

Leah ne pensa pas un seul instant à tout arrêter. Ni à ce moment-là, ni quand il la fit monter jusqu'à la mezzanine, lui enleva sa chemise de nuit et la caressa des yeux puis des mains, ni quand il arracha ses propres vêtements et allongea son corps nu sur le sien. C'était un modèle de grâce et de puissance, les jambes longues, la peau couverte de duvet. Ses caresses amenaient Leah au septième ciel et au-delà, encore et encore. C'était un homme très sensuel. Ses gestes coulants et ses poussées violentes la transportaient hors d'elle-même. Il embrassait ses paupières. Il caressait son visage. Il lui fit mettre ses mains sur sa poitrine et gémit de plaisir quand elles se déplacèrent plus bas. Au plus fort de son excitation, quand il se cabra, la fit jouir de plus en plus, puis rejeta la tête en arrière, il répétait sans cesse son nom.

Elle resta sans bouger, pelotonnée contre lui. Peut-être avait-elle dormi un peu. Quand il se retourna vers elle, elle l'attendait. C'était comme s'il y avait à l'intérieur d'elle un désir inassouvi qui avait faim de lui. Il l'apaisa avec des baisers humides, des caresses sur les seins et entre les cuisses, et avec une érection interminable qui la laissa toute pantelante.

Peu avant l'aube, il la raccompagna à travers la pelouse, un bras autour de ses épaules, bien serrée contre lui.

— Alors, lui dit-il, qu'est-ce que vous... qu'est-ce que tu penses ?

Elle ne fit pas semblant de ne pas comprendre ce qu'il voulait dire.

— Je pense que c'est la nuit la plus invraisemblable de toute ma vie.

— Vous... tu le regrettes ?

— Non. Mais je suis un peu déconcertée.

— Parce que je ne ressemble pas aux autres hommes que tu connais ?

— Peut-être. Mais surtout parce que ce que j'ai ressenti était si fort.

— Était, au passé ?

— Est si fort.

Elle s'arrêta, glissa un bras autour de sa taille et l'autre le long de sa cuisse. Elle le caressait sans vergogne. Elle adorait sentir son corps sous sa main, nu plutôt qu'à travers un jean, mais à travers un jean plutôt que pas du tout.

— Je voulais rester. C'est vous... c'est toi qui as dit que nous devrions nous lever.

— Il va bientôt faire jour. Tu dois retourner dans ton lit et je dois aller travailler.

Il prit son visage entre ses mains. C'étaient des mains grandes et rugueuses qui la tenaient avec une délicatesse infinie. D'une voix qui venait du fond du cœur, il ajouta :

— Tu te rappelles quand tu m'as demandé si j'avais déjà eu une relation sérieuse avec quelqu'un ?

— Oui.

— Et que je t'ai répondu que je n'avais pas encore rencontré la bonne personne ? Eh bien, je l'ai rencontrée maintenant, murmura-t-il alors que son regard se faisait plus intense.

Leah en perdit le souffle. Il était sérieux, elle le voyait bien. Elle ressentait un peu la même chose, mais elle hocha la tête pour repousser cette idée. Il arrêta son geste.

— Je crois qu'il y a une femme pour chaque homme et un

homme pour chaque femme, une seule personne qui peut vous séduire corps et âme. La plupart des gens ne la rencontrent jamais. Ils cherchent et font des essais, puis se contentent d'un deuxième choix sans savoir ce qu'ils manquent. Mais toi, tu es cette personne-là pour moi, Leah.

— Comment pouvez-vous... peux-tu le savoir ? s'écria-t-elle.

Elle était terrifiée surtout parce que ce qu'il disait touchait une corde sensible. Elle aussi s'était sentie attirée par lui dès qu'elle l'avait vu. Elle n'avait jamais rien ressenti de tel auparavant.

— Je le sais, c'est tout, dit-il d'un ton convaincu. Quand as-tu couché avec un homme pour la dernière fois ?

— Je... je ne sais pas.

— Ça fait un bon bout de temps. Et tu ne l'as jamais fait deux jours seulement après avoir rencontré un type. Tu n'es pas une dévergondée.

— Non, mais...

— Tu as été mariée deux fois. As-tu déjà vécu une nuit comme celle que nous venons de vivre avec l'un ou l'autre de tes maris ?

— Le sexe ne suffit pas pour établir une relation profonde.

— Mais ce que nous avons fait, oui.

Elle comprenait ce qu'il voulait dire et elle en était toute remuée. Jesse Cray était jardinier. Il était peut-être intelligent et s'exprimait bien, mais il n'avait ni pedigree, ni diplômes. Il vivait dans un cottage d'une seule pièce sur le terrain de son employeur, à la disposition de son employeur pour ainsi dire. Il était exactement le contraire du genre d'homme qu'elle cherchait.

Mais c'était l'homme le plus excitant qu'elle ait jamais rencontré, le plus franc, le plus délicat, le plus passionné. En se rappelant ce qu'elle ressentait près de lui, pas seulement au lit, mais sur la falaise, dans le jardin de bruyères, parmi les fleurs, elle était presque portée à le croire quand il parlait de la personne unique qui nous était destinée. Elle ne s'était jamais sentie autant aimée en trente-quatre ans de vie.

11

Wendell Coombs traversa la galerie du magasin général et se laissa tomber sur le long banc de bois.

— Clarence, dit-il en guise de salut à l'homme qui était assis à l'autre bout du banc.

— Wendell, répondit celui-ci.

Wendell huma avec méfiance le contenu de sa tasse de café. Ce jour-là, le café avait été fait à partir de grains qui poussaient dans un pays au nom imprononçable qu'il aurait été bien incapable de situer sur une carte. Sur sa carte à lui en tout cas. Sa carte avait trente-sept ans. Il ne s'y trouvait pas de pays au nom imprononçable.

Il ne se sentait pas le courage de prendre une première gorgée tout de suite et il posa la tasse sur sa cuisse, là où il ressentait un petite douleur, en espérant que la chaleur le soulage.

— L'monde s'en va au diable, bougonna-t-il. Y a plus rien comme avant. Y a plus moyen d'avoir une tasse de café comme Mavis en faisait. Y a plus moyen d'avoir un sandwich avec du pain blanc.

— L'pain complet est correct.

Wendell émit un son qui laissait entendre ce qu'il pensait du pain complet et du café fait à partir de grains qui venaient de pays au nom imprononçable.

— Ç'a pas l'air d'les déranger à Star's End. C'te femme,

Gwen, elle a acheté plein d'trucs de luxe. C'est qu'elle fait pas la cuisine pour n'importe qui, j'suppose.

— Y paraît qu'elle est pas la cuisinière. Elles font leur cuisine elles-mêmes.

— Qui a dit ça?

— Ma June à moi. Elle a parlé avec Sally Goode, qui a parlé avec sa cousine, Molly, qui a parlé avec c'te femme, Gwen.

— Gwen, elle fait quoi d'abord? aboya Wendell.

— Elle est gouvernante.

— Ç't'une manière de dire qu'elle tient les comptes. L'bon Dieu sait c'qu'y a dans ces comptes-là pour avoir tant d'argent. Les deux plus vieilles l'jettent par les fenêtres partout dans l'village, avec ben des grands airs.

Clarence retira sa pipe de sa bouche et la fit tourner dans ses doigts en examinant le tuyau avant de la remettre entre ses dents.

— C'est pas c'que j'ai entendu dire.

Wendell le dévisagea.

Clarence prit sa blague à tabac dans sa poche. Il y introduisit sa pipe et bourra le fourneau de tabac. Quand le tabac fut bien tassé, il dit :

— Y paraît qu'elles sont gentilles.

Le regard de Wendell devint furieux.

— Qui a dit ça?

— Edie Stillman. Elle a parlé avec celle de St. Louis.

Wendell cracha.

— Pouah! Edie Stillman.

Clarence aimait bien Edie. Elle avait toujours vécu dans le Maine. Bien sûr, c'était une artiste, mais elle n'était pas du tout dévergondée comme Wendell voulait le croire. Si elle n'avait pas été une artiste, elle serait peut-être partie depuis longtemps. Comme la plupart de ceux qui avaient besoin d'avoir du monde autour d'eux pour réaliser leurs projets. Mais les artistes venaient à Downlee parce qu'il s'y trouvait d'autres artistes et parce que c'était un endroit agréable où travailler. Le village aurait pu connaître un plus mauvais sort.

— Elle a dit quoi sur la maman? demanda Wendell.

Clarence remit sa pipe dans sa bouche.

— Elle a dit qu'elle vivait dans un hôtel particulier en ville.

— Ouais, sûr. Ça fait chic.

Clarence enfonça sa blague dans la poche de sa veste en toile dont il sortit une allumette.

— C'est p'têt' rien que la vérité.

— J'vas t'dire la vérité. La vérité c'est qu'celle de Chicago a des amis dans la mafia et des amis artistes. On va avoir du trouble.

Clarence approcha la flamme du tabac et tira sur sa pipe jusqu'à ce que le tabac soit allumé.

— Rien que si ses amis viennent ici, dit-il dans un nuage de fumée.

— Pis v'là une autre vérité, déclara Wendell. Ça fait trois ans que l'papa est mort. C'est tout c'que ça lui a pris, à elle, pour virer de bord pis vendre tout c'qu'y avait. J'te dis, elle cherche quéq'chose.

— Elle peut pas chercher quéq'chose si elle est même pas là.

— Pis pourquoi qu'elle est pas là? demanda Wendell.

Les sources de Clarence avaient chacune leur théorie à ce sujet, mais aucune ne le satisfaisait. Il y avait bien l'idée qu'elle allait à tant de réceptions qu'elle n'avait pas le temps de venir, mais aucun de ceux à qui Clarence avait parlé ne pouvait imaginer une femme de leur âge menant une telle vie de patachon. Elle devait tout simplement se la couler douce.

— P'têt' qu'elle veut laisser ses filles faire tout l'déménagement.

— L'déménagement est tout fait, pis elle est pas encore ici.

— P'têt' qu'elle visite des amies.

— Pendant qu'ses filles l'attendent?

— Elmira, elle dit quoi?

Wendell lui jeta un regard noir.

— Elmira, elle dit qu'la femme elle a peur de venir ici, mais

Elmira elle dit n'importe quoi. J'te l'dis, Ginny St. Clair elle cherche quéq'chose.

Clarence gloussa.

— Y a pas grand-chose à trouver à Star's End, à part des fleurs pis Jesse.

Wendell aimait bien Jesse. Il se sentit d'attaque en pensant à lui. Il porta sa tasse de café à sa bouche, prit une gorgée, l'avala et grimaça. Quand il fut remis du choc, il dit :

— Jesse est comme nous autres. On a pas besoin de s'demander quel bord y va prendre si y faut sauver les convenances à Star's End. Y est fou de c't endroit.

Clarence ne pouvait pas dire le contraire. Il porta la main à sa casquette pour saluer Callie Dalton qui montait l'escalier.

— 'jour, Callie.

— 'jour, Clarence.

Wendell garda les yeux fixés droit devant lui jusqu'à ce que Callie Dalton, la femme d'un vrai Judas, soit entrée dans le magasin. Mais il était agité. Il parut tout content de déclarer :

— Jesse va haïr ces femmes-là. Y se fera pas avoir avec leurs grands airs. Y en a vu d'autres.

— Elles ont pas des grands airs, Wendell, dit calmement Clarence.

— Qu'est-ce que t'en sais, toi ?

— J'les ai vues. Elles s'promenaient dans l'village. Elles sont comme tous nous autres.

— C'est facile de tromper un imbécile.

— Elles font pas beaucoup de tapage, même pas hier soir Chez Julia.

— Quand y a du trouble, on peut être sûr que Julia est pas loin, grogna Wendell.

Clarence n'était pas d'accord. Il avait pris un bon déjeuner avec June Chez Julia la semaine précédente. S'il faisait abstraction de l'apparence surprenante de certains mets et de leur nom recherché, et s'il ne pensait qu'au goût, il devait reconnaître que ce n'était pas mal du tout.

Il ne l'aurait pas admis devant June. Elle et Sally voulaient faire une mise à jour du Church Ladies' Cookbook[1]. Elles pensaient demander à Julia d'être leur conseillère. Il ne savait pas ce que Sally faisait, mais June en tout cas mettait déjà des germes sur sa salade.

Il ne parlerait jamais de ça à Wendell qui associerait aussitôt June aux St. Clair. Mais elle n'était pas du tout du même genre. Elle était tranquille, loyale, polie, travailleuse, et autoritaire.

— As-tu aut'chose à dire? demanda Wendell.

Clarence tira profondément sur sa pipe et laissa sortir un nuage de fumée.

— Non.

— Pouah! elle pue c'te fumée.

— C'café aussi. Comme quéq'chose de noir pis de mauvais.

— J'suis d'accord avec toi là-dessus au moins, dit Wendell en grognant. Le village s'en va au diable, si tu veux savoir. Si ça continue comme ça, y va falloir trier, mettre l'papier dans une poubelle, pis l'fer-blanc dans une autre.

Clarence gloussa.

— As-tu aut'chose à dire? répéta Wendell.

— J'ai dit c'que j'avais à dire.

— Ben pas moi. Ni mon frère Barney ni mon cousin Haskell ni le chef. Ni Hackmore, non plus, ajouta-t-il en le voyant passer dans sa camionnette et tourner vers le quai. L'affaire des deux poubelles, j'te gage qu'y l'feront pas à Star's End.

Mais Clarence ne voulait pas gager. Le monde était en train de changer.

Quelques années plus tôt, le vieux moulin plus haut sur la route avait été miné par les termites sans que personne ne s'en aperçoive, jusqu'à ce qu'un jour le plancher s'effondre. Clarence pensait que le changement s'installerait à Downlee de la même façon, peu à peu, furtivement, jusqu'à ce que le dommage soit fait pour de bon.

---

1. Livre de recettes publié par les dames de la paroisse. (NDT)

Mais, quand il écoutait Wendell, Clarence se disait parfois qu'un nouveau plancher ne ferait peut-être pas de tort.

12

Annette s'était levée tôt. Elle avait hâte de sortir et de s'activer. Comme Caroline n'était pas encore prête, elle partit à la recherche de Gwen qu'elle trouva dans la salle de lavage du rez-de-chaussée, en train de retirer des serviettes de bain de la sécheuse.

Annette s'appuya sur la laveuse.

— Voudrais-tu me parler de maman?

Gwen lui jeta un regard étonné avant de plier la serviette qu'elle tenait en deux dans le sens de la longueur, puis en trois dans le sens de la largeur.

— Qu'est-ce que tu veux savoir? demanda-t-elle en faisant un pli vertical supplémentaire et en déposant la serviette sur le dessus de la sécheuse.

— Tout d'abord, pourquoi n'est-elle pas ici?

— C'est à elle que tu devrais le demander, dit Gwen d'un air taquin.

— Je voudrais bien. Mais elle n'est pas ici, et tu es la seule à communiquer régulièrement avec elle. Alors c'est à toi que je le demande. Nous savons déjà qu'elle est encore à Philadelphie et qu'elle nous fait marcher. Ce que je veux savoir maintenant, c'est pourquoi.

— Allons donc! pourquoi vous ferait-elle marcher?

— Elle nous fait poireauter. Elle ne cesse de retarder son arrivée. Est-ce que ça pourrait être à cause de sa santé?

Gwen fronça les sourcils et sortit une autre serviette de la sécheuse.

— Sa santé va très bien.

— Je sais ce qu'il en est de sa pression artérielle, Gwen. De ses médicaments, et de l'irrégularité révélée par l'électrocardiogramme. Serait-ce justement son mauvais état de santé qui l'empêche de venir nous rejoindre?

Gwen plia la deuxième serviette en deux dans le sens de la longueur.

— Pas que je sache. Je t'assure. Mais elle est parfois têtue comme une mule. Je lui ai proposé de m'occuper moi-même du déménagement, puis de retourner la chercher quand tout serait prêt ici. Elle m'a répliqué qu'elle s'arrangerait très bien toute seule. J'étais convaincue qu'elle arriverait dimanche dernier, comme prévu.

— Tu n'étais donc pas au courant d'un plan qu'elle aurait manigancé pour nous bloquer ici toutes les trois ensemble, sans elle?

— Je ne suis au courant d'aucun plan, dit Gwen d'un ton traînant en finissant de plier la serviette en un tournemain. Elle est parfois têtue et maligne.

— Et sa santé?

Gwen hésita.

— Elle se fatigue plus vite qu'avant. Il faut dire qu'elle a soixante-dix ans.

— Est-ce qu'elle prend ses médicaments?

— Oui.

— Et fait-elle attention à son alimentation?

Gwen fronça les sourcils.

— Te souviens-tu qu'elle ait jamais négligé de le faire?

Annette sourit d'un air penaud. Ginny avait mangé de façon raisonnable toute sa vie ou, à tout le moins, du plus loin qu'Annette se souvienne. Quoique, à bien y penser, c'était plutôt depuis la maladie de Leah. Son rétablissement avait impliqué des rencontres avec une nutritionniste. Ginny avait alors vidé le garde-

186

manger pour le remplir d'aliments plus sains. Leurs repas étaient devenus aussi plus équilibrés.

Comment Annette avait-elle pu oublier la chronologie de ces événements? Au cours des ans, elle en était venue à attribuer la préoccupation de Ginny pour les menus à son obsession de la minceur. Elle se demandait maintenant si cette préoccupation ne tenait pas davantage à la santé de Leah. Peut-être même à celle de Caroline et à la sienne.

Annette aurait eu cette réaction-là, mais elle n'aurait pas cru que Ginny puisse avoir la même. Elle demeurait d'ailleurs un peu sceptique.

— C'est comment de travailler pour elle? demanda-t-elle à Gwen par curiosité.

Gwen la regarda de travers.

— C'est comme d'être riche sans les tracas.

— Est-elle gentille avec toi?

— Toujours.

— Chaleureuse?

— Euh!

— Dis-moi la vérité, lui enjoignit Annette.

— Je veux bien, même si ce n'est pas une question facile. On ne peut pas dire qu'elle se laisse aller aux effusions, mais elle est comme ça avec tout le monde. Elle est amicale. Elle s'intéresse à moi. Oui, je dirais qu'elle est affectueuse.

— Quand tu dis qu'elle s'intéresse à toi, veux-tu dire qu'elle compatit quand tu as la grippe?

— Oh! c'est plus que ça. Elle prend soin de ma famille.

Annette était intriguée.

— Comment ça?

Gwen prit une autre serviette qu'elle plia comme les deux autres. Elle la serra sur sa poitrine.

— J'ai souvent eu besoin d'aide pour mon fils. Mes filles se sont bien débrouillées toutes seules. Elles sont allées à l'université toutes les deux. Elles sont mariées toutes les deux, elles font une carrière et ont des enfants. Leurs propres enfants sont maintenant à l'université. Mais Jackson, c'est différent. Ce garçon n'a pas cessé d'avoir des ennuis depuis que son papa nous a quittés, et ça fait trente et un ans.

— Des ennuis judiciaires ?

— Entre autres, mais pas seulement. Il a commencé par faire l'école buissonnière. Puis un petit vol d'auto. À travers ça, il a mis une fille enceinte et l'a presque tuée en l'obligeant à subir un avortement dont elle n'avait pas besoin. Il est ensuite disparu. Ça lui arrive de temps en temps de prendre de petits moments de répit, remarqua-t-elle sèchement. Mais quand il réapparaît, c'est toujours avec quelque chose de pire. Il passe son temps à courailler de femme en femme. Il est allé en prison plus souvent qu'à son tour. Il a décroché de l'école autant comme autant. Il a traficoté dans toutes sortes d'affaires. Jackson est un jeune homme noir en progression sociale qui a mal tourné. Il a trempé dans des choses que j'aimerais mieux ne pas savoir. Je voudrais bien ne pas avoir à payer le prix pour l'en tirer, mais comme je suis sa mère, je le fais quand même.

Comme Annette le ferait pour ses propres enfants si, par malheur, ils avaient des ennuis.

— Et Ginny, qu'est-ce qu'elle a fait ?

— Elle l'a aidé à trouver des emplois, de bons emplois, des emplois de bureau. Elle l'a aidé à obtenir des prêts. Plus souvent qu'autrement, il manque à ses engagements et il perd la maison, l'automobile ou toute autre chose pour laquelle il s'est endetté. Pourtant, Dieu la bénisse, elle est toujours prête à intervenir de nouveau en sa faveur. Elle dit qu'il va revenir dans le droit chemin un jour, mais je me le demande. Après tout, il a trente-six ans, bonté divine !

— Où est-il actuellement ?

— Au moment où on se parle ? soupira Gwen qui tenait toujours la serviette serrée contre elle. Il est en prison pour détournement de fonds. Il a volé de l'argent à son employeur qui était justement un ami de ta mère. Après ça, ta mère serait justifiée de ne plus vouloir jamais avoir affaire à lui, ou même à moi tant qu'à y être. Aussi incroyable que ça paraisse, elle lui a quand même trouvé un autre emploi pour sa sortie de prison. C'est une optimiste invétérée.

Annette était émue.

— Comme c'est touchant!

— Elle est très gentille. Je voudrais parfois pouvoir faire plus pour elle. Si seulement elle n'était pas aussi têtue!

— En effet, dit Annette en pensant aux lettres perfides de Ginny et à son retard.

Elle allait partir quand Gwen lui toucha le bras.

— Il y a une chose que je savais pourtant, avoua-t-elle doucement. Quand ta mère a commencé à parler de ses projets de déménagement, elle m'a proposé de partir une fois que tout serait déballé et que vous seriez toutes les trois ici. Elle pensait que vous pourriez vous organiser toutes les quatre sans moi. Elle voulait se retrouver seule avec vous, elle le voulait vraiment. Je suis tout aussi surprise que vous qu'elle soit en retard, surtout à ce point.

— Avais-tu fait des projets?

— Seulement d'aller voir Jackson.

— Pourquoi n'y vas-tu pas?

Gwen parut scandalisée.

— Oh! non. Pas avant l'arrivée de votre maman.

— Mais ça peut prendre encore des jours, et tout est en ordre ici. Je t'assure, Gwen. Je peux plier des serviettes aussi bien que toi et, si je me lasse de le faire, j'y mettrai Caroline. Leah aime faire la cuisine. Tu as déjà engagé quelqu'un pour faire le gros ménage, et nous sommes capables de faire l'époussetage nous-mêmes. Nous n'avons besoin de rien d'autre.

Mais Gwen ne voulait rien entendre.

— Je ne pourrais pas. Pas avant d'être certaine que ta mère est bien arrivée et installée. Ça fait partie de mon travail.

En voyant l'inquiétude de Gwen, Annette oublia un instant que Jean-Paul ne lui avait pas téléphoné.

— Eh bien, dit-elle en soupirant, penses-y au moins, d'accord ? Maman pourrait ne pas arriver de sitôt.

Il était presque midi quand Leah se réveilla. Consternée, elle prit une douche rapide et s'habilla, descendit subrepticement l'escalier et se dépêcha de quitter Star's End avant que ses sœurs ne l'attrapent pour s'être levée si tard. Arrivée à la sortie de Hullman Road, elle se demanda où elle pourrait aller. Comme c'était à peu près tout ce qu'elle connaissait au village, elle se dirigea Chez Julia. Là, elle s'assit dans un coin, à une table tranquille d'où elle avait une vue de l'ensemble du restaurant et elle commanda une tasse de thé. Ce ne fut pas la serveuse qui avait pris sa commande qui la lui apporta, mais une jeune femme mince qui semblait avoir le même âge qu'elle. Elle portait un tricot léger sur une ample longue jupe et avait des cheveux bruns ondulés qui s'échappaient d'un ruban noué au sommet de sa tête. Son air avenant mit aussitôt Leah en confiance.

— Je m'appelle Julia Waterman, dit-elle en déposant la théière. J'aurais bien voulu vous rencontrer hier soir, mais il y a eu un petit problème à la cuisine, et quand ça a été réglé vous étiez déjà reparties.

Elle posa un panier de pain à côté de la théière, prit une chaise et sourit chaleureusement.

— Bienvenue à Downlee. Est-ce qu'on peut être amies ?

C'était offert si franchement que Leah ne put résister. Laissée à elle-même, elle se serait sentie gauche. Pis encore, elle se serait sentie obligée de ruminer les événements des dernières heures, ce qu'elle n'avait pas du tout envie de faire. Elle avait tout à coup le cœur léger. Le problème posé par Jesse Cray devrait attendre. De plus, Julia lui avait été chaudement recommandée.

— Il paraît que tu viens de Washington. J'y ai déjà habité, dans Cleveland Park.

Leah sourit.

— J'habite tout à côté, dans Woodley.

— Ah ! quel quartier formidable. J'y avais un coiffeur qui me faisait une coupe comme je n'ai jamais réussi à en avoir depuis. Mes cheveux sont absolument impossibles. Il était le seul à pouvoir les contenir.

— Aubrey.

— Il est encore là ? C'est incroyable ! N'est-il pas adorable ? Après Washington, j'ai vécu à New York et je n'ai trouvé personne pour le remplacer. Tu ne peux pas savoir combien de fois j'ai été tentée de prendre l'avion juste pour me faire faire une coupe. Il est donc toujours là ?

— Toujours.

— Et le Tabbard Inn ? le Café la Ruche ? The Tombs ?

Leah faisait signe que oui et souriait.

— Tous encore là.

C'étaient tous des endroits qu'elle aimait, même si certains des membres de son cercle les trouvaient trop jeunes et trop à la mode.

— Terrible ! soupira Julia. J'oublie parfois combien Washington est une ville extraordinaire.

— Pourquoi es-tu partie ?

— Je me suis mariée. Alan faisait partie du personnel de la Maison-Blanche jusqu'à ce que le président perde son poste. Nous sommes alors déménagés à New York où il pouvait travailler comme conseiller avec un salaire trois fois plus important. Mais notre mariage a pris fin avant l'élection suivante.

— Je suis désolée.

— Pas moi. J'ai utilisé l'argent que j'ai obtenu lors du divorce pour déménager ici et ouvrir ce restaurant. C'est ce que j'avais toujours rêvé de faire depuis mon enfance et je ne l'ai jamais regretté.

— La grande ville ne te manque pas ?

— Seulement quand j'ai besoin d'une coupe de cheveux. Tout le monde ici est gentil. Et affamé. Ça c'est très important.

Leah éclata de rire.

— Le souper était délicieux hier soir, déclara-t-elle en goûtant le pain. Exquis ! avec du fenouil ?

— Oui, c'est ça. J'ai un pâté qui est délicieux avec ce pain. Elle se prépara à aller le chercher.

— Je ne veux surtout pas m'imposer. Je meurs de faim et j'ai besoin d'une pause. Mais tu aimerais peut-être mieux rester assise tranquille toute seule ?

Leah n'hésita pas. Quiconque aimait The Tombs valait la peine d'être fréquenté.

— Va chercher le pâté. Je t'attends.

Julia revint avec non pas un, mais deux pâtés différents, un panier de légumes frits et une bouteille de San Pellegrino.

— Je meurs littéralement de faim, dit-elle. J'ai dormi comme une souche jusqu'après le petit déjeuner et je suis arrivée ici juste à temps pour mettre le déjeuner en marche.

— Où habites-tu ?

— À quelques portes d'ici. C'est une très vieille maison, mais elle a du charme. Avec une cuisine minable. Mais beaucoup de charme. Il paraît que la cuisine à Star's End est sensationnelle.

— Laisse-moi deviner comment tu l'as su. Une de tes plus fidèles clientes est la belle-sœur de l'homme qui a installé les armoires.

— C'est presque ça. Tiens. Goûte-moi ce pain. Il est différent de l'autre. Il est au miel et aux noix, dit-elle en y étalant du pâté. Les pains sont ma spécialité. Qu'est-ce que tu en penses ?

Leah manifesta par sa mimique qu'elle était séduite.

— Quand j'étais petite fille, dit Julia, je me souviens du pain de campagne chaud que je mangeais lors des ventes de boulangerie organisées par la paroisse. Veux-tu que je te dise, même si cette friture est délicieuse, et le pâté aussi, tout ce dont j'ai besoin pour être heureuse, c'est du pain. Une bonne tranche de pain chaud.

Au diable Jesse, pensa Leah. Elle avait trouvé une âme sœur en Julia. Une bonne tranche de pain chaud. Ce qu'elle aimait par-dessus tout.

— Mon congélateur à Washington est rempli de pains à l'érable et au cari. J'en fais des douzaines à la fois.

Julia était bouche bée.

— À l'érable et au cari ? Ça doit être exquis.

— Une seule tranche avec un morceau de fromage constitue un déjeuner.

Oui, une seule tranche, bien mesurée, pour ne pas retomber dans la dépendance de ses années d'adolescence.

— Un déjeuner, ou un petit déjeuner. Ou même un dîner.

— Un pur délice, dit Julia qui se délectait en pensée. Si jamais tu en fais pendant ton séjour à Star's End, tu m'en apporteras. J'adorerais y goûter. J'adorerais en servir. Tu pourrais faire ça, tu sais. En faire pour mes clients du déjeuner. Ça te ferait quelque chose à faire. C'est long deux semaines.

Leah sourit. Ainsi, Julia connaissait la durée de son séjour.

— Est-ce que le téléphone arabe t'a appris autre chose ?

— Que tu es séduisante, que tu es gentille, que tu n'es pas mariée. Comment trouves-tu Star's End ?

— C'est enchanteur.

— Oh ! oui, n'est-ce pas ? À part quelques vieux réactionnaires, c'est un endroit incroyablement romantique. Sans compter Jesse Cray. Quel être adorable ! Nous sommes dans le même groupe de lecture. Tu sais ce qu'on raconte au sujet de Star's End, n'est-ce pas ?

Leah le savait, bien sûr. Même si le souvenir de la nuit précédente avait modifié sa perception.

— Annette dit que les artistes y trouvent l'inspiration.

— Pas seulement les artistes. Les hommes et les femmes ordinaires aussi.

Leah voulait en savoir plus, mais Julia était occupée à manger. Dans l'espoir qu'elle lui en dise davantage, elle lui demanda :

— Penses-tu que c'est à cause de l'air qu'on y respire ?

Elle cherchait une explication rationnelle pour contrebalancer celle que Jesse lui avait donnée.

— Quelque chose en rapport avec la mer qui rend les gens fous ? Quelque chose de simple et de terre-à-terre ?

Elle était encore troublée. Le souvenir de Jesse vibrait toujours en elle.

Julia avala une bouchée.

— Il y a certainement quelque chose. Mais qui peut dire quoi? Sais-tu quand ta mère va arriver?

— Pas encore. Elle va peut-être téléphoner plus tard aujourd'hui.

— Tout le monde a hâte qu'elle arrive.

— Nous aussi, dit Leah.

Elle ne voulait cependant pas parler de Ginny. Elle craignait aussi de poser d'autres questions sur le mythe romantique de Star's End de peur d'en venir à croire qu'elle était elle-même envoûtée. De plus elle souhaitait mieux connaître Julia qui lui avait plu de prime abord.

— Où as-tu appris à faire ce que tu fais?

— Ici et là. J'ai toujours aimé faire la cuisine.

— Es-tu allée à une école de cuisine?

— Non, mais j'ai des amis qui y sont allés. Ils me laissent traîner autour d'eux et les regarder faire. J'apprends vite et j'ai toujours aimé expérimenter de nouvelles recettes. Quand j'ai ouvert le restaurant j'ai gardé les meilleures, puis j'ai étoffé le menu peu à peu. Les gens s'attendent à trouver ici des mets différents chaque semaine.

— Es-tu parfois à court d'idées?

— Ça m'arrive. Je prends alors ma voiture et je vais faire un tour le long de la côte. On y trouve plusieurs très bonnes tables tenues par des anciens habitants de Manhattan. J'espionne.

— Tu fais quoi? demanda Leah en riant.

— Je porte des lunettes noires, j'étudie le menu jusqu'à ce que je le connaisse par cœur et je commande les choses les plus étonnantes qui s'y trouvent. Puis je reviens à la maison et j'essaie de reproduire ce que j'ai goûté. J'obtiens souvent quelque chose de complètement différent de ce à quoi j'ai goûté, mais c'est toujours intéressant et généralement bon.

Elle jeta un coup d'œil au tableau noir sur le mur où le menu était écrit à la craie.

— Il serait temps que je fasse un voyage. Je n'ai rien fait de vraiment nouveau depuis longtemps... Voudrais-tu venir avec moi ? J'adorerais cela, Leah. C'est beaucoup plus agréable d'y aller avec quelqu'un d'autre. Ça paraît moins bizarre quand je commande plus d'un mets. J'y vais habituellement avec ma tendre moitié, mais il est avec sa mère dans le Kansas. Elle est confinée à un fauteuil roulant, et fragile. Elle se bat corps et âme pour ne pas aller dans une maison de retraite où elle devrait pourtant être. C'est un véritable cauchemar pour Howell.

Elle regarda à l'autre bout de la pièce.

— Oh ! oh ! on m'appelle. Penses-y, veux-tu ? dit-elle en se levant. On pourrait y aller la semaine prochaine. Je n'ai besoin que d'un préavis d'un jour pour engager du personnel supplémentaire pendant mon absence. À bientôt, dit-elle en serrant l'épaule de Leah.

Elle s'éloigna, puis se ravisa.

— Je veux absolument goûter à ton pain à l'érable et au cari. Voudrais-tu m'en faire un ?

Leah prit un certain temps pour acheter tout ce dont elle avait besoin. Pas parce qu'elle avait besoin de grand-chose, mais parce que les gens de Downlee aimaient bavarder. Toutes les boutiques étaient tenues par leur propriétaire. Tout le monde était au courant des allées et venues dans le village. À les entendre parler, on aurait pu croire que le sort de l'économie locale dépendait de Star's End, et à voir leur expression, on aurait dit que Ginny était une créature mythique qui allait venir habiter une maison enchantée.

Un paquet dans chaque bras, Leah se dirigeait vers sa voiture quand elle faillit se heurter à Caroline qui sortait d'une rue transversale.

— Hé ! dit celle-ci en jetant un coup d'œil dans un des sacs. Qu'est-ce que tu as acheté ?

— Des choses pour cuisiner. Je vais faire du pain.

Caroline prit un des sacs et l'accompagna.

— On ne t'a pas vue ce matin. Comment vas-tu ?

— Bien. Très bien même, dit Leah le nez au vent. Je pense que c'est à cause de l'air. Tout cet air frais me requinque. Ginny n'a pas encore appelé aujourd'hui ?

— Non, pas encore.

— Caroline ?

— Oui ?

— Pourquoi n'as-tu jamais épousé Ben ?

Caroline lui lança un regard d'avertissement.

— C'est une question au sujet de laquelle nous avons l'habitude de nous disputer.

Leah se sentait d'attaque.

— Tu te disputes habituellement avec Annette à ce sujet. Pas avec moi.

— Pourquoi veux-tu le savoir ?

— Parce qu'après si longtemps j'aurais cru que vous seriez mariés ou que vous auriez rompu. Mais voilà que tu lui téléphones tous les jours. Est-ce que tu l'aimes ?

— Sans doute.

— Allez-vous rester ensemble ?

— Dans un avenir prévisible, oui.

— Alors, pourquoi ne pas vous marier ?

— Ce n'est pas commode d'être mariée avec une carrière comme la mienne.

— Ta relation avec Ben n'est pourtant pas si différente de bien des mariages.

Caroline lui lança un regard intrigué.

— À distance ?

— Il te rend visite pendant la semaine, et vous passez les week-ends ensemble.

— Sauf quand j'ai un procès. Je passe alors les week-ends au bureau.

— Les gens mariés font ça aussi quand leur travail l'exige. Ron le faisait.

— Et tu vois comment ça s'est terminé.

Leah prit les clefs de la voiture dans sa poche.

— Ce n'est pas son horaire de travail qui a été la cause du divorce.

— Quoi alors?

— L'ennui.

Elle ouvrit la portière, déposa son paquet à l'intérieur et prit l'autre sac des mains de Caroline.

— Ron était apparemment parfait. Il correspondait à l'image que maman se faisait d'un mari convenable. Derrière cette belle façade, il était pourtant bourré de complexes. Il n'avait que vingt-neuf ans, mais il aurait pu tout aussi bien en avoir cinquante. Il ne pouvait pas supporter le moindre changement. Il lui fallait des côtelettes d'agneau pour dîner le lundi, du poisson le mardi, du poulet le mercredi, et, crois-le ou non, même quand nous dînions à l'extérieur, c'est ce qu'il mangeait. C'était un crack en informatique. À tel point, qu'il était programmé par-dessus la tête.

— Est-ce que c'était pareil quand il faisait l'amour?

— D'une certaine façon.

Comme elle pensait à Jesse, Leah ne tarda pas à oublier les performances de Ron au lit. Jesse, lui, se laissait entraîner par ses sentiments dans un flot d'émotions sensuelles. Ellen McKenna l'adorerait. Pas sexuellement, bien sûr.

— Ben est un amant plein d'imagination, dit Caroline.

Leah s'efforça de ne plus penser au corps de Jesse et dit aussi posément que possible :

— Ça se comprend. C'est un artiste. Il est créatif.

Caroline émit un soupir où il y avait de l'envie et du désir, faisant écho à ce que Leah essayait désespérément de ne pas ressentir.

— Alors, pourquoi ne l'épouses-tu pas? demanda-t-elle sèchement.

197

— Pourquoi le ferais-je ? Qu'est-ce qu'un acte de mariage m'apporterait de plus ?

— Tu n'as pas peur de le perdre ?

— Ben m'adore. Il veut passer le reste de ses jours avec moi.

— Justement alors, pourquoi pas le mariage ?

— Tu es aussi assommante qu'Annette, l'accusa Caroline. Pourquoi le mariage est-il si fichtrement important ? Si Ben et moi voulions des enfants, peut-être. Mais je serais une mère exécrable compte tenu de l'exemple que j'ai eu et, de toute manière, je n'ai pas le temps d'avoir des enfants. Voilà un premier argument qui s'envole en fumée. En voici un autre, je n'ai pas besoin de l'argent de Ben. Un autre encore, je n'ai pas besoin de son nom. Alors la question qui reste est « Pourquoi le mariage ? ».

Leah referma la portière après avoir déposé les paquets à l'intérieur et s'appuya contre la voiture.

— Est-ce parce qu'il ne correspond pas au modèle ?

— Quel modèle ?

— Au modèle de ce que Ginny attend d'un gendre.

Caroline éclata d'un grand rire.

— Je fais ce que je veux, pas ce que Ginny veut.

— Oui, dit Leah, c'est ce que nous nous disons, mais ce n'est pas toujours le cas. Nous pensons que nous faisons ce que nous voulons. C'est comme lorsque je me suis installée à Washington pour refaire ma vie après mon deuxième divorce. Étant donné que j'avais épousé le genre d'homme qui convenait à maman deux fois de suite et que ça n'avait pas marché, j'avais décidé de manifester mon indépendance. Qu'ai-je fait alors ? Étrangère dans une ville que je ne connaissais pas, j'ai commencé à fréquenter des gens qui se trouvaient en relation avec des gens que Ginny connaissait. C'est d'ailleurs à cause de ça que je les avais rencontrés. Je les ai trouvés acceptables parce qu'ils étaient bien en vue, riches et de bonne famille. Ce sont les choses auxquelles on m'a appris à accorder de l'importance. Alors je me suis retrouvée avec les mêmes amis que Ginny aurait choisis pour moi, même si j'essayais de me convaincre que j'avais fait mes propres choix.

— Je fais mes propres choix, insista Caroline. Le fait que Ben soit si différent le prouve bien.

Leah commençait à être impatiente.

— Tu refuses pourtant toujours de l'épouser. Je te demande si c'est parce qu'il ne correspond pas à ce qu'on nous a appris à valoriser.

Caroline hocha la tête.

— Non. Absolument pas. Ce n'est pas du tout le cas. Si je n'épouse pas Ben, ça n'a rien à voir avec le fait qu'il ne soit pas quelqu'un de bien en vue, de riche ou de bonne famille. C'est moi qui ne veux pas. C'est tout.

— Ne penses-tu pas que Ginny en ferait tout un drame si tu l'épousais?

— Elle aimerait mieux ça que de me voir rester vieille fille. Bien sûr, elle insisterait pour qu'on signe d'abord un contrat de mariage. Mais Ginny est comme ça.

— Le ferais-tu?

— Non.

— C'est curieux, de la part d'une avocate.

— Non. Je connais Ben. Je sais comment il vit et je connais ses valeurs. Il a beaucoup de fierté et aucune cupidité.

Leah continua à regarder le visage de sa sœur d'un air songeur, puis hocha la tête comme si elle était étonnée.

— Qu'y a-t-il? demanda Caroline.

— Tu es tellement sûre de toi, et pour toutes sortes de choses. Je trouve que tu as bien de la chance.

Leah l'enviait vraiment. Elle fit le tour de la voiture.

— Veux-tu que je te ramène à la maison?

— Non merci, je viens juste d'arriver. Annette et moi avons passé toute la matinée au centre commercial. Elle s'est acheté des tee-shirts et des jeans. Elle dit qu'elle n'en porte pas chez elle parce qu'elle veut avoir l'air d'une bonne épouse et d'une bonne mère. Mais, comme c'est Jean-Paul qui l'a envoyée ici, elle s'en fiche maintenant. Elle est en pleine rébellion.

— Pauvre Annette, dit Leah avec un petit sourire sec. Je

n'aurais jamais pensé que je pourrais dire ça. Je dois devenir plus tolérante.

Elle ouvrit la portière.

— Je rentre à la maison. À plus tard.

Leah adorait faire du pain. Elle adorait pétrir la pâte et la regarder lever. Elle adorait la dégonfler, la séparer puis la tresser. Elle aimait aussi par-dessus tout l'arôme du pain chaud qui sort du four.

Ce jour-là, c'était une bonne odeur d'érable avec une touche exotique.

Elle fit six pains. Elle avait enveloppé les quatre premiers et mis les deux autres sur une grille pour les laisser refroidir quand des nuages venus de l'ouest envahirent le ciel. Caroline et Annette venaient d'arriver.

— Comme ça sent bon! s'exclama Annette en goûtant la tranche que Leah lui avait offerte. C'est exquis!

— Où vas-tu? demanda Caroline en voyant Leah enfiler un chandail.

— J'ai promis un pain à Julia.

— La Julia du restaurant?

— Elle-même.

Elle jeta un coup d'œil vers les nuages.

— Pensez-vous que j'ai le temps d'y aller et de revenir avant la pluie?

— Ça m'étonnerait.

Leah décida d'y aller quand même. Les pains dans les mains, elle courut jusqu'à la voiture et se glissa à l'intérieur. Alors qu'elle bouclait sa ceinture de sécurité, la première goutte de pluie frappa le pare-brise. Les essuie-glaces étaient devenus nécessaires quand elle réussit enfin à les faire fonctionner.

Elle démarra lentement, sans être certaine qu'elle voulait vraiment se rendre au village. Julia n'avait pas besoin des pains le soir même. D'ailleurs, l'un d'entre eux ne lui était pas destiné.

À une courbe de l'allée, juste hors de vue de la maison, elle tourna dans un chemin avec des ornières. Quelques instants plus tard, elle garait sa voiture derrière la camionnette de Jesse.

Elle protégea un des pains sous son chandail et courut vers la porte arrière. Elle entra dans un petit vestibule où il y avait des bottes, des pelles, des vêtements de pluie, des lampes-tempête, et du bois de chauffage bien cordé. Une deuxième porte donnait accès au cottage.

Elle se sentait attirée dans la pièce. Même en l'absence de Jesse, elle était envahie par une impression de chaleur. Elle ne savait pas si c'était à cause des tons effacés de brun et de roux, des photographies de paysages sur les murs, de la senteur du bois ou de l'exiguïté de la pièce. Elle s'y sentait vraiment à l'aise, comme chez elle, et même un peu exaltée.

Elle refusait d'y voir un signe du destin. Elle essayait de vivre simplement au jour le jour.

— Salut! dit-il doucement.

Elle se retourna vivement en rougissant.

— Salut! Je... la porte n'était pas fermée à clé.

— Elle ne l'est jamais.

Il s'approcha d'elle, avec une timidité surprenante.

— Il pleut dehors?

Elle fit signe que oui, incapable de rien faire d'autre. Elle n'en revenait pas d'être attirée par un homme au point d'en perdre la parole, mais c'était le cas. Les sourcils hirsutes de Jesse, sa barbe forte qui lui couvrait la mâchoire, son déhanchement, le réseau des veines sur ses avant-bras l'attiraient irrésistiblement. Elle ne pouvait croire que cet homme extraordinaire lui avait fait l'amour. Sa présence lui coupait le souffle.

Il renifla.

— Qu'est-ce qui sent si bon?

Toujours rougissante et le souffle court, elle sortit de dessous son chandail le pain auquel elle ne pensait plus.

— J'ai fait du pain à l'érable et au cari. C'est mon meilleur.

— Il est encore chaud!

— Encore un peu. J'ai deux autres pains dans la voiture pour

Julia, mais je me demande si je vais aller jusqu'au village sous la pluie.

— Je vais te conduire.

— Oh! non, je ne peux pas...

Il l'embrassa alors jusqu'à ce qu'elle arrête de protester. Elle était au septième ciel, grisée par son goût, son odeur, sa chaleur.

Quand il libéra sa bouche, elle garda la tête levée, les yeux fermés, le souffle léger et court.

— Alors, c'est donc bien vrai, dit-elle. J'avais l'impression d'être redevenue comme avant aujourd'hui. Je n'arrêtais pas de me dire que j'avais dû imaginer tout ça.

— Tu vois bien que non.

Elle mit les bras autour de son cou et ouvrit les yeux.

— Tu sens bon. Tu sens un peu comme la terre.

— Ce sont mes mains. J'ai travaillé dans la serre.

— C'est une odeur saine.

Il prit son visage dans ces mains à l'odeur saine et l'embrassa plus profondément. Elle avait les jambes comme du coton.

— Je vais me débarbouiller, dit-il, puis je vais te conduire chez Julia.

Elle le suivit dans la cuisine. Elle ne le quitta pas des yeux pendant qu'il se dirigeait vers l'évier et prenait le savon.

Il lui lança un sourire timide.

Elle avala sa salive et s'éclaircit la gorge.

— J'adore les photographies sur les murs. Ont-elles été prises par un artiste local?

— On pourrait dire ça.

— C'est toi qui les as prises?

Il fit signe que oui tout en se savonnant les mains.

— Ce sont des souvenirs de mes voyages. Les canaux sont de Saint-Pétersbourg. Les crocodiles de Tanzanie. Le chalutier du détroit de Béring.

— Tu les as prises toi-même?

— Qu'y a-t-il de si surprenant?

— On dirait qu'elles ont été prises par un professionnel. Est-ce que tu les vends?

— Non. C'est juste un passe-temps.

— Tu ne sembles pas avoir beaucoup de matériel.

— Je n'ai pas beaucoup de matériel. Seulement un appareil photo.

Charlie faisait de la photographie. Même s'il avait du matériel dernier cri, plus tous les gadgets imaginables, il n'aurait jamais été capable de produire une seule photographie comme celles de Jesse.

— Seulement un appareil photo, répéta Leah dans un soupir.

Jesse se rinçait les mains.

— Alors, qu'est-ce que tu penses de Downlee?

La première idée qui lui vint à l'esprit fut que c'était un village de commères, et c'est probablement ce qu'elle aurait répondu un ou deux jours plus tôt. Ce jugement lui paraissait toutefois trop sévère maintenant.

— Les gens sont curieux, mais sympathiques. Comment était-ce de grandir ici?

— Intime. Tout le monde connaît tout le monde.

— Ça doit être parfois étouffant.

— Ça ne l'était pas. Ma mère est partie quand j'étais tout petit. Comme tout le monde le savait, tout le monde jouait à la mère avec moi.

Leah était scandalisée.

— Pourquoi est-elle partie?

— Mon père et elle ne s'entendaient pas.

— Ça a dû être terrible pour toi.

Il sourit tristement.

— Les enfants s'adaptent. D'autres personnes m'ont donné de l'affection.

— Ton père, je suppose.

— À sa façon.

Il la regardait avec curiosité en s'essuyant les mains.

— Je suis incapable de t'imaginer vivant en ville.

Elle s'appuya contre le comptoir, plus près de lui, comme par hasard.

— Pourquoi ?

— Tu n'as pas l'air dur.

— Avant, oui.

— Non. Même pas la première fois que je t'ai vue après ton arrivée.

Leah eut un soupçon tout à coup.

— C'était quand, cette première fois ?

— Tard le soir. J'étais allé me baigner. Tu étais endormie dans la balançoire.

— C'est toi qui as mis une couverture en tricot de laine sur moi ?

Tout s'expliquait. Une couverture en patchwork risquait bien plus d'appartenir à Jesse qu'à Virginia. Elle l'imaginait très bien drapée sur le large accoudoir de son canapé en cuir.

— Oui, avoua Jesse. Il faisait frais, ajouta-t-il doucement, et je n'ai jamais trouvé ma couverture aussi belle. C'est ma mère qui l'a faite. C'est le seul souvenir que j'aie d'elle.

Leah était vraiment très touchée.

— Je te l'ai déjà dit, ajouta-t-il en raccrochant la serviette, c'est toi que j'attendais. Je l'ai su dès que je t'ai vue.

— Ne parle pas comme ça, le supplia-t-elle. Ça me fait peur.

De telles déclarations impliquaient des engagements qu'elle n'était pas encore prête à prendre.

— Est-ce qu'on y va ?

Il lui sourit, effleura sa bouche du pouce et lui indiqua la porte arrière.

Le voyage dans la camionnette de Jesse fut une autre expérience nouvelle pour Leah. C'était un véhicule conçu pour un homme et assez grand pour sa forte carrure. Il était quand même assez exigu, comme tout véhicule. Pis encore, le siège était une banquette. Leah n'avait pas prévu qu'il y en aurait une et qu'elle pourrait donc s'asseoir tout près du conducteur.

Downlee lui parut différent, plus amical et plus familier, avec le bras de Jesse autour de son cou. Une fois la camionnette garée devant Chez Julia, Leah enfila le ciré de Jesse, courut à l'intérieur, déposa les pains et revint à toute vitesse. Il lui ouvrit la portière. Elle se glissa dans la camionnette et se blottit encore plus près de lui pendant le voyage de retour à Star's End. Quand ils arrivèrent derrière le cottage, elle avait un bras autour de sa taille et le visage dans son cou.

Elle n'arrivait pas à se repaître de lui. Elle ne se lassait pas de le toucher, de le caresser, de le sentir. Elle aurait bien voulu rester avec lui, mais elle savait que ses sœurs se demanderaient où elle était passée.

Il coupa le contact, la prit dans ses bras et l'embrassa. Avec les meilleures intentions, après avoir réussi à se détacher de lui une première, puis une deuxième fois, elle ne put résister plus longtemps. Elle avait trop envie de lui.

Avec une grande facilité, elle l'enfourcha, et ils continuèrent à s'embrasser. Les mains de Jesse se posaient sur ses seins, ses hanches, ses cuisses. Toute chavirée, elle était envahie par une douce chaleur.

— Ah! Jesse, murmura-t-elle.

— C'est bon?

— Incroyablement.

Il ouvrit la fermeture éclair de son jean, dégagea son tee-shirt et glissa ses mains dessous.

Elle gémit.

— Il faut que je retourne à la maison.

Il la fit taire en l'embrassant à pleine bouche jusqu'à ce qu'elle cesse de protester. Elle passa les mains dans ses cheveux, frotta ses épaules, caressa ses hanches. La réalité de son corps lui faisait oublier ses idées un peu folles, sur les signes du destin entre autres. Elle murmurait son nom et le suppliait de la faire jouir. Ce qu'il fit, au bruit de la pluie qui tambourinait sur le toit.

Ses doigts l'amenèrent à un premier orgasme qui la fit fris-sonner de la tête aux pieds. Elle s'arrêta pour reprendre son souffle, puis se débarrassa de son jean et s'empala sur lui. Elle ne bougeait pas, heureuse de jouir de sa présence en elle. Elle avait le souffle léger et court. Elle le regardait dans les yeux.

Avec une satisfaction intense, il murmura :

— Comme c'est bon !

— Ah ! oui... Tu me rends impudique.

— On devrait tous avoir quelqu'un qui nous fait cet effet. On est libre quand on est impudique.

— Je me sens libre.

Il lui caressait les seins, le ventre, les fesses. Son souffle s'accéléra. Elle posa son front sur le sien.

— Je voudrais rester comme ça pendant un mois, dit-il d'une voix rauque.

— Je pense que tu en serais bien capable, répondit-elle dans un grand éclat de rire.

— Ça ne te ferait rien ?

Rien ? Le plus petit mouvement, le simple fait de rire, la remplissait de grandes ondes de plaisir. Quand il glissa ses mains sous ses fesses, les ondes s'amplifièrent.

— Disons plutôt deux mois, murmura-t-il de la même voix rauque.

— Je dois être de retour à Washington dans deux semaines.

— Pourquoi ?

— Des réunions de la Société du cancer.

Elle haleta quand il souleva ses hanches et pénétra plus profondément en elle.

— Ah ! Jesse, c'est si bon.

— Qu'est-ce qui arriverait si tu n'allais pas à ces réunions ? s'écria-t-il.

— Je ne pourrais pas coprésider la campagne de financement.

— Et alors ?

— Alors quoi ? Je suis incapable de réfléchir, Jesse. Comment peux-tu réfléchir en un moment pareil ?

— Ce n'est pas... facile, réussit-il à lui répondre.

Dans le souffle suivant, il émit un son guttural et se cabra vers l'arrière en éjaculant, le corps secoué de grands spasmes.

Leah enroula les bras autour de son cou et s'y cramponna jusqu'à la fin de son propre orgasme. Quand ils s'apaisèrent, ils restèrent enlacés. Puis, en caressant son ventre qui semblait un point sensible, elle soupira :

— Je dois partir.

Il ne desserra pas son étreinte.

— Mes sœurs vont m'attendre pour le dîner.

— Je t'aurais bien préparé quelque chose ici.

— Tu fais aussi la cuisine?

— Je suis comme un homme de la Renaissance, dit-il avec un sourire moqueur.

Elle se dit que c'était justement ce qu'il était. Maître jardinier, globe-trotter, photographe émérite, cuisinier, et amant. Elle se demandait aussi quelle place il pourrait prendre dans sa vie. Elle ne pouvait s'imaginer faisant l'amour avec lui sur le banc du jardin à l'arrière de sa maison de ville dans Woodley Park. Pas comme ils venaient de le faire dans la cabine de sa camionnette en tout cas.

Elle ne pouvait toutefois pas davantage s'imaginer ne faisant pas l'amour avec lui, là ou n'importe où ailleurs. L'attraction mutuelle qu'ils éprouvaient était trop forte. Dès qu'elle le regardait, elle le désirait. Et sa satisfaction ne se limitait pas à l'orgasme. Dans les bras de Jesse, elle se sentait pleinement aimée et enfin comblée.

Elle en venait presque à lui donner raison quand il disait qu'ils étaient faits l'un pour l'autre. Presque. Mais cette idée l'angoissait.

Jesse l'aida à se rhabiller et la raccompagna en courant jusqu'à sa voiture. Quand il vit qu'elle avait de la difficulté à reculer, il se glissa sur le siège du conducteur, fit faire demi-tour à la voiture et la laissa repartir.

Elle se gara sous la porte cochère et prit soin de laisser le ciré de Jesse dans la voiture. Si elle pouvait attribuer son retard au papotage de Julia, et le désordre dans ses cheveux au temps pluvieux, la présence du ciré serait plus difficile à expliquer.

Ses sœurs devaient l'attendre. Elle n'avait pas sitôt gravi à la course les marches de pierre et ouvert à la volée la porte qui donnait sur le hall d'entrée qu'elles la prirent en embuscade, une de chaque côté, l'air résolu.

— Toutes nos félicitations, dit Caroline. Nous sommes unanimes. Nous t'avons désignée.

— Pour quoi faire?

— Pour appeler Ginny. Et tout de suite.

13

J'ai toujours détesté les adieux, depuis cet été lointain dans le Maine dont le souvenir me brise encore le cœur. Pour ne plus jamais éprouver une telle souffrance, j'avais décidé depuis d'éviter à tout prix les scènes d'adieu.

J'ai pratiquement réussi d'ailleurs. Quand Caroline a quitté la maison pour aller à l'université, je l'y ai accompagnée et j'en ai profité pour m'offrir un voyage à Paris où je serais moins susceptible de ressasser son absence. De même quand Annette a épousé Jean-Paul. Je me suis tellement affairée aux préparatifs, liste des invités, fleurs, nourriture, que j'étais complètement éreintée ce jour où Nick a conduit notre deuxième fille à l'autel. Et Leah, cette chère Leah, qui venait régulièrement de Washington l'année dernière pour m'aider à affronter les médecins. Comme je ne savais jamais si j'allais mourir avant de la revoir, aurais-je dû faire des cérémonies chaque fois qu'elle repartait ? C'était bien plus facile d'agir comme si j'allais la revoir le lendemain.

Mes filles m'en ont toujours voulu, je le sais. Elles me trouvaient froide et égoïste. Je me demande ce qu'elles penseraient si elles me voyaient maintenant. J'erre depuis quatre jours dans une maison déserte, cherchant comment dire adieu à cet endroit qui a abrité une si grande partie de ma vie.

On dit que la sagesse vient avec l'âge, mais ça n'est pas toujours le cas. Souvent, on constate en vieillissant qu'on est moins sage qu'on ne le croyait.

Je ne suis pas prête pour ces derniers adieux. J'avais imaginé que je n'aurais pas à y faire face, que je m'endormirais simplement un soir pour ne pas me réveiller le lendemain, comme Nick. C'est ce que j'aurais souhaité. Pour ne pas souffrir.

J'ai pourtant continué à me réveiller, chaque jour un peu plus vieille et ankylosée, un peu plus consciente que la vie est une arme à deux tranchants. Quand on a la chance de vivre vieux, on risque de souffrir à l'approche de la mort.

J'ai vraiment eu beaucoup de chance. Il n'y a pas si longtemps, ces pièces maintenant désertes regorgeaient de vie. Assise sur la banquette de la fenêtre dénudée du salon, je devine encore derrière moi les draperies en velours, je revois le piano à queue à l'autre bout de la pièce, j'entends les murmures des invités autour de la cheminée en marbre. La salle à manger, maintenant bien vide, s'anime du souvenir de tables mises pour seize personnes, de buffets couverts de l'argenterie héritée de ma mère et de plateaux chargés d'un somptueux brunch du dimanche.

Les filles n'appréciaient pas tellement le brunch du dimanche. Dès qu'elles ont eu l'âge d'avoir leurs propres activités, elles l'ont vécu comme une contrainte. J'ai toujours pensé que ce moment de la semaine devait être consacré à la famille, et je le pense encore. Souvent le dimanche midi, je pense à mes filles. J'imagine Annette chez elle, servant un brunch à sa propre famille, Caroline au bureau ou avec son artiste, et Leah... Dieu sait où.

Je me suis toujours fait du souci pour Leah, la plus fragile de mes filles; elle a toujours semblé un peu perdue. J'aurais voulu pouvoir l'aider. Mais, en vieillissant, j'ai pris conscience d'une autre de mes faiblesses. Je n'ai jamais osé parler à cœur ouvert de crainte de me retrouver en terrain glissant. J'ai préféré me comporter avec Leah comme si elle était plus forte que je ne le croyais. Je craignais de découvrir sa fragilité si je parlais sérieusement avec elle.

Bien sûr, comme toutes les mères, je me faisais quand même du souci pour elle.

Elle adorait cette maison. Je la revois recroquevillée sur la première marche, appuyée contre la courbe de la rampe, observant les allées et venues. Petite fille pleine de vie, elle gambadait de haut en bas de l'escalier et à travers le hall. Elle adorait aussi sa chambre. Sur les murs, il y avait toutes ces immenses fleurs éclatantes dont les couleurs vives se retrouvaient comme des pétales sur le couvre-lit, le tapis, le fauteuil. Elle ne m'a jamais pardonné de l'avoir redécorée un été.

Ah, mon Dieu! Aucune d'entre elles ne me l'a pardonné. J'étais pourtant si fière de moi.

Tu ne nous a pas demandé ce que nous voulions, s'étaient-elles écriées. Bien sûr que je ne le leur avais pas demandé. Ma mère à moi ne m'avait jamais demandé mon avis. C'était elle qui décidait. Un point, c'est tout.

Les règles du jeu avaient toutefois changé depuis sans que je m'en aperçoive. Je suis restée dans la brume loin derrière mes filles. Ce fut ma faute autant que la leur. J'ai toujours mieux aimé les anciennes règles. Encore aujourd'hui. La vie était plus simple selon ces règles. Les choses étaient plus claires.

Si j'avais été de la génération de mes filles, je n'aurais jamais fait ce que j'ai fait cet été-là dans le Maine. Oh! ce n'est pas que je n'aurais pas eu cette liaison. Will disait toujours que c'était écrit dans le ciel, et je le pense aussi. Si j'avais été de la génération de mes filles, je ne serais en revanche jamais revenue en ville avec Nick à la fin de l'été. J'aurais renoncé à tous les avantages matériels pour vivre avec Will dans la remise du jardinier et j'aurais porté ses enfants.

Ma vie aurait-elle été plus heureuse? Je ne sais pas, mais je sais qu'elle aurait été différente. Si j'étais restée avec Will, je ne serais pas en train d'errer dans ces pièces remplies d'échos.

Une sonnerie. Le téléphone sans doute. Il faut répondre.

Sans réfléchir, j'ai laissé les déménageurs emporter tous les téléphones sauf celui de la cuisine. Je me hâte donc dans cette direction, mais j'ai l'impression que les pièces sont plus vastes qu'avant et la spirale de l'escalier plus raide. Je tiens fermement la rampe de peur d'avoir un étourdissement et de tomber, horrifiée à l'idée de me retrouver au pied de l'escalier, les os brisés, incapable de bouger, incapable d'appeler à l'aide, pendant que la vie me quitterait sans que je puisse la retenir.

À soixante-dix ans, ce qui est relativement jeune à une époque où les notices nécrologiques sont consacrées aux gens de quatre-vingt-dix ans, je me sens pourtant vieille.

Le téléphone sonne pour une quatrième fois. « J'arrive ! » dis-je en maudissant du même souffle la raideur de mes chevilles. Comme mes coudes par temps humide, elles trahissent la femme active que j'ai été.

Ne raccrochez pas ! J'arrive !

Je pense tout à coup que ce n'est pas la peine de répondre. Tout le monde sait que j'ai déménagé. C'est probablement une sollicitation quelconque.

Non, ça doit plutôt être Lillian. Elle a été si gentille de m'héberger et de me prêter sa voiture. Elle s'inquiète de me voir passer tant d'heures dans ma grande maison vide.

Un peu essoufflée, je décroche le combiné.

— Allô ?

— Maman ! Tu es là. C'est Leah !

— Bonté divine ! Leah.

Je mets la main sur ma poitrine haletante. Mon cœur, mon traître cœur, bat à tout rompre. Parce que je me suis pressée et aussi parce que je ressens tout à coup une peur intense. Prudemment, je demande :

— Comment se fait-il que tu m'appelles ici ?

— Il n'y avait pas de réponse chez Lillian, alors je me suis fiée à mon intuition. Comment se fait-il que tu sois là ?

Elle n'a pas l'air fâchée. Peut-être ne sait-elle pas encore.

Tout en disant à mon cœur de se tenir tranquille encore un peu, je fais de mon mieux pour prendre un ton dégagé.

— Il fallait que je vérifie une ou deux choses. Je l'avais promis à l'agent immobilier. Pour les acheteurs.

— Gwen ne s'est-elle pas occupée de tout ?

— Ce sont des choses de dernière minute. C'est fait maintenant. J'allais partir. Si tu avais appelé deux minutes plus tard, tu m'aurais manquée.

— Heureusement que j'ai appelé maintenant. Nous commencions à nous inquiéter. Quand arrives-tu ?

Donc elles ne savent pas encore. Elles ne me détestent pas encore. Je respire un peu mieux.

— Gwen ne vous a pas transmis mes messages ?

— Ils n'étaient pas très clairs.

— Bien sûr que non. Je ne peux pas dire précisément quand je vais arriver. Quand on déménage, il ne suffit pas de louer un camion. Je dois rencontrer des avocats et des comptables. Je dois résilier des adhésions et faire mes adieux à mes amis. Ce sont des choses qui prennent du temps.

Après une courte pause, j'entends Leah qui dit d'un ton pondéré :

— Maman, tu nous as écrit des lettres pour nous dire que tu voulais passer du temps avec nous. Si tes affaires te retiennent encore longtemps, notre séjour de deux semaines sera terminé avant ton arrivée.

— Non, non, ne vous inquiétez pas. J'arrive. J'arrive très bientôt.

— Demain ?

— Après-demain.

— Maman, dit-elle en me grondant un peu, nous avons hâte que tu arrives.

— Votre séjour n'est pas agréable ?

J'entends Leah qui répète la question à ses sœurs. Je ne réussis pas à saisir leur réponse. J'espère tellement qu'elles passent du bon temps. J'espère tellement qu'elles passent du bon temps ensemble. Un de mes grands regrets est qu'elles ne sont pas proches les unes des autres.

— Nous avons grand plaisir à être ensemble, dit-elle.

Je ne suis pas convaincue, mais je n'insiste pas.

— Comment trouvez-vous Star's End ?

— Splendide !

Elle s'est exclamée sans consulter ses sœurs cette fois.

Je ressens un immense soulagement.

— C'est un endroit d'une beauté inimaginable, dit-elle. Je ne peux pas croire que tu ne l'as pas encore vu.

Je me mords la langue un court instant. Il y a tant de choses que je veux savoir.

— La maison est-elle en bon état ?

— Elle est parfaite.

— Les travaux dans la cuisine sont-ils terminés ?

— Tout à fait.

— Décris-moi la galerie.

— Elle fait le tour de la maison et elle est plus large à l'arrière. C'est là que nous passons le plus clair de notre temps.

C'est précisément ce que j'avais espéré.

— Et les jardins de fleurs ?

— Ils sont indescriptibles.

Je suis encore plus soulagée. Je ne peux m'empêcher de sourire. Il est évident que Leah adore cet endroit. C'est important pour moi, un premier obstacle est franchi.

— As-tu passé beaucoup de temps au village ? lui demandé-je le cœur plus léger.

— Pas autant que Caroline et Annette. Elles dépensent tout ton argent.

— Est-ce qu'elles achètent de belles choses ?

Leah transmet la question. J'entends Annette et Caroline qui parlent en même temps. Leah couvre leurs voix.

— De très belles choses, dit-elle. Il y a des artistes de qualité ici. Est-ce que tu le savais ?

— Oui, je le savais.

— Caroline dit que si tu n'arrives pas bientôt, elle va rem-

214

baller les tableaux qu'elle a achetés et se les faire envoyer chez elle à Chicago.

— Elle les aime tant que ça?

— Elle aime les belles œuvres d'art, et ce sont de belles œuvres d'art. Comment vas-tu?

— Je vais bien, dis-je en faisant fi de la douleur dans ma poitrine et de mes palpitations. Pourquoi me demandes-tu ça?

— Tu étais essoufflée quand tu as décroché.

— C'est parce que je m'étais hâtée pour répondre au téléphone. Mais je vais bien, Leah. Pourrais-tu faire quelque chose pour moi? Je viens de me rappeler que la pauvre Gwen doit attendre mon arrivée. Je lui avais promis des vacances. Dis-lui de les prendre tout de suite. Je suis certaine que vous êtes tout à fait capables de vous débrouiller toutes seules, les filles. Voilà! c'est tout, Leah. Je vais raccrocher maintenant parce que Lillian reçoit des amis et qu'elle sera contrariée si je n'arrive pas bientôt.

— Et nous serons contrariées si tu n'arrives pas bientôt. As-tu réservé une place d'avion?

— Pas encore.

— Maman...

— Un préavis d'une heure suffit.

— Mais nous aurons besoin de plus de temps pour aller te chercher à Portland.

— Ce n'est pas nécessaire. Je prendrai un taxi.

— Donne-nous un préavis de deux heures, et nous y serons.

— Je t'assure, Leah. Un taxi fera très bien l'affaire. Je vais raccrocher maintenant. À bientôt.

Je repose le combiné doucement, timidement. Je m'attends presque à voir quelqu'un sortir du placard pour me traiter de lâche. Car je me sens lâche. Même si les filles m'attendent, je ne suis pas encore prête à retourner à Star's End. Pas seulement parce que je m'inquiète de ma réaction émotive quand je reverrai cet endroit. À cause aussi de ce malheureux adieu que je dois faire avant.

J'en suis déchirée. J'ai beau me dire que ma décision est

215

prise, que je n'ai plus qu'à passer la porte en laissant derrière moi tous ces merveilleux souvenirs, je ne peux pas oublier l'adieu de jadis. Ils sont aussi douloureux l'un que l'autre, et aussi définitifs.

« Tu reviendras », me répète sans cesse Lillian pour dissiper mon inquiétude, et j'apprécie ses bonnes intentions. Je voudrais la croire.

Mais je sais que je ne reviendrai pas. C'est une des rares certitudes dans ma vie. Je ne peux vraiment pas me plaindre. J'ai eu une vie longue et bien remplie. Même sans Will. J'ai vraiment toujours eu beaucoup de chance.

14

Caroline ne se reconnaissait plus.

Le petit déjeuner qu'elle venait de prendre avec Leah et Annette lui avait paru agréable. Oui, agréable ! Annette avait fait une omelette, Leah du thé et du pain grillé et elle-même du jus d'orange frais pressé. Elles avaient mangé sur la terrasse, dans la brume du matin, sans échanger une seule parole désagréable.

En outre, elle se sentait détendue. Oui, détendue ! Elle n'avait pourtant pas de bonnes raisons de l'être. Le coup de fil qu'elle avait donné au bureau la veille avait été bref et sans grand résultat. Mais elle n'était pas inquiète. Elle se préoccupait si peu de ce qui se passait au bureau qu'elle n'avait même pas ouvert les documents qu'elle avait apportés.

La pensée de Ben, au contraire, lui revenait sans cesse depuis leur dernière conversation, deux jours auparavant. Il lui avait dit que le temps de faire des choix était maintenant venu. De quoi lui mettre les nerfs en boule.

Il y avait Ginny aussi. Normalement, elle aurait été furieuse contre Ginny, mais pas cette fois.

Elle se sentait calme. Même l'envie de la cigarette avait presque disparu. Elle pouvait s'imaginer en prenant une entre ses doigts, la portant à ses lèvres, grattant une allumette, et aspirant lentement la première bouffée de cette divine fumée. Mais elle n'en ressentait pas un besoin incontrôlable.

Caroline n'avait jamais été superstitieuse. Elle se faisait une

217

gloire d'avoir les deux pieds sur terre. Ben disait toujours qu'elle avait la tête sur les épaules. Mais elle n'était pas la même ici. Ses pensées désagréables ne faisaient pas long feu. Sa colère allait à vau-l'eau. Ses soucis étaient légers. Elle se sentait plus douce.

Aussi ridicule que cela paraisse, elle en était presque venue à croire que c'était l'air de Star's End qui produisait ces effets. Pour en avoir le cœur net, elle s'était rendue à Downlee ce matin-là. Dès dix heures, elle était assise sur la galerie de l'atelier de menuiserie de Simon Fallon.

Simon était ébéniste. On lui avait dit qu'il se spécialisait dans la fabrication d'horloges de parquet. Mais ce n'était pas pour ses horloges que les artistes rencontrés la veille lui avaient recommandé d'aller le voir.

Simon avait plus de quatre-vingts ans. Si quelqu'un connaissait toutes les histoires qui portaient sur Star's End, c'était bien lui.

C'est ce qu'on lui avait dit. Caroline était portée à croire qu'il s'agissait d'une vaste fumisterie, mais sa curiosité l'emportait sur son scepticisme.

Elle se redressa quand un petit homme âgé s'avança dans l'allée et elle se leva à son approche.

— Êtes-vous Simon ?

Il porta l'index à sa tempe.

— Vous êtes sans doute Caroline, dit-il d'une voix chevrotante. Y m'avaient dit que vous alliez venir.

— On dirait qu'ils en étaient certains, dit-elle d'un ton songeur.

Il ouvrit la porte de l'atelier et lui fit signe de le suivre. À l'intérieur, comme un groupe d'amies intimes, quatre horloges en petite tenue étaient en chantier. Caroline était émerveillée.

— Y m'semblait bien que vous alliez venir un jour ou l'autre, dit Simon.

Caroline passait d'une horloge à l'autre.

— Elles sont magnifiques.

— J'travaille seulement pour les rois.

— Sérieusement?

— Et pour les vedettes de cinéma. Y a pas beaucoup de gens qui peuvent se les payer.

— La note est si salée que ça?

— Y en a pas deux pareilles.

Caroline toucha le haut d'une horloge, la caisse d'une autre. Le rayon de Ben était la peinture, pas la menuiserie. Aussi connaissait-elle moins le travail du bois, mais la qualité du travail de Simon sautait aux yeux.

Elle avait l'impression que tous ses sens étaient en éveil, et c'est pourquoi elle était venue voir Simon. Elle se retourna vers lui. Appuyé contre son établi, il attendait.

— On m'a dit que vous êtes le doyen du village, dit-elle.

Il approuva d'un léger coup de tête.

— J'ai quatre-vingt-sept ans bien comptés.

— Et que vous connaissez bien Star's End.

— J'y suis allé plus souvent qu'à mon tour.

— Je voudrais que vous me racontiez l'histoire.

Il eut un petit rire.

— Laquelle? Y a plein d'histoires sur un endroit comme ça.

— La légende. Celle des amants.

— Ah! celle-là. Pourquoi est-ce que vous voulez la connaître?

— J'ai l'impression que c'est important.

Il l'examina un instant, puis haussa les épaules.

— Ça se peut.

Il se tut.

Caroline décida de jouer le jeu. Elle s'assit par terre dans la sciure de bois, au milieu des horloges de Simon, et elle sourit. Elle pouvait attendre. En même temps que la douceur, elle avait aussi acquis une patience infinie.

Simon haussa de nouveau les épaules.

— Ç'a toujours été un endroit de rêve, dominant tout l'reste du village, une maison posée sur la falaise comme dans les livres d'images.

Elle souriait toujours.

— Tout l'monde a toujours trouvé que c'est l'genre de maison qu'on voit dans ses rêves. C'est normal qu'y ait plein d'histoires.

— Est-ce que le mythe est purement imaginaire alors ?

— En partie, mais pas tout.

Toujours souriante, toujours patiente, elle dit :

— Parlez-moi de la partie qui n'est pas imaginaire.

Il glissa ses mains sous la bavette de sa salopette et l'avertit :

— Si c'est une histoire qui finit bien que vous voulez, j'peux pas vous la conter. Celle-là, c't'une histoire triste.

— Ça ne fait rien. Je veux l'entendre quand même.

— Ils se sont connus un été.

— Quand ?

— Ça fait bien longtemps. Avant que vous soyez née. C'était la maîtresse de Star's End cet été-là. Lui, y travaillait là.

— Et ils sont tombés amoureux ?

— Ouais. Ç'a été tout un scandale.

— Parce qu'ils n'appartenaient pas au même milieu social ?

— Parce qu'elle était mariée.

Caroline retint son souffle, puis soupira.

— Oh !

— Oui, mam'selle. Le mari venait ici tous les week-ends et retournait en ville le lundi. Quand il était pas là, elle couchait avec le jardinier.

Caroline pensa à Jesse Cray. Mais évidemment ça s'était passé avant son temps.

— Qu'est-ce qui est arrivé ?

— Quelqu'un les a photographiés ensemble, et la photo a été publiée dans le journal.

— Était-ce une photo compromettante ?

— On dirait pas ça aujourd'hui. Mais dans mon temps, quand une femme regardait avec autant de passion un homme avec qui elle avait pas affaire, elle était condamnée. Son mari a vu la photo.

— Qu'est-ce qu'il a fait ? demanda Caroline.

220

— Il a dit qu'y feraient mieux de rentrer ensemble à la maison. C'était la fin d'l'été de toute façon.

— C'est tout? Pas d'affrontement? demanda-t-elle, déçue, ayant imaginé un duel à l'aube sur la falaise.

— C'était pas son genre. C'est ce qu'on a dit en tout cas. Je l'ai pas connu le mari, mais j'connaissais bien le jardinier. Tout le village le connaissait. On l'aimait beaucoup.

— Ça devait être un coureur de jupons.

— Non. Rien qu'un brave gars qui est tombé follement amoureux d'une femme qu'était pas libre. Ça lui a pratiquement brisé le cœur quand elle est partie.

— Mais pourquoi l'a-t-elle fait? Si elle l'aimait, pourquoi n'est-elle pas restée?

— Elle nous l'a jamais dit. On l'a jamais revue.

— Jamais?

— Jamais.

Caroline imaginait des amants d'un seul été qui se séparaient pour ne plus jamais se revoir. Elle n'était pas romantique. Mais elle était touchée quand même.

— Vous avez raison, c'est une histoire bien triste.

Cette histoire continua à la hanter. Elle aimait Ben et elle souffrait à l'idée qu'elle pourrait ne jamais le revoir. Ce qu'elle ne lui avouerait jamais, pour le principe. Surtout après l'ultimatum qu'il lui avait servi. Elle n'aimait pas recevoir d'ultimatum. Il pouvait bien mijoter dans son jus en attendant qu'elle se décide à l'appeler.

Pensant toujours aux amants de Simon, elle ressentait un sentiment de vide accablant.

— Et ils ne se sont jamais revus? demanda Annette.

Elle était sur la terrasse avec ses sœurs, savourant du thé glacé et des sandwiches. Il y avait de petits morceaux d'orange et de citron dans le thé glacé qui était absolument délicieux. Tout comme la salade de homard faite avec un peu de mayonnaise au citron qui garnissait des tranches d'un gros pain rond. Le thé, la salade et le pain avaient été préparés par Leah. Annette s'en serait émerveillée encore plus si elle n'avait pas été suspendue aux lèvres de Caroline. Une brise légère venue de la mer passait au-dessus des rochers pour les atteindre, chargée des odeurs de Star's End, ce qui rendait l'histoire encore plus réelle.

Annette était captivée. Malgré tout ce qu'elle ressentait pour Jean-Paul, elle s'identifiait aux amants. Leur destin l'attristait.

Il est vrai qu'elle était dans un état d'esprit qui la prédisposait à la tristesse. Elle n'avait pas parlé à Jean-Paul depuis l'avant-veille, ce qui représentait une éternité pour eux. Oh ! il avait bien envoyé des fleurs la veille au matin, accompagnées d'une carte qui disait simplement « Je t'aime ». Il avait aussi téléphoné l'après-midi précédent, alors qu'elle était à Downlee. Il avait parlé à Gwen et lui avait laissé un message gentil pour Annette. Mais rien ne pouvait remplacer le son de sa voix.

— Jamais, répéta Caroline. D'après Simon, elle n'est jamais revenue à Downlee.

— Qu'est-elle devenue ?

— Puisqu'elle s'est résignée à rentrer à la maison avec son mari, elle a dû rester avec lui par la suite. Il n'était pas facile pour les femmes de divorcer dans ce temps-là.

— Et son amant, lui ? demanda Leah.

— Simon dit qu'il n'a plus jamais été le même.

— Est-ce qu'il s'est marié ?

— Je n'ai pas posé la question.

— J'espère bien que non, déclara Annette. Il ne devait plus avoir grand-chose à offrir à une autre femme après avoir tant aimé la première.

— Il aurait pu en venir à l'oublier.

— Je ne crois pas. S'il arrivait quelque chose à Jean-Paul, je ne pourrais jamais l'oublier.

— C'est parce que Jean-Paul et toi vous êtes mariés, soutint Caroline. Ça fait presque vingt ans que tu vis avec lui. Vous avez des enfants. Il fait partie intégrante de ta vie. Mais s'il lui était arrivé quelque chose avant tout ça ?

— Même alors, répéta Annette.

— Vraiment ?

Elle hésita. Si elle en disait plus, elle pourrait se retrouver en terrain glissant, alors qu'elle vivait actuellement une sorte de trêve avec ses sœurs. Ça mènerait soit à une dispute, soit à un rapprochement.

Elle décida de risquer le tout pour le tout.

— Je sais que vous n'y croyez pas ni l'une ni l'autre, dit-elle doucement, mais pour Jean-Paul et moi ça a été le coup de foudre. Dès que je l'ai vu, j'ai été séduite. Lui aussi. Vous allez dire que je suis une romantique invétérée, mais c'est comme ça. S'il lui était arrivé quelque chose avant notre mariage, je ne me serais jamais remise de sa perte. Même si j'avais épousé quelqu'un d'autre, ce quelqu'un d'autre aurait toujours souffert de la comparaison avec Jean-Paul.

— Et si ce quelqu'un d'autre avait été encore mieux que Jean-Paul ? demanda Caroline.

Annette secoua la tête.

— Personne d'autre n'aurait pu être mieux que Jean-Paul pour moi.

Elle avait les yeux pleins d'eau.

— Un autre genre d'homme serait peut-être mieux pour toi, Caroline, ou pour toi, Leah, mais Jean-Paul est parfait pour moi.

Elle aurait voulu qu'il appelle. Oh ! elle savait qu'on pouvait très bien se passer d'elle à la maison. Elle aurait quand même voulu entendre la voix de Jean-Paul.

— Tu ne penses pas qu'on peut aimer plus d'un homme ? demanda Leah.

Annette prit un instant pour se ressaisir.

— Pas de la même façon. Tu peux aimer un autre homme pour sa compagnie, ou son esprit, ou son corps. Mais le grand amour n'arrive qu'une fois.

— C'est effrayant de penser ça, dit Caroline.

Le regard inquiet de Leah manifestait qu'elle était d'accord.

— Mais c'est merveilleux aussi, ajouta Annette. Ça veut dire que si on a la chance de vivre un grand amour, c'est une expérience unique.

— Unique... dit Caroline d'un ton songeur. Continue.

— Jean-Paul et moi avons la même vision du monde. Nous sommes d'accord sur ce que nous attendons de la vie et sur les moyens de l'obtenir. Nous sommes faits l'un pour l'autre. Nous nous complétons.

— Vous disputez-vous parfois ?

Annette se rappela sa dernière conversation avec Jean-Paul.

— Tu veux dire crier à tue-tête et claquer la porte ? Non. Mais il nous arrive de ne pas être d'accord. Sur mes appels à la maison pendant que je suis ici, par exemple.

Les larmes lui montaient de nouveau aux yeux.

— Jean-Paul trouve que j'appelle trop souvent. Il dit que je leur rebats les oreilles de mon amour.

Elle regarda ses sœurs dans l'attente de leurs critiques. Comme rien ne venait, elle ajouta :

— Je n'aurais jamais cru qu'on puisse aimer trop.

Leah essaya de la rassurer en lui touchant le genou, mais c'est Caroline qui prit la parole avec une étonnante gentillesse.

— Il dit que tu es trop empressée. Ça ne veut pas dire que tu as tort de les aimer.

— Je les aime plus que tout au monde, assura Annette. Je m'excuse de vous ennuyer en vous parlant d'eux, mais ils sont toute ma vie. Je passe tout mon temps à m'occuper d'eux. Je suis une épouse et une mère avant tout.

— Je sais.

— Et je suis désespérée, ajouta-t-elle rapidement.

Elle sentait que la porte était ouverte à la sympathie et elle avait un pressant besoin d'encouragements.

— J'ai dit à Jean-Paul que je ne rappellerais pas et que c'était à lui de m'appeler s'il y avait un problème. Même si je ne souhaite pas qu'il y ait de problème, je voudrais qu'il m'appelle.

— Il a appelé, fit remarquer Leah, mais tu n'étais pas là.

Ce n'était pas une grande consolation pour Annette.

— Nous avons toujours été si près l'un de l'autre. Nous n'avons même jamais été séparés de la sorte auparavant.

— Il est probablement trop débordé pour téléphoner parce qu'il doit s'occuper des enfants après sa journée de travail, suggéra Caroline. Il va t'apprécier encore davantage à ton retour, Annette. En attendant, tu prends des vacances bien méritées.

— Mais je m'ennuie de lui. C'est mon mari.

— Ça ne t'empêche pas d'avoir ta propre identité.

— Je ne veux pas avoir ma propre identité. Je ne veux pas être une avocate. Je ne veux pas occuper un poste important au sein d'une œuvre de bienfaisance.

— Je ne te parle pas d'être quelqu'un de différent, dit Caroline. Je te parle d'être toi-même.

Elle se cala dans sa chaise et fit un sourire à Leah pour l'associer à la conversation.

— En ce moment, je ne suis l'avocate de personne. Je ne suis la maîtresse de personne. Je suis simplement moi. Assise ici. Je me détends. Je respire. Je ne pense pas au plaidoyer que je devrais préparer. Je ne pense pas aux décisions que Ben souhaite que je prenne. Je ne pense pas à mon cabinet ni à ceux qui sont peut-être en train de me jouer un sale tour dans le dos. Je déjeune tranquillement sur une terrasse où quelqu'un d'autre remettra de l'ordre, dit-elle en soupirant. C'est peut-être égoïste, mais on a tous besoin de vivre en égoïste une fois de temps en temps. C'est ce que tu dois apprendre à faire. Être égoïste, termina-t-elle en regardant Annette.

Cette dernière se tourna vers Leah.

— Penses-tu qu'elle a raison ?

Leah ne répondit pas tout de suite. Elle semblait revenir de loin. Elle respira profondément et sourit.

— Même si ça ne me fait pas plaisir de l'admettre, je dois reconnaître qu'elle a raison. Jean-Paul t'aime. Tu le sais. Il t'a envoyé des fleurs et il a appelé. Vous n'avez pas réussi à vous parler au téléphone. D'accord. Il est là-bas à St. Louis et s'occupe de tout pendant que tu passes du temps avec ta mère... Même si elle ne s'est pas encore montrée, nous sommes là, nous. Alors détends-toi et prends plaisir à ne rien faire. Ça ne durera pas longtemps.

Annette acquiesça.

— C'est ce que je devrais faire, j'imagine. Après tout, ce sont eux qui m'ont dit de venir.

— Tu ne leur dois rien, ajouta Caroline. Ça fait des années et des années que tu prends toutes les responsabilités. Tu as mérité un repos.

Annette suivait des yeux le vol d'un goéland le long de la falaise. Elle soupira et s'installa plus confortablement sur sa chaise. Il y avait des années qu'elle ne s'était pas adonnée à la paresse. Elle ne savait plus trop bien comment faire. Son regard se posa sur la piscine, les plates-bandes de fleurs tout autour et les falaises au loin.

— C'est tellement beau ici, tellement paisible. J'aurais pu trouver pire.

Le téléphone sans fil sonna. Annette se redressa, déjà toute prête à oublier beauté, paix et détente, et retint son souffle pendant que Caroline répondait. Celle-ci regarda Leah et lui passa l'appareil. Annette se laissa retomber sur sa chaise.

Elles avaient bien raison, se dit-elle. Il fallait qu'elle apprenne à se détendre. Après tout, les enfants vieillissaient. Avant longtemps, ils partiraient pour le collège et l'université. Que ferait-elle alors? S'asseoir près du téléphone pour attendre leurs appels? S'imaginer que tout ce qu'elle lisait dans les journaux leur arrivait à eux? S'immiscer dans leurs vies?

Ça n'avait pas de sens. Pas plus que d'appeler Jean-Paul à tout moment juste pour entendre le son de sa voix. Il faudrait qu'elle se trouve du travail. C'était ça ou bien apprendre à mener une vie de rentière.

Comme Ginny.

C'était une idée ridicule. Elle n'était pas capable de rester à ne rien faire. Ce n'était pas dans sa nature. Caroline avait pourtant raison. Elle ne devait rien à personne. Elle avait mérité un repos.

— C'était Julia, dit Leah tout excitée. Elle dit que mon pain s'est envolé. Elle en veut encore.

Leah avait l'air si contente qu'Annette pensa qu'on devait rarement lui faire autant plaisir dans son monde hypersophistiqué.

— C'est extraordinaire, dit-elle avec enthousiasme.

Caroline tourna son visage vers le soleil.

— Tu es en vacances. Tu n'es pas censée travailler.

— Faire la cuisine, ce n'est pas du travail. C'est un plaisir. Comme de préparer le déjeuner. C'est une vraie joie.

— Tu devrais le faire, dit Annette.

— Ce serait une erreur, marmonna Caroline.

— Considère la chose sous cet angle-là, dit Leah à Caroline en se levant et en vidant son assiette. Tu penses que je ne fais rien à Washington...

— Je n'ai pas dit ça.

— Mais tu le penses. Alors considère le fait que je fasse du pain pour Julia comme une façon d'être en vacances pour une personne qui a l'habitude de ne rien faire.

— Leah ! l'appela Annette alors qu'elle partait.

Cette dispute lui rappelait de mauvais souvenirs. Elle ne voulait pas revivre les désagréments qui avaient marqué son passé avec ses sœurs. Elle aimait la camaraderie qui commençait à s'installer entre elles.

Elle se tourna vers Caroline, furieuse qu'elle ait brisé cc fragile équilibre. Mais Caroline s'était déjà levée de sa chaise pour aller rejoindre Leah. Le téléphone sonna alors de nouveau.

Le cœur d'Annette cessa de battre. Elle passa de sa chaise à celle que Caroline venait de quitter près du téléphone.

— Allô !

— Allô ! maman.

— Nat ?

Son instinct maternel se réveilla avec tout son cortège de

peurs. Nat était son plus jeune enfant. À huit ans, il usait une paire de Nikes[1] tous les trois mois. Elle était tout émue en entendant la voix de son petit garçon.

— Qu'est-ce qui ne va pas, mon chéri?

— Thomas n'est pas gentil.

Annette poussa un long soupir de soulagement. Elle se rendit compte que Leah et Caroline s'étaient approchées. Elle les regarda d'un air contrit.

— Hé, là! les gars, vous n'êtes pas encore en train de vous disputer? demanda-t-elle à Nat.

— Il ne veut pas me laisser jouer avec son Game Boy[2].

— Quel Game Boy?

— Celui que papa lui a acheté hier. Papa a dit que je pourrais jouer avec moi aussi, mais Thomas ne veut pas me le prêter. Dis-lui de me le prêter, maman.

— Attends une minute, Nat. Thomas devait avoir son Game Boy comme cadeau d'anniversaire.

En s'adressant à Caroline et à Leah, elle dit :

— Il nous le demande depuis Noël dernier, alors que deux de ses meilleurs amis l'avaient reçu en cadeau. Nous nous étions entendus pour le lui offrir en novembre, pour ses treize ans.

Puis elle demanda à Nat :

— Pourquoi papa l'a-t-il acheté maintenant?

— Parce que Thomas s'ennuyait.

— Il s'ennuyait? Bonté divine! je vous ai laissé tout un programme d'activités où tout est planifié à la minute près.

— Mais papa ne voulait pas que Nicky et Dev nous amènent au club, et le magnétoscope ne fonctionnait pas bien. Alors la seule chose qui restait à faire, c'était d'aller au cinéma. Mais ils ne voulaient pas voir les mêmes films que nous. Alors on a décidé de rester à la maison, et c'est pour ça que Thomas s'ennuyait.

---

1. Marque de baskets. (NDT)

2. Jeu vidéo électronique portatif. (NDT)

Annette avait de la difficulté à suivre son histoire. Pour commencer, les prémisses n'étaient pas claires.

— Pourquoi est-ce que papa ne voulait pas que vous alliez au club?

— Parce que Thomas ne peut pas se baigner, dit Nat d'un ton impatient.

— Veux-tu bien me dire pourquoi?

— Parce qu'il ne doit pas mouiller son plâtre!

— Quel plâtre? demanda Annette qui commençait à trouver que son instinct maternel en prenait un coup.

— Celui qui est sur son bras. Maman, il ne veut pas me le prêter!

— Qu'est-ce qui est arrivé au bras de Thomas?

— Calme-toi, Annette, murmura Caroline.

— Jean-Paul aurait appelé si ça avait été grave, chuchota Leah.

Annette prit une grande respiration et répéta sa question plus calmement. Mais Nat s'était mis à parler à quelqu'un d'autre, d'un ton d'abord furieux, puis défensif. Devon prit alors l'appareil.

— Nat est une vraie petite peste. Il n'était pas censé dire un mot. Thomas va bien, maman. Il s'est seulement cassé le bras.

— Seulement cassé le bras? demanda Annette qui n'en croyait pas ses oreilles.

— Il faisait du vélo de montagne sur la piste dans le bois derrière l'école...

— Tout le monde sait que cette piste est dangereuse. Il n'est pas censé y aller.

Il ne l'aurait pas fait si sa mère avait été à la maison. Elle le savait bien, que ce n'était pas une bonne période pour partir. Elle l'avait dit à Jean-Paul.

— Thomas le sait très bien, dit Devon d'un ton calme et raisonnable. Il a justement eu la punition qu'il méritait.

Annette se passa la main sur le front.

— Qu'est-ce qui est arrivé au juste?

— Il est tombé et il a glissé le long d'une petite pente couverte de bosses. C'est une simple fracture. Il n'a pas dû subir d'opération ou rien de semblable.

— C'est arrivé quand ?

— Avant-hier. Juste avant le dîner.

— Et vous avez passé la plus grande partie de la soirée à l'hôpital.

Ce qui expliquait qu'elle n'avait pas réussi à joindre Jean-Paul avant la fin de la soirée.

— Ça a pris un certain temps à Thomas pour revenir à la maison, expliqua Devon. Puis nous avons dû attendre longtemps à l'hôpital parce que papa voulait absolument que le docteur Olmstead pose le plâtre, et personne d'autre. Mais il était en train de dîner au restaurant avec sa femme. Thomas aurait voulu qu'on t'appelle de l'hôpital. Papa a dit que ça t'inquiéterait pour rien. Tu as bien de la chance de ne pas être ici, maman. Thomas est insupportable.

— Est-ce qu'il souffre ?

— C'est plutôt lui qui nous fait souffrir. Il pense que tout le monde devrait être à son service parce qu'il s'est cassé le bras.

— Quel bras ?

— Le droit. Il se plaint de ne pouvoir rien faire. Mais comme l'école est finie, il n'a pas besoin d'écrire. Et ça ne l'em-pêche pas de s'empiffrer de la main gauche. Bien sûr, il ne peut pas aller se baigner tant que son plâtre n'aura pas durci. Et alors ? C'est son problème. C'est lui qui s'est promené à vélo là où il n'aurait pas dû.

Annette l'entendit qui s'adressait à quelqu'un d'autre.

— C'est vrai, Thomas. Papa l'a dit. Oui, je sais que tu portais un casque protecteur, mais tu n'avais pas affaire là quand même.

— Passe-le-moi, dit Annette.

Un instant plus tard, elle entendit la voix de Thomas. La voix grave des garçons de douze ans qui ne sont pas encore ado-lescents et qui se prennent déjà pour des hommes.

— Ce n'est pas ma faute, maman. Quelqu'un avait laissé des boîtes de bière vides sur la piste, et j'ai fait une embardée pour les éviter. Ce n'est pas comme si c'était moi qui les avais mises là.

— Dieu merci ! c'est toujours ça de pris, fit remarquer Annette.

Il ne semblait pas gravement blessé. Prêt à se défendre, oui. Prêt à attaquer, oui. Mais blessé ?

— Comment va ton bras ?

— Il fait mal. Robbie est allé louer des vidéocassettes...

— Je croyais que le magnétoscope était brisé.

— Il y a un type qui vient juste de le réparer, et Nicole est en train de faire du maïs soufflé qu'on va manger en regardant le film, mais Nat veut rien que jouer avec mon Game Boy.

Il retrouva sa voix de petit garçon de douze ans pour ajouter :

— Il est extraordinaire, maman. J'ai hâte que tu le voies. Non, tu ne peux pas jouer avec, Nat !

Même si les chamailleries faisaient partie intégrante de la vie de famille, Annette fut surprise de constater qu'à cet instant précis elle était contente de ne pas être là.

— Laisse-le donc jouer, plaida-t-elle.

— Devon veut encore te parler.

— Est-ce que tu t'amuses, maman ?

Annette regarda ses sœurs, puis la terrasse où les ombres commençaient à s'allonger. Elle rêvait de paresse et d'égoïsme, elle entendait les cris des goélands et le fracas des vagues. Tout à coup, elle se sentit libérée du chaos qui régnait là-bas à la maison.

— Oui, je m'amuse.

— Est-ce que grand-maman est arrivée ?

— Pas encore. Samedi peut-être.

— Es-tu gentille avec les tantes ?

Elle regarda Caroline et Leah.

— Très gentille.

— Bravo ! *Arrêtez ça, les gars.* Je dois te laisser, maman. Thomas et Nat se chamaillent encore. Ça serait peut être une bonne idée que j'achète son propre Game Boy à Nat ? Je pourrais le payer avec la carte Visa...

— Je ne veux pas que tu utilises la carte Visa pour ça. Je l'ai laissée pour les cas d'urgence. L'achat d'un deuxième Game Boy n'est pas une urgence. Trouve quelque chose d'autre que Nat pourrait faire. Fais preuve d'imagination. C'est un bon entraînement pour le jour où tu seras mère toi-même.

— J'ai bien plus l'impression d'être un arbitre qu'une mère.

— Voilà ! tu sais maintenant à quoi t'en tenir, dit Annette dans un sourire et vraiment très contente de ne pas être à la maison en cet instant. Sois sage, ma petite chérie. Embrasse tout le monde pour moi. Je t'aime.

— Je t'aime aussi, maman.

Annette raccrocha le combiné. Elle garda un moment les yeux fixés sur le téléphone, puis tourna un regard hésitant vers ses sœurs.

— Je devrais peut-être prendre un avion pour rentrer à la maison.

— Non ! s'écrièrent-elles en chœur.

— Tu as parlé à Thomas, argumenta Caroline. Tu sais qu'il va bien.

— Il s'est cassé le bras.

— Toi aussi, si je me souviens bien, quand tu avais huit ans, et tu as survécu.

— Il se dispute continuellement avec Nat. Les autres n'ont pas à supporter cela.

Ses mots rendaient bien sa pensée. Elle se sentait coupable.

— Et pourquoi donc ? demanda Caroline. Ils font tous partie de la famille, à ce que je sache. Il est normal de se battre pour défendre son bien.

— C'est aussi à cause d'eux que tu es ici, fit remarquer Leah. Ils t'ont assurée qu'ils sauraient se débrouiller sans toi, alors laisse-les faire. Jean-Paul sera de retour à la maison dans quelques heures. Laisse-le régler les chamailleries.

— C'est bien ce que je devrais faire, admit Annette. Ça lui

apprendra. Il était vingt-trois heures trente quand je l'ai joint l'autre soir. Ils arrivaient sans doute à peine de l'hôpital, et il ne m'a pas dit un seul mot à ce sujet, le salaud.

— Il voulait te préserver.

— Ouais, et que me cache-t-il d'autre ? Thomas a-t-il subi des dommages permanents à la main ? Va-t-il retrouver une dextérité complète ? Qu'est-il arrivé d'autre qu'ils me cachent aussi ?

Caroline ronchonna.

— Compte tenu de la façon dont Nat réussit à garder les secrets, il ne doit pas y avoir autre chose.

Annette devait lui donner raison. De toute façon, tout le monde semblait survivre sans problème à l'épisode du bras cassé. Devon avait l'air d'être agacée par ses frères, mais calme par ailleurs. Nicole, toujours enjouée, était près d'elle dans la cuisine. Il y avait aussi Rob, toujours digne de confiance, et ce bon vieux Jean-Paul, qui gardait toujours son sang-froid.

Jean-Paul s'était certainement assuré que Thomas reçoive les meilleurs soins médicaux. Annette serait bien folle de perdre du temps à s'inquiéter à ce propos.

Mais les vieilles habitudes ont la vie dure. Plus elle réfléchissait, plus elle s'inquiétait.

— Je me sens coupable. Je devrais être là.

— Parce que Ginny n'était jamais là ? demanda Leah.

— Oui, mais aussi parce que j'aime être là quand mes enfants ont besoin de moi.

Leah et Caroline échangèrent un regard.

Annette soupira.

— Vous pensez que les enfants n'ont pas besoin de moi en ce moment. Vous avez sans doute raison. Disons les choses autrement. C'est plutôt moi qui ai besoin d'être là quand mes enfants sont malades ou blessés. Parfois il n'y a rien d'autre à faire que de tenir une main, ou de tapoter un oreiller, ou de s'asseoir dans un fauteuil près de la fenêtre et de lire, mais c'est satisfaisant. Si vous aviez des enfants, vous comprendriez ce que je veux dire.

Les mots lui avaient échappé, et elle le regretta aussitôt. Des commentaires de ce genre avaient souvent causé des disputes dans le passé. Annette n'avait jamais eu l'intention d'être condescendante, même si ses sœurs l'avaient toujours cru.

Aussi fut-elle surprise d'entendre Caroline lui répondre :

— Ce n'est pas nécessaire d'avoir des enfants pour comprendre. J'ai déjà été une enfant. J'aurais eu besoin d'un peu de soutien moral une fois de temps en temps.

— Même chose pour moi, dit Leah.

Annette les regarda tout étonnée.

— Nous sommes d'accord ?

Leah regarda Caroline qui haussa les épaules.

— Oui, pour ce qui est du soutien moral. Mais pas pour que tu retournes en vitesse à St. Louis. Tu as toujours été là pour eux dans le passé et tu le seras encore dans l'avenir. C'est notre tour maintenant. Nous avons besoin de toi ici.

Complètement estomaquée, Annette resta bouche bée.

Leah n'avait pas l'intention de voir Jesse ce soir-là. Elle pouvait se passer de lui. Sans problème. Quand viendrait le temps de quitter Star's End, elle partirait sans regret.

Elle resta un moment dans sa chambre, assise dans le noir. Elle pensait. À la vie qu'elle menait à Washington, mais les images étaient floues. À Julia qui adorait son pain et lui avait fait promettre d'en faire encore. Au dîner qu'elle avait préparé, un bœuf bourguignon, auquel Caroline et Annette avaient juré de ne pas toucher parce qu'il contenait de la viande rouge, et qu'elles avaient pourtant dévoré. Aux gens qu'elle avait rencontrés au village, chaleureux et pas chauvins du tout. Aux malheureux amants de Star's End.

Évidemment, elle pensait aussi à Jesse. Elle l'imaginait se hissant hors de la piscine et la cherchant des yeux. Si elle ne voulait pas qu'il attribue son absence à de la lâcheté, elle lui devait une explication.

Elle descendit à pas de loup et se rendit au bord de la pis-

234

cine, mais il n'était pas là. Elle essaya de voir au clair de lune s'il y avait une flaque d'eau et des traces de pas. Il n'y en avait pas.

Il n'était pas venu. Elle qui pensait qu'elle lui devait une explication ! Déçue malgré elle, elle se dirigea vers la maison.

— Leah ?

Elle s'arrêta, pleine d'espoir.

Il était derrière elle et la fit doucement se retourner vers lui. Il n'était pas en maillot de bain comme les autres soirs, ni elle en chemise de nuit. Sa voix était grave et pleine d'émotion.

— J'ai essayé de ne pas venir. Je voulais me prouver que ça n'avait pas d'importance que je te voie ou non ce soir. Mais ce n'est pas vrai.

— Ma vie est à Washington, dit-elle d'un ton raisonnable. C'est le genre de vie que j'aime.

— Pas quand tu es ici.

— Je suis différente ici.

— Qu'est-ce que tu aimes le mieux ?

Elle allait répondre, mais elle s'arrêta. Elle s'était bâti une vie à Washington. Quant à savoir si c'était ce qu'elle voulait vraiment ou ce qui lui convenait le mieux, c'était autre chose. Elle se sentait bien en jean et les cheveux libres, et l'air marin donnait à sa peau plus d'éclat que n'importe quel fond de teint.

Mais trois cent soixante-cinq jours par année ?

Il la serra contre lui. Ils restèrent ainsi longtemps, dans les bras l'un de l'autre.

— Veux-tu un cappuccino ? demanda-t-il enfin.

— Oh ! oui.

Il l'amena jusqu'au cottage. Sa cafetière à cappuccino ne venait pas de la quincaillerie de Downlee. Il l'avait achetée à Harvard Square, des années auparavant. Cambridge semblait toutefois la moins exotique de ses destinations d'hiver. Pendant que le cappuccino se préparait, ils regardèrent ensemble les photographies sur le mur, et il lui parla de ses voyages. Il avait visité des endroits où elle n'aurait jamais osé aller. À sa courte honte, elle était jalouse de lui.

Ils apportèrent leurs tasses dans la serre, où l'air était imprégné de l'odeur du terreau et des jeunes pousses. Leah était une habituée des cafés. Elle n'en connaissait pourtant aucun qui ait autant d'ambiance, surtout quand Jesse apporta la bougie qu'il venait d'allumer. Il approcha un banc. Ils se mirent à cheval dessus, face à face, leurs deux tasses posées entre eux.

Leah soupira.

— C'est terriblement romantique.

— On pourrait aussi dire que c'est humide et inconfortable.

— Non. Pas ici. Tout est romantique à Star's End. Il y règne un charme irrésistible. Prends mes sœurs et moi. Nous sommes à couteaux tirés depuis que nous sommes adultes et pourtant nous nous entendons bien ici. Elles sont même agréables. Caroline n'est pas trop suffisante et Annette pas trop maternelle.

— Et toi ?

— Je ne me conduis pas comme une nana.

Il prit un air amusé.

— Qu'est-ce que ça veut dire se conduire comme une nana ?

— Laisser croire à Caroline et à Annette que je sors tous les soirs, que je fais la grasse matinée tous les jours et que je passe mes après-midi dans les magasins ou chez le coiffeur.

— Pourquoi veux-tu leur faire croire cela ?

— Pour leur montrer que je suis différente d'elles. Pour qu'elles ne fassent pas de comparaisons. Quand je me compare à mes sœurs, j'ai toujours l'impression d'être nulle.

— Elles ne m'attirent pas ni l'une ni l'autre.

— Non. J'espère bien.

Elle ne savait pas si elle devait rire ou pleurer. La situation aurait été encore plus compliquée s'il avait été attiré par une de ses sœurs.

— Elles ont réalisé bien plus de choses que moi dans la vie. Caroline est associée dans un important cabinet d'avocats, et Annette a cinq enfants. Pas un ou deux. Cinq. Je peux bien me moquer d'elle dans son rôle de supermaman, mais elle fait bien ce qu'elle fait.

— Veux-tu avoir des enfants?

Elle fit signe que oui.

— Sauf que je serais probablement une mère exécrable.

Il marqua son désaccord en hochant la tête.

— Tu es partial, lui dit-elle.

Il approuva.

Elle voyait bien qu'il l'aimait. Il le lui exprimait par la chaleur de son regard et la douceur de ses mains. Par les cris violents qu'il poussait quand il lui faisait l'amour, en quête d'une union toujours plus intime. Il affirmait qu'ils étaient faits l'un pour l'autre, et elle était prête à le croire. Elle se demandait pourtant si ce n'était pas simplement le charme de Star's End qui opérait.

— Caroline a entendu une histoire sur Star's End à Downlee aujourd'hui, dit-elle. Une histoire d'amants au destin tragique. La connais-tu?

— Ça dépend de quelle histoire tu veux parler.

Celle de la femme mariée et du jardinier.

— Je la connais.

— Est-elle vraie?

Il fit signe que oui.

— Ils ne se sont jamais revus après cet été-là?

— Non.

— Jamais écrit, jamais téléphoné?

— Non.

— L'histoire dit qu'ils étaient très amoureux.

— Éperdument.

— Pourquoi est-elle partie alors? Seulement parce que son mari lui a dit de le faire?

— Son mari ne lui a pas dit quoi faire. C'est elle qui a pris la décision.

— Aimait-elle son mari?

— Je n'en sais rien.

— Mais elle aimait le jardinier.

— Oui.

— Et il l'aimait. C'est bien triste. Lui, est-ce que tu l'as connu ?

— Tout le monde au village le connaissait.

— Est-il encore dans les parages ?

— Non. Ça fait quelque temps qu'il est mort.

— Comment ?

— Son cœur a simplement cessé de battre.

— Il était brisé, dit Leah comme si c'était une évidence. Oublie ce que je viens de dire. Ça n'est pas scientifique, se reprit-elle.

— Oui, son cœur était brisé. Elle en avait emporté une partie qu'il n'a jamais pu remplacer. Même s'il s'est efforcé de continuer à vivre, il n'y est pas arrivé.

— Ce ne sont que des conjectures. Il a probablement fait une dépression nerveuse.

— Appelle ça comme tu voudras, mais il ne s'est jamais remis.

— A-t-il essayé de la revoir ?

— Non.

— Pourquoi ?

— Par fierté. Et par amour. Elle avait pris sa décision. Il devait la respecter. Il avait peur de lui rendre les choses plus difficiles s'il apparaissait sur le seuil de sa porte. De plus, il n'avait pas grand-chose à lui offrir. C'était une femme riche. Il n'avait rien.

Leah détourna les yeux et considéra son cappuccino.

— Qu'est-ce que tu aurais fait à sa place ?

— La même chose que lui.

— Tu ne te serais pas battu pour la garder ?

— Pas dans ces circonstances.

Elle le regarda de nouveau.

— Même si tu avais cru que vous étiez faits l'un pour l'autre ?

— Même alors, dit-il doucement avec le même air grave qu'elle avait remarqué dès le début. Dans la vie, il y a l'amour et il y a la réalité. Les deux sont parfois incompatibles. Comme dans leur cas. Mais je ne suis pas à sa place. J'ai fait des études. J'ai des économies. Je pourrais vivre ailleurs si je voulais. C'est par choix que je vis ici.

Elle le savait bien et elle ne l'en aimait que plus. Mais ça ne changeait rien.

Un sanglot dans la gorge, elle se leva et traversa le cottage jusqu'à la cuisine, sa tasse à la main. Elle était en train de la rincer quand il arriva derrière elle. Il la serra contre le comptoir en posant ses mains des deux côtés de l'évier.

— J'ai beaucoup voyagé, Leah, et plus je vois d'endroits, plus je me rends compte que c'est ici que je veux vivre. Ce n'est pas de l'entêtement, c'est une certitude. Je pourrais vivre à Washington. Je pourrais travailler au Jardin botanique. J'y connais quelqu'un avec qui j'ai étudié qui pourrait m'engager, mais je ne serais pas heureux et je te rendrais malheureuse.

Mais moi, c'est là que je me sens chez moi, aurait voulu s'écrier Leah. Elle ferma les yeux et s'appuya contre lui. Debout derrière elle, il la soutenait fermement. Il la prit dans ses bras comme elle le souhaitait, et elle cessa aussitôt de se préoccuper de l'avenir.

Il la caressa. Il lui enleva ses vêtements. Il dessina les contours de son corps avec ses mains et sa bouche.

Ils firent l'amour dans la cuisine, puis de nouveau dans le lit. Leah ne réussissait pas à lui témoigner autrement toute la passion qu'elle éprouvait pour lui. Quand elle se réveilla, il était à la fenêtre, le corps nu dans la faible lueur de l'aube, toujours aussi viril. Le quitter lui paraissait aussi impossible que d'arrêter de respirer. Elle s'approcha et glissa ses mains sur sa poitrine. Elle appuya sa joue contre son dos et le serra dans ses bras.

Ils prirent un bain ensemble, s'habillèrent et retournèrent à la maison où elle laissa une note à ses sœurs pour leur dire qu'elle était allée faire une promenade. Puis Jesse lui fit voir son champ de fleurs sauvages. C'était un endroit exceptionnel, encadré par le vert luxuriant des bois au mois de juin. Une toile débordant des couleurs vives des lupins, des gaillardes et des chardons.

— Le kaléidoscope de Dieu, dit Jesse dans le style lyrique qui témoignait de son attachement à la terre. Une altération du temps, un changement de mois, et les couleurs se modifient.

Leah était couchée près de lui parmi les fleurs. Elle était captivée par l'odeur de la rosée matinale et la chaleur du soleil, mais surtout par le visage de Jesse. Elle se tourna vers lui et suivit du doigt les rides autour de ses yeux. Il portait déjà les signes du temps. Il ne vieillirait plus beaucoup avec les ans. Il deviendrait simplement plus irrésistible.

Chez Julia, un peu plus tard, elle y songeait encore en observant les visages des gens du village qui prenaient le petit déjeuner. Julia se glissa sur le siège que Jesse venait de quitter.

— Où est-il?

— À la quincaillerie. Il veut installer un système d'arrosage. Il lui faut le prix des tuyaux.

Julia soupira.

— J'adore Jesse, dit-elle en prenant une bouchée de muffin aux myrtilles. Je n'ai jamais rencontré un homme aussi délicat. Je me dis parfois que je suis bien folle de ne pas lui faire des avances. Mais j'ai déjà Howell, et Jesse ne s'intéresse pas à moi. C'est à toi qu'il s'intéresse.

— Tu crois? demanda Leah.

Était-ce si évident?

Julia prit un air entendu.

— Il n'y a qu'à voir comment il te regarde. Il ne regarde personne de cette façon, et je ne suis pas la seule à l'avoir remarqué. Depuis quarante minutes, trois autres personnes m'ont dit la même chose.

— Ah, mon Dieu!

Julia sourit.

— Ne t'inquiète pas. Vous formez vraiment un beau couple. Évidemment, tout le monde est curieux de voir la suite. Tu comprends, c'est un peu ironique, après ce qui est arrivé à ta mère.

— Ironique?

— Ça doit être génétique. Une façon particulière de réagir

quand vous êtes loin du monde. C'est vrai aussi que les intellectuels sont guindés. Les hommes qui travaillent de leurs mains ont les mains habiles, si tu vois ce que je veux dire. Leah ? Leah, m'écoutes-tu ?

Leah était abasourdie. Elle ne put s'empêcher de poser la question, même si la réponse lui semblait maintenant évidente.

— Qu'est-ce qui est arrivé à ma mère ?

Julia perdit son assurance.

— Tu le savais déjà, n'est-ce pas ?

— Qu'est-ce qui s'est passé ?

— Merde !

— Dis-le-moi, Julia.

— Ça ne devrait pas être à moi de te l'apprendre. Elle aurait bien pu te le dire elle-même. Quelle autre raison aurait-elle eue d'acheter Star's End ?

— Je dois l'entendre pour le croire. Je t'en prie.

Julia soupira et dit à contrecœur :

— C'était elle, Leah. Avec le jardinier.

15

Wendell arriva sur la galerie du magasin général plus tôt que d'habitude, et en rogne. Il n'entra même pas se chercher un café.

Pour empirer les choses, Clarence était en retard. Il descendait la rue d'un pas tranquille et il prit tout son temps pour gravir les marches et s'asseoir sur le banc.

— C't'à c't'heure que t'arrives, bougonna Wendell.

Clarence s'installa sur le banc et le salua comme d'habitude.

— Wendell.

Wendell posa les mains sur ses cuisses. Il jeta un coup d'œil dans la rue principale, l'air bourru.

— Jesse tourne autour d'la plus jeune. Savais-tu ça ?

Clarence avait entendu dire qu'on les avait vus ensemble, et qu'ils avaient l'air épris l'un de l'autre. Il avait bien regardé la fille. Il ne pouvait pas blâmer Jesse.

— J'les ai vus ensemble moi-même, dit Wendell, ça donnera rien de bon.

Clarence mit sa pipe entre ses dents.

Wendell le regarda.

— Pis alors ?

Clarence sortit sa blague à tabac.

— Alors quoi ?

— C'est pas correct qu'elle soit assise quasiment sur ses genoux quand y conduit sa camionnette.

— Y a pas de loi contre ça.

243

— Y devrait.

— On a fait ça nous autres aussi quand on était jeunes.

— Ça fait rien. Ça fait mauvais effet. J'te l'dis, ça va faire du trouble à Star's End, pis on a toujours pas vu la maman.

Clarence retira la pipe de sa bouche, l'introduisit dans la blague et en remplit le fourneau de tabac.

— Malcolm, y dit qu'elle est morte, déclara Wendell.

— Gus, y dit qu'elle est à New York.

— Morte, répéta Wendell. Depuis longtemps.

Clarence savait que si Virginia St. Clair avait été morte, on l'aurait su au village. On n'avait jamais cessé de s'intéresser à elle à Downlee.

— Elmira, elle dit quoi?

Wendell ronchonna.

— Elmira, elle dit qu'elle s'en vient, mais Elmira, elle dit n'importe quoi. Moi, j'dis qu'elle est morte.

— Si elle est morte, qui c'est qu'a acheté Star's End?

— Les filles, probable.

Clarence n'en croyait rien.

— Pourquoi elles auraient fait ça? Star's End les intéresse pas. Elles connaissaient même pas l'histoire de la maman avec Will.

Wendell lui lança un regard noir.

— Qui t'a dit ça?

— La plus jeune parlait avec Julia. Quand ç'a échappé à Julia, elle est devenue blanche comme un drap.

Wendell le regarda droit dans les yeux.

— Comment ça s'fait qu'tu sais ça?

— J'l'ai vue, dit Clarence en remettant sa pipe dans sa bouche.

— Comment ça, tu l'as vue?

— J'étais Chez Julia.

— Qu'est-ce que tu faisais là?

Chez Julia était un territoire ennemi. Clarence n'avait pas

affaire à aller Chez Julia. Wendell ne pouvait plus faire confiance à personne.

— Elle fait de bons muffins, dit Clarence.

Il frotta une allumette et l'approcha du tabac.

— Sais-tu c'qu'y a dans ces muffins?

— D'la farine, du beurre, des noix.

— T'es-tu jamais demandé pourquoi tu les trouves si bons?

Clarence regarda froidement Wendell.

— Ouais, c'est sûr, dit Wendell en hochant la tête d'un air supérieur, y a quelque chose de louche dans ces muffins.

— C'est juste que t'aimes pas Julia.

— C't'une étrangère.

— Ça fait trois ans qu'elle est ici.

— Ça fait rien. Tu devrais pas l'encourager.

Clarence s'étira les jambes.

— On s'était mis d'accord, l'accusa Wendell.

— Y a juste toi qui as dit ça.

Wendell le regarda fixement pendant un instant puis dirigea son regard vers la rue.

— Et à part ça, ajouta Clarence, j'vois rien de mal à c'que Jesse fasse la cour à Leah. C'est la plus jeune, Leah.

— Ça va faire un paquet d'ennuis. Ça m'a l'air d'une sainte nitouche.

— C't'un beau brin de fille.

— Mais c't'une étrangère.

— Bon Dieu! Wendell, c'est comme ça de nos jours. Le village est plus pareil, que t'aimes ça ou pas.

Wendell était furieux. Il se leva en grognant.

— J'vas m'chercher un café, dit-il en entrant dans le magasin.

Clarence posa son bras sur le dossier du banc. Il tira une longue bouffée de sa pipe et laissa échapper un nuage de fumée. Quand Callie Dalton monta l'escalier, il porta un doigt à la visière de sa casquette.

— 'jour, Callie.

— 'jour, Clarence.

— Prends garde à Wendell.

Callie jeta un coup d'œil prudent par la porte moustiquaire. Elle s'écarta rapidement quand Wendell sortit en trombe, puis elle disparut à l'intérieur.

— Café irlandais, ricana Wendell en humant le contenu de sa tasse d'un air dégoûté. J'me demande bien c'qui va pas avec un café ben ordinaire.

— C'qui va pas, dit Clarence, c'est que c'est ennuyant. Ça goûte rien.

Wendell ronchonna.

— Et à part ça, ajouta Clarence, ça ferait pas de tort si y avait une nouvelle histoire d'amour au village. La vieille commence à être usée.

Wendell le dévisageait.

Clarence tirait sur sa pipe. Il finit par regarder Wendell à son tour.

— Le tabac t'ramollit le cerveau, lui dit celui-ci.

— Non. C'est juste que j'trouve qu'ces deux-là vont bien ensemble.

— Elle va l'faire mourir, comme la maman a fait mourir Will. J'trouve que c't'une honte. Jesse est notre meilleur espoir.

— Espoir de quoi? De sauver le passé? Non, c'est pas vrai. Jesse va d'l'avant. Y est plus malin que toi pis moi ensemble.

— C't'un gars du village comme nous autres.

— Le village change. Vaut mieux qu'tu t'y fasses, Wendell. Julia va continuer à vendre des muffins. Y va y avoir un chapitre sur les spaghettis dans le Church Ladies' Cookbook. Y va y avoir de plus en plus de sortes de café.

Wendell crachota.

— Comme je vois ça, poursuivit Clarence, on a le choix. Ou bien on suit le mouvement, ou bien on se laisse mourir. Moi, j'suis pas pressé de mourir. J'me fiche de c'que Julia met dans ses muffins, si y sont bons. De toute manière, j'ai jamais aimé les p'tits pains rabougris que Mavis servait avec le café que t'aimais tant.

16

Caroline n'en croyait pas ses oreilles. Le plus calmement possible, elle demanda à Doug de répéter ce qu'il venait de dire.

— Tu n'as pas vu les nouvelles télévisées ? lui demanda-t-il d'abord.

— Non. Nous ne les regardons pas ici.

— Ça explique tout. Je me disais qu'il devait y avoir une raison pour que tu n'aies pas encore téléphoné.

— D'accord, explique-moi maintenant pourquoi vous ne m'avez pas appelée, dit-elle, outragée. Luther Hines est mon client, pas celui de Walker Housman. Je travaille avec Luther et son fils depuis maintenant trois ans.

— Il a avoué, Caroline. Il a tué le gamin.

Caroline trouvait toujours l'histoire aussi difficile à avaler. Elle en avait même la nausée. Elle avait passé d'innombrables heures avec Luther pour essayer de tirer son fils du pétrin. D'abord quand il avait été accusé de harcèlement sexuel envers une enseignante au collège. Puis quand il avait été accusé de détournement de mineures à l'université. Dans les deux cas, elle avait réussi à obtenir un sursis, avec psychothérapie. Avaient suivi maintes accusations de conduite en état d'ébriété qui avaient entraîné des amendes et la suspension de son permis de conduire et maintes disputes violentes au cours desquelles il en était venu aux coups avec son père, mais qui n'avaient entraîné aucune intervention policière.

Caroline n'aurait jamais pensé que les choses en arriveraient là.

— Qu'est-ce qui s'est passé au juste?

— Luther affirme qu'il s'agit de légitime défense. Ils se disputaient. Le gamin s'est jeté sur lui un couteau à la main. Malheureusement ce n'est pas le couteau qui a tué le garçon.

— Non? Quoi alors?

— Il a été étranglé.

— Par Luther? C'est impossible.

— Luther était seul avec lui. Il a appelé la police lui-même et il a avoué.

Même si Caroline savait que Luther pouvait s'emporter – Jason avait de qui tenir –, elle ne l'avait jamais vu perdre le contrôle jusqu'à devenir violent. Bien sûr, Jason l'exaspérait, mais il y avait loin de l'exaspération à la haine, ou à tout autre sentiment qui aurait pu l'inciter à commettre un meurtre. Peut-être avait-il eu peur? Pourtant, Luther adorait son fils. À part les associés chez Holten, Wills et Duluth, Dieu seul savait les sommes faramineuses qu'il avait versées à Caroline pour sortir le gamin du pétrin.

Tout en ravalant ses émotions, elle dit :

— Il avait le droit de faire un appel téléphonique au moment de son arrestation. Qui a-t-il appelé?

— Toi, mais tu n'étais pas là, alors Walker a pris l'appel. C'était en pleine nuit, Caroline. Walker s'est tiré du lit pour aller le retrouver au poste de police et l'a accompagné à la cour hier matin.

— Juste assez pour être considéré comme l'avocat responsable de la cause, dit-elle un peu sceptique. J'ai téléphoné hier, Doug, et personne ne m'a soufflé mot de cette histoire.

Elle avait l'impression d'avoir été trahie.

— Parce que ce n'est pas ta cause, mais celle de Walker.

— Mais Luther est mon client, dit Caroline en tentant de garder son calme. C'est moi qui devrais le défendre.

— Tu n'étais pas là.

— Si Walker m'avait téléphoné, je serais rentrée par le premier vol. J'aurais pu être de retour à temps pour la comparution. Des associés ne devraient pas se chiper des causes entre eux.

— Voyons, Caroline. Tu fais un drame pour rien. De fait, Walker Housman a défendu pas mal plus de suspects de meurtre que toi.

— Pas tant que ça, si on tient compte des causes que j'ai assumées pour la poursuite.

— Le travail de la défense est différent.

Caroline se sentait doublement trahie. Doug avait toujours été son allié dans le cabinet.

— Veux-tu dire que Walker va faire du meilleur travail que moi?

— Je veux simplement dire que tu devrais laisser tomber. Luther Hines sera bien défendu. C'est ce qui compte, après tout.

— Mais je connais Luther bien mieux que Walker. J'ai travaillé avec lui. Je suis convaincue de son innocence.

— Caroline, il a avoué.

— Ce n'est pas un meurtrier, Doug. C'est un type bien qui a peut-être agi en état de légitime défense ou de panique ou qui a eu un moment d'aliénation mentale. J'ai confiance en lui. Je suis certaine qu'il doit souffrir le martyre. Son sentiment de culpabilité l'amène peut-être à rechercher un plus grand châtiment que celui qu'il mérite.

— Luther Hines? Tu n'es pas sérieuse! Il garde toujours son sang-froid. S'il est devenu un homme d'affaires prospère, c'est parce qu'il sait tirer son épingle du jeu.

— Il est aussi candidat aux élections à la mairie, ou il l'était du moins, ce qui veut dire que dans cette cause l'avocat sera sous les feux de la rampe. Tu ne penses pas que c'est ce qui pourrait intéresser Walker, n'est-ce pas?

Doug ne répondit pas tout de suite.

— Tout ça en mon absence. Walker est un faux jeton. Tu peux le lui dire de ma part, Doug.

Elle reposa violemment le combiné, traversa la salle de séjour à grands pas et se laissa tomber dans un fauteuil.

— Un de mes associés vient de me chiper une cause importante, dit-elle à Annette qui était allongée sur le canapé.

— Est-ce que c'est illégal ?

— Non, pas illégal. Seulement malhonnête. Merde ! c'est vraiment malhonnête, s'écria-t-elle.

Elle bondit hors du fauteuil et retourna dans la cuisine. Une minute plus tard elle avait la secrétaire de Walker Housman en ligne.

— Il est en réunion, madame St. Clair.

— Il faut absolument que je lui parle. Ça ne sera pas long.

La secrétaire la mit en attente, puis reprit elle-même la communication.

— Je suis désolée. Il ne peut pas prendre votre appel maintenant.

— C'est au sujet de la cause Hines. Voulez-vous le lui dire ?

Elle croyait vraiment que Walker s'empresserait de répondre pour se justifier de s'être approprié la cause, mais c'est de nouveau la secrétaire qui lui annonça :

— Il ne peut vraiment pas vous parler maintenant.

— Quand alors ? demanda Caroline en pianotant sur le comptoir.

Elle aurait bien pris une cigarette. Ou plutôt, non. Elle ne retomberait pas dans son vice à cause de quelqu'un comme Walker Housman.

— Voyons voir, dit la secrétaire. Il est en réunion presque toute la journée. Peut-être vers la fin de l'après-midi... non, ça n'ira pas.

Caroline bouillait.

— Passez-le-moi tout de suite alors.

— Donnez-moi plutôt le numéro où il peut vous joindre et je lui ferai le message.

Caroline se demandait ce qui la choquait le plus entre l'ingérence continuelle de la secrétaire et le refus de Walker de lui parler. Elle savait très bien ce qu'il ferait de son message. Il en ferait une boulette qu'il balancerait dans la première corbeille à papier sur son chemin.

Caroline pensa alors qu'elle avait peut-être un autre recours.

Elle donna consciencieusement son numéro de téléphone à la secrétaire, puis elle coupa la communication. Elle composa de nouveau et, cette fois, elle réussit à parler à qui elle voulait.

Membre du comité exécutif, Graham Howard faisait partie de l'équipe de direction du cabinet. Si Caroline voulait porter plainte, c'est là qu'elle devait s'adresser.

Graham fut aussi chaleureux que d'habitude à son égard.

— Comment se passent tes vacances, Caroline? lui demanda-t-il.

— Tout allait très bien jusqu'à ce que j'apprenne ce qui arrive à Luther Hines. Je viens à peine d'essayer de joindre Walker, mais il refuse de me parler. Je dois dire, Graham, que la conduite de Walker me consterne.

Graham ne fit pas semblant d'ignorer ce qu'elle voulait dire. Il présenta toutefois la chose de son point de vue à lui.

— Je comprends que tu sois désappointée. Ce sera une cause intéressante à plaider.

— Luther est mon client. Cette cause est à moi.

Il y eut une pause. Puis Graham ajouta, toujours poliment :

— Pas du tout. Walker est l'avocat désigné. Luther est d'accord.

— Est-ce qu'il a eu le choix?

— Je ne sais pas. Il faudrait que tu demandes à Walker.

— Je l'aurais fait, s'il avait accepté de me parler. Mais il a refusé. Probablement parce qu'il savait pertinemment pourquoi je l'appelais. Ce n'est pas juste, Graham.

— Comment ça, Caroline? Walker est un avocat de la défense chevronné. Il va fournir à Luther la meilleure représentation possible.

— Il ne fera pas un meilleur travail que moi, et Luther est mon client.

— Mais tu n'étais pas là. Je ne comprends vraiment pas pourquoi tu es si contrariée.

Elle serra les poings pour essayer de garder son sang-froid.

— Je suis contrariée, dit-elle posément, parce que je suis l'avocate de Luther Hines depuis maintenant trois ans. J'ai beaucoup travaillé pour développer de bonnes relations avec lui, ce qui a été tout à l'avantage du cabinet. Cette cause me revient de droit.

— Non. Pas du tout. C'est Walker qui va défendre cette cause. Le cabinet en profitera. Vraiment, Caroline, il n'y a pas de quoi en faire tout un plat.

— Je n'en fais pas tout un plat, dit-elle le plus raisonnablement possible.

— Oui, c'est ce que tu fais. Walker n'a rien fait de mal. Il est normal que des associés collaborent.

— S'il s'agissait de collaboration, Walker m'aurait appelée avant la comparution. Il m'aurait informée du sort de mon client. Il m'aurait consultée sur la meilleure façon de le défendre.

— Walker sait déjà comment présenter sa défense. Il va plaider l'aliénation mentale temporaire. Tu sais aussi bien que moi, Caroline, que tu n'as pas eu beaucoup de succès en présentant ce type de défense récemment. La cause Baretta a été une affaire embarrassante. Laissons Walker s'occuper de celle-ci. Ce sera préférable pour tout le monde.

Caroline était abasourdie. Elle était incapable de réfléchir ou de parler. En une seconde, elle entra dans une colère noire.

— Je veux que tu saches, dit-elle avec des trémolos dans la voix, que je trouve ce que tu viens de dire parfaitement insultant.

Graham soupira.

— C'est ton problème, pas le nôtre. Si tu veux rester en lice, tu dois apprendre à passer l'éponge sur ce genre de choses. C'est une question de professionnalisme.

— Peut-être, mais moi je te parle plutôt d'éthique, de respect mutuel et d'honnêteté.

— On dirait une accusation.

— Qui se sent morveux se mouche, lui suggéra-t-elle.

— Je vais faire comme si tu n'avais rien dit. Tu es contrariée. Tes paroles dépassent ta pensée. C'est une bonne chose que tu ne sois pas ici, Caroline. Il est évident que tu avais besoin de ces vacances. Je dois prendre un autre appel maintenant. On en reparlera à ton retour.

Caroline raccrocha le combiné, traversa la pièce et se jeta dans un fauteuil.

— Je n'en crois pas mes oreilles. Il dit que c'est moi qui ai un problème. Est-ce que je me suis laissée emporter?

— Je t'ai trouvée bien raisonnable, dit Annette.

— Moi aussi. Certains hommes sont incapables de se débarrasser de leurs préjugés envers les femmes, même en face de l'évidence. Je suis absolument outragée.

Elle poussa un grand soupir.

— Qu'est-ce que tu peux faire?

Rentrer, pensa-t-elle. Prendre le premier avion à destination de Chicago, pensa-t-elle. Mais elle n'avait pas du tout envie de le faire. Elle avait mérité ses vacances. Elle avait le droit de passer du temps avec sa famille.

Dans un autre soupir, sa colère se transforma en résignation.

— Je peux porter plainte au comité exécutif du cabinet, mais ça me ferait probablement autant de tort que de bien. Je m'en suis bien rendu compte au cours de la conversation que je viens d'avoir avec Graham. Si j'étais un homme, on considérerait que je défends mes droits. Comme je suis une femme, on va me trouver pleurnicheuse. Et emmerdeuse. Après tout, c'est vrai que je n'étais pas là quand Luther Hines a téléphoné. Walker Housman y était.

Annette se tourna vers elle.

— Es-tu en colère?

— Je suis furieuse.

— On ne dirait pas.

Caroline en était consciente. Si loin de Chicago, elle ne trouvait pas l'énergie nécessaire pour tempêter.

— Je le suis pourtant, rationnellement. J'ai l'impression d'avoir été trahie. Ce sont les toutes premières vacances que je prends depuis que je me suis jointe au cabinet. Il me semblait bien que quelque chose de ce genre se produirait. Pourquoi ?

Elle n'avait pas sitôt posé la question qu'elle y répondit elle-même.

— Parce que dans ce monde où je travaille, l'homme est un loup pour l'homme, et que mes associés sont des mufles. Ils réussissent parce qu'ils sont implacables. Malheureusement, ils le sont aussi quand ils ne devraient pas l'être.

— Tu n'es pas comme ça.

— Merci bien.

— Je suis sérieuse.

— Moi aussi, dit Caroline.

Merde ! Elle n'avait vraiment pas envie de rentrer en quatrième vitesse chez Holten, Wills et Duluth.

— Merci.

— Il n'y a pas de quoi. Mais alors, pourquoi travailles-tu à cet endroit ? Comment fais-tu pour le supporter ?

— C'est ce que Ben me demande toujours.

Elle ressentit tout à coup un pincement au cœur en pensant à lui. Elle s'ennuyait de sa voix, de sa solidité, de ses points de vue simples et réalistes. Elle s'ennuyait de ses visites inopinées et du plaisir qu'elles lui apportaient.

Elle avait essayé de lui téléphoner la veille au soir. Il n'était pas à la maison.

— Il pense que je devrais ouvrir mon propre cabinet, plus petit, plus humain.

— Pourquoi ne le fais-tu pas ?

Caroline ne savait que répondre. Même en y réfléchissant, elle restait perplexe.

— Je ne sais pas. J'ai toujours voulu être associée dans le cabinet le plus gros et le plus important possible.

Y restait-elle alors simplement par habitude ?

— Tu as donc réussi. Tu es la principale associée dans votre cabinet. Mais ça n'a pas l'air tellement extraordinaire.

Caroline se croisa les jambes.

— Veux-tu que je te dise? C'est pitoyable. Ces hommes jouent constamment un jeu, Annette. Ils s'arrachent les heures de travail facturées, les femmes, les nominations aux conseils d'administration des fondations et les adhésions à des clubs. Quand il y a une pause pendant les réunions d'associés, sais-tu de quoi ils parlent? De voitures! Pas de leurs enfants. Pas de leurs vacances en famille. Pas de l'achat d'un cadeau pour l'administrateur qui va prendre sa retraite. De voitures.

Elle brandit une main pour marquer son exaspération.

— Je ne sais pas pourquoi je reste là! Quand j'y pense maintenant, assise ici, je trouve que ça n'a aucun sens!

— Salut, les filles.

Caroline arrêta de balancer sa jambe. Elle alla au-devant de Leah.

— Grand Dieu! Leah. On dirait que tu viens de voir un fantôme.

C'était le cas, d'une certaine façon. Les paroles de Julia encore fraîches à la mémoire, Leah essayait d'en saisir le sens, de comprendre pourquoi Ginny n'avait jamais rien dit, de comprendre pourquoi Jesse ne lui avait rien révélé, de comprendre ce qui lui arrivait. Elle se sentait bouleversée et blessée.

Elle s'assit à l'extrémité du canapé d'où Annette venait de retirer ses jambes. Elle appréciait la présence de ses sœurs. D'un seul coup, passé, présent et futur semblaient se fondre. Seules ses sœurs avaient assez de choses en commun avec elle pour pouvoir l'aider.

— Vous ne croirez jamais ce que je viens d'apprendre, dit-elle d'une voix tremblante. En fin de compte, maman est déjà venue ici. Papa et elle avaient loué Star's End un été. C'était bien avant ta naissance, Caroline. Pendant son séjour ici, elle a eu une liaison avec le jardinier.

Ses deux sœurs avaient l'air ébahies. Caroline finit par dire :

— Et moi, je suis le pape.

— Je te jure que c'est vrai.

— C'est ridicule, dit Annette.

Caroline acquiesça.

— Il y a sûrement erreur sur la personne.

— Si c'est le genre de cancans qu'on aime faire dans ce village...

— ...Ginny ferait mieux de s'installer ailleurs.

Elles la regardaient fixement, pour l'inviter à retirer ce qu'elle venait de dire. Elle se contenta de soutenir leur regard. Elle n'avait pas voulu le croire elle non plus. Elle avait eu la même réaction qu'elles. Jusqu'à ce qu'elle y réfléchisse davantage.

C'est apparemment ce qu'Annette était en train de faire aussi, car son regard perdit de son assurance.

— C'était donc elle ?

Caroline, elle, restait imperturbable.

— C'est impossible. Pas Ginny. Elle n'a pas pu avoir une liaison. Elle est trop convenable. Elle n'aurait jamais osé.

— C'était un arrangement parfait, continua Leah. Papa faisait régulièrement la navette. Il passait cinq jours par semaine à Philadelphie et les deux autres ici.

— Qui t'a dit ça ?

— Julia. Je sais, elle n'est ici que depuis trois ans, alors comment le saurait-elle ? Mais les gens du village bavardent quand ils vont à son restaurant. Les bavardages ont commencé dès que maman a acheté Star's End et ils n'ont pas cessé depuis. Rappelez-vous. Toute la curiosité qu'ils manifestent au sujet de Ginny.

— C'est bien compréhensible, raisonna Caroline. Une étrangère achète tout à coup la plus grande propriété de tout le village.

— Mais pense au genre de questions qu'ils posent, insista Leah. Ils ne se demandent pas combien elle a d'argent, quelles améliorations elle va apporter au domaine, ou si elle a des projets de lotissement. Ils veulent savoir comment elle vivait à Philadelphie, si elle a continué à vivre avec papa, si elle a été heureuse.

Jesse lui avait posé ce genre de questions. Il savait qui était Virginia. La nuit précédente, dans la serre, Leah lui avait parlé de la légende. Il ne lui avait pas révélé ce qu'il savait.

Elle se demandait pourquoi, s'il l'aimait vraiment.

— Ils aiment fouiner dans la vie privée des gens, c'est tout, dit Caroline de façon péremptoire.

Mais Annette paraissait préoccupée.

— Penses-tu? Je me souviens comme j'ai été moi-même surprise quand j'ai pris connaissance de sa lettre. Je ne comprenais pas qu'elle m'écrive plutôt que de me téléphoner pour m'annoncer quelque chose d'aussi important que la vente de la maison où nous avons toutes grandi. Je ne comprenais pas pourquoi, à cette époque de sa vie, elle voulait plier bagage et déménager dans un endroit inconnu et peuplé d'étrangers. Je me disais qu'il devait bien y avoir une autre raison que son désir de se reposer. Si ce que Leah dit est vrai, tout s'explique.

— Pas du tout, rétorqua Caroline. À supposer que ce soit elle, pourquoi reviendrait-elle ici? Si elle a vraiment été mêlée à un scandale, elle éviterait à tout prix de se montrer de nouveau ici.

— C'est peut-être à son corps défendant, proposa Leah. Peut-être est-elle attirée ici en dépit de toute raison logique.

Elle pouvait très bien comprendre cela. Les gens agissaient souvent de façon tout à fait irrationnelle.

— Elle a peut-être un compte à régler.

C'était d'ailleurs parce qu'elle avait elle-même un compte à régler que Leah avait accepté l'invitation de Ginny à Star's End.

Un compte à régler? Tu parles! Elle venait plutôt d'ouvrir une vraie boîte de Pandore!

Annette avait les yeux écarquillés.

— Si elle a vraiment été éperdument amoureuse, son besoin compulsif de revenir ici s'explique.

— Maman éperdument amoureuse? marmonna Caroline. Admettons.

Elle se dirigea vers la terrasse avec un air renfrogné, puis revint aussitôt.

— Mais vous faites deux suppositions aussi invraisemblables l'une que l'autre. La première, c'est que l'irréprochable Ginny aurait bravé les interdits en ayant une liaison adultère. La deuxième, c'est qu'elle aurait été capable d'avoir une liaison. Je ne sais pas ce que vous en pensez, mais je suis absolument incapable d'associer le mot passion à notre mère.

Annette était figée.

— Mes enfants ont la même impression envers Jean-Paul et moi. Ça leur a pris du temps à admettre qu'ils ne doivent pas faire irruption dans notre chambre quand la porte est fermée.

— Non, ce n'est pas seulement parce que c'est ma mère, insista Caroline. Je l'ai observée toute ma vie. Elle n'a jamais eu de passion pour papa, pour nous, pour ses amies ou pour son club, ou même simplement pour son salon quand elle l'a fait redécorer il y a quelques années. Elle s'affaire à poser tous les gestes attendus sans jamais ressentir d'émotion véritable.

Leah pensait à elle-même, au genre de femme qu'elle était à Washington, véritable modèle d'aisance sociale aux manières onctueuses et aux reparties mielleuses. Était-elle passionnée quand elle était là-bas? Non. Était-elle passionnée ici? Oui. Intensément. Jesse faisait disparaître ses inhibitions. Dans ses bras, elle était une tout autre personne. L'attachement émotif qu'elle ressentait pour Star's End dépassait également tout ce qu'elle avait éprouvé jusqu'alors et faisait vibrer sa corde sensible.

— N'oubliez pas les églantines, s'écria-t-elle.

Elle n'arrêtait pas d'y penser. Elles lui paraissaient la preuve que Julia avait dit vrai.

— Maman a toujours fait élaborer son parfum spécialement pour elle. Vous souvenez-vous qu'elle en ait jamais porté d'autre?

— Non, mais...

— Une fois, j'ai trouvé une fragrance semblable, continua

Leah. Le flacon était ravissant, alors je le lui ai offert pour son anniversaire. Des années plus tard, il était toujours plein sur le plateau de sa coiffeuse. Je me suis dit qu'elle l'aimait tellement qu'elle voulait l'économiser, mais en réalité elle n'en voulait pas, un point c'est tout. Elle a toujours recherché l'odeur la plus pure, celle qui imprègne cet endroit. Est-ce une pure coïncidence si elle a acheté une propriété où on retrouve la senteur de son parfum? Ou bien porte-t-elle ce parfum parce qu'il a la senteur de la propriété qu'elle vient d'acheter? Si elle est cette femme qui, après avoir été éperdument amoureuse, est partie à la fin de l'été et n'est jamais revenue, elle avait peut-être besoin de quelque chose qui lui rappelle cet endroit pour l'aider à traverser la vie.

Annette était suffoquée.

— L'aider? Il me semble que ce rappel constant aurait plutôt dû lui causer une souffrance déchirante.

— Et à papa aussi, dit Caroline.

Elle était assise au bord du fauteuil, les mains serrées entre les genoux. Leah ne l'avait jamais vue l'air si vulnérable.

— Je suis capable de faire face à la plupart des problèmes que je rencontre dans la vie. Dieu sait que j'ai dû apprendre à le faire avec toute la merde professionnelle qui m'est tombée dessus au cours des ans. Tant que j'ai l'impression de contrôler la situation, ça va. Mais aujourd'hui, c'est une journée marquée d'une pierre blanche! Chicago d'abord, puis... maman?
acheva-t-elle avec une grimace incrédule.

— Que s'est-il passé à Chicago? demanda Leah.

Annette le lui expliqua.

— Oh! Caroline, je suis désolée.

La sympathie que Leah éprouvait maintenant pour Caroline lui permettait de comprendre que ce n'était pas la perte d'une cause qu'elle trouvait tragique, mais la trahison de ses associés.

— C'est drôle, dit Caroline sans le moindre sourire. Même si je suis en colère et blessée à cause de ce qui s'est passé à Chicago, je me sens pourtant bien loin de tout ça. Ce qui se passe ici me dérange bien davantage. C'est beaucoup plus important. Ça ébranle des convictions fondamentales, dit-elle en ravalant sa salive. Imaginons, imaginons seulement, que maman a eu une aventure amoureuse passionnée au début de son mariage. Ça remet bien des choses en question.

Leah avait été trop saisie par les révélations de Julia pour penser à ce qu'elles impliquaient, mais en écoutant Caroline son esprit se mit à vagabonder.

— Comme ses sentiments pour papa et ses sentiments pour nous...

— Et son attitude guindée, ajouta Annette, et sa préoccupation pour les apparences et pour sa position sociale.

— Ça nous amène à nous demander, hasarda Caroline, pourquoi elle a voulu nous réunir ici et pourquoi elle tarde tant à arriver. Ça jette un nouvel éclairage sur bien des choses. Si c'est vrai.

— Nous pourrions vérifier, dit Leah.

Elle ne pensait pas à Jesse. Elle se sentait incapable de situer sa relation avec lui tant qu'elle n'en aurait pas appris davantage au sujet de Ginny.

— S'il y a eu des photographies dans le journal, il doit en rester de vieilles copies quelque part. Le *Daily* existe toujours. Il a pignon sur rue au village.

Le *Downlee Daily* avait été créé en 1897. Ses premiers numéros ne comportaient qu'une seule page de potins locaux. Juste avant les années 1920, on le porta à quatre pages pour y inclure des nouvelles de la guerre qui furent ensuite remplacées par des nouvelles du comté. Vers 1950, le *Daily* était un hebdomadaire de douze pages qui contenait un amusant mélange de nouvelles, de résultats sportifs, de potins et de caricatures.

La photographie n'était pas à la une, ce qui était tout à l'honneur de l'éditeur. Mais, même reléguée en cinquième page, elle était frappante. Caroline regardait fixement le journal, maintenant jauni et parcheminé sur les bords. On ne pouvait pas s'y tromper.

Il s'agissait bien de Virginia. Mais une Virginia bien différente de celle qu'elle connaissait. Elle se sentait trahie.

À ses côtés, Annette et Leah parlaient tout bas pour que la femme qui leur avait montré les archives et qui était restée dans l'antichambre ne les entende pas.

— Elle a l'air si jeune.

— Elle l'était.

— Encore plus jeune que sur sa photo de mariage qui a pourtant été prise avant celle-ci.

— C'est à cause de ses cheveux. Ils sont ébouriffés.

— Et longs. Elle a dû les faire couper tout de suite après et ne les a plus jamais portés longs. Regardez son visage.

— Et regardez son visage à lui. L'amant de maman.

— Ça me fait tout drôle.

Caroline souffrait. Elle avait toujours considéré Virginia comme une personne dépendante, une femme ennuyeuse qui n'avait pas le courage de se démarquer de la masse. Mais cette Ginny-là n'avait pas eu peur de se démarquer. Elle avait toujours gardé son secret, sans le partager, même avec ses filles.

Caroline avait été le premier bébé de Ginny. Elle avait été sa fille unique pendant trois ans. Ça ne lui donnait évidemment pas plus de droits qu'à Leah ou Annette. Elle se sentait quand même offensée. On voyait bien sur cette photo que Ginny était profondément amoureuse. Caroline avait l'impression d'avoir été flouée.

— Simon dit que son regard est plein de dévotion, marmonna-t-elle.

— Elle n'a jamais regardé papa comme ça.

— Elle ne nous a jamais regardées comme ça.

— C'est un bel homme.

— Grand Dieu ! ils se tiennent par la main.

— En plein milieu du village ?

— Derrière l'église, dit Caroline qui poursuivit en lisant le journal. « La Foire annuelle de la moisson de Downlee s'est tenue vendredi dernier sur le terrain de base-ball derrière l'église de la First Congregational Church. Virginia St. Clair, maîtresse de Star's End pour l'été, y était. Elle a participé à la fête avec son jardinier, Will Cray. »

Leah arracha le journal des mains de Caroline.

— Qui ?

— Le père de Jesse ? demanda Annette.

— Sans doute.

Ils ne se ressemblaient peut-être pas trait pour trait, mais Caroline leur trouvait le même charme un peu rude.

— Le compte rendu ne serait pas compromettant s'il n'y avait pas la photo. Oublions le fait qu'ils se tiennent par la main. Simon a raison. La façon qu'elle a de le regarder ne laisse aucun doute.

— Will Cray ? répéta Leah d'une voix pitoyable.

Elle rendit le journal à Caroline.

— Qu'est-ce qui est arrivé ensuite d'après vous ? murmura Annette. Est-ce qu'elle a fait une entente avec papa pour éviter le divorce ? Bon Dieu ! je ne peux pas le croire. Je suis incapable d'imaginer que maman ait eu une liaison. Elle ne s'est certainement plus jamais écartée du droit chemin après notre naissance.

Caroline essayait d'imaginer cette autre Ginny. Elle avait de la difficulté à reconnaître la femme distante qui l'avait élevée dans la femme passionnée qu'on voyait sur la photo. La femme passionnée semblait se moquer de la femme distante. La femme passionnée semblait se moquer de ce que Caroline avait vécu pendant son enfance.

Frustrée, elle laissa tomber le journal.

— Je continue à croire que c'est un mensonge.

— Voyons ! s'écria Annette. Tout est là en noir sur blanc.

Caroline rencontrait souvent ce genre d'objection à la cour.

— Le noir sur blanc peut induire en erreur. Les choses prennent souvent un tout autre sens lorsqu'elles sont considérées hors contexte.

— Tu te racontes des histoires, Caroline.

— J'essaie de me faire une vue d'ensemble. Il y a quelque

chose qui ne va pas dans cette photo, dit-elle en indiquant le journal.

— Tu ne diras tout de même pas que ce n'est pas une photo de maman.

— Non ! c'est bien elle, dit Caroline.

Elle se rendait compte que leurs voix s'élevaient assez pour qu'on les entende, et elle le souhaitait presque pour réfuter les allégations faites sur le compte de Ginny.

— Mais nous interprétons peut-être mal son expression. Pour ce que nous en savons, elle était peut-être en train de parler de papa à Will Cray.

— Je ne peux absolument pas associer ce regard-là à celui qu'elle avait pour papa.

Caroline non plus. Mais pourtant.

— Il arrive que l'éloignement fasse grandir l'amour. Il était absent cinq jours sur sept. Elle s'ennuyait peut-être de lui.

— Caroline, Will Cray et elle se tiennent par la main.

— Et après ? Il y a six mois, j'ai dû travailler avec le procureur du district pour préparer une de mes causes. C'est mon ancien patron. Et c'est aussi un ami. Un jour, je suis entrée dans le hall au moment où il revenait de déjeuner. Il a dit quelque chose. Nous avons ri. Il m'a prise par la main et m'a fait entrer dans l'ascenseur. Quelqu'un aurait pu nous photographier alors et présumer que nous avions une liaison, mais il se serait fourvoyé. Pourquoi êtes-vous si facilement prêtes à présumer que c'était le cas pour maman ? Nous n'avons pas de preuve.

— Tout le village est au courant !

— Est-ce qu'on les a surpris ensemble dans le même lit ? demanda Caroline. Évidemment, il y a les potins. Évidemment, il y a la légende. C'est le genre de bobards qu'on aime bien raconter dans les petits villages. Je persiste à croire qu'il s'agit d'une mystification.

— Pas du tout, dit une voix grave en provenance de la porte.

Leah se tenait de ce côté-là, les bras croisés, et Caroline

pensa d'abord que c'était elle qui venait de parler. Mais il y avait quelqu'un d'autre dans l'embrasure de la porte.

Martha Snowe était la rédactrice en chef actuelle du *Down-lee Daily*. Elle était grosse, mal fagotée et rougeaude. Elle semblait intervenir à contrecœur, bien que sa voix fût assurée. Caroline eut l'impression qu'elle aurait préféré ne pas s'immiscer dans leur conversation, mais qu'elle se sentait obligée de le faire, ce qui donnait une certaine crédibilité à ce qu'elle avait à dire.

— Est-ce que vous viviez ici alors?

— Oui. J'avais dix-sept ans.

— Continuez.

— La venue de vos parents cet été-là fut un véritable événement. Nous étions plus provinciaux à l'époque, et ils étaient riches et séduisants. Quand votre mère descendait la rue principale, mes amies et moi nous l'observions et nous rêvions de lui ressembler un jour. Elle était raffinée. Elle marchait comme il faut. Elle parlait comme il faut. Et elle était gentille. Tout le monde l'aimait. Alors on l'invitait aux pique-niques et aux fêtes qui se donnaient au village, et il était normal que Will la conduise.

Elle fit une pause. Caroline l'invita à continuer.

— Il la conduisit de plus en plus souvent, non seulement aux activités du village, mais chaque fois qu'elle quittait Star's End, dit-elle très doucement.

— Il n'y a rien de mal là-dedans.

— On les a vus traverser le village tard le soir, ajouta-t-elle plus doucement encore.

— C'était son chauffeur.

— Mais elle n'était pas assise sur le siège arrière, dit-elle dans un murmure.

Caroline commençait à avoir une idée précise.

— Ils étaient assis près l'un de l'autre?

— Très près.

— Qui les a vus?

— Plusieurs personnes. À plusieurs reprises. Le chef de police aussi.

Annette paraissait inquiète, Leah était livide, et Caroline ne trouvait plus d'échappatoires.

— C'est ça l'origine de la légende ? Deux personnes assises tout près l'une de l'autre dans une voiture ?

Martha hocha la tête.

— Ils ont aussi été vus ensemble dans le bois à Star's End.

— Dans une situation compromettante ?

— Très.

— Par des intrus, accusa Caroline. Des gens qui n'avaient pas à faire dans la propriété de maman.

— Il y a toujours eu une entente entre le village et les propriétaires de Star's End. Les gens de Downlee peuvent y aller autant qu'ils le veulent s'ils se tiennent bien et s'ils ne s'approchent pas de la maison. Ceux qui y étaient ce soir-là ne faisaient rien de mal.

— Des adolescents ?

— Des artistes.

Caroline mit les mains dans les poches arrière de son jean. Les artistes qu'elle avait rencontrés à Downlee lui rappelaient Ben. Sans être complètement excentriques, ils ne suivaient pas les sentiers battus. Ils n'auraient pas été scandalisés de voir Ginny et Will simplement se promener dans le bois et n'auraient pas répandu de faux ragots au village.

Ça devait donc être vrai. Elle était abasourdie. Elle regarda ses sœurs. Elles étaient également consternées. De son air le plus digne, elle dit :

— Je pense que nous devrions rentrer.

Elles ne se dirent pas un mot en se rendant à la voiture, ni après qu'Annette eut pris le volant pour quitter Downlee. Caroline ruminait tout ce temps, essayant de comprendre pourquoi elle était si troublée alors qu'elle se sentait si loin de Ginny.

Quand elles arrivèrent à Hullman Road, elle dit enfin :

— J'ai toujours pensé que maman était froide de nature.

J'attribuais sa réserve à une limitation de sa personnalité, ce qui m'aidait à l'accepter. Ça n'avait rien à voir avec moi, n'est-ce pas ? Elle était comme ça, c'est tout. Mais, si j'en crois cette histoire, elle était parfaitement capable d'éprouver de l'amour. Elle a tout simplement choisi de ne pas nous en donner.

— Peut-être, dit doucement Annette, ou peut-être n'avait-elle plus d'amour à donner.

Caroline sentit un pincement au cœur et, dans son sillage, la montée d'une grande tristesse. Elle n'avait pas encore eu le temps d'approfondir ce qu'elle éprouvait qu'elles étaient déjà arrivées à Star's End. La chose la plus urgente à faire était maintenant de retrouver Ginny.

Il n'y avait pas de réponse chez Lillian, ni à la grande maison vide qui avait été le foyer des St. Clair. Au club de golf, on ne l'avait pas vue non plus.

— Elle pourrait être n'importe où, dit Caroline.

Pensant que Leah pourrait avoir une idée des allées et venues de Ginny, elle se tourna vers elle.

Mais Leah avait déjà passé la porte-fenêtre et s'éloignait en direction de la piscine.

17

Leah se moquait bien que ses sœurs sachent où elle allait. Il fallait absolument qu'elle voie Jesse.

Au-delà de la piscine, elle courut vers le bois en traversant les jardins et la pelouse. Il n'y avait personne derrière les vitres épaisses de la serre. Elle ouvrit à la volée la porte moustiquaire du cottage. Jesse n'était pas à l'intérieur, ni dans l'appentis, ni dehors près de son camion stationné sous le soleil brûlant de l'après-midi.

Elle était dans tous ses états. Elle devait absolument le retrouver rapidement. Elle en venait presque à penser qu'il n'avait été qu'une création de son imagination, une sorte de réincarnation du fantôme de Will Cray. Elle repartit à la course vers la maison. Elle traversa l'allée et poursuivit sa route au-delà du jardin de bruyères en broussailles et des églantines au parfum envoûtant. Jesse n'était nulle part.

Retenant ses larmes, elle pénétra dans le bois, empruntant un ancien sentier tracé au milieu des bouleaux blancs, des épinettes et des pins. Le bois lui semblait familier, la présence de Jesse presque tangible. Elle suivit les lacets du sentier, marchant sur les aiguilles de pin et les racines à découvert, jusqu'à ce qu'elle débouche dans une clairière inondée de soleil, débordant de l'exubérance des fleurs sauvages. Jesse y était, en train de sarcler.

En le voyant, elle fut de nouveau tout émue et ressentit un tel désir qu'elle crut qu'elle en mourrait. Tiraillée par ses émo-

267

tions, elle restait au bord du champ, le souffle court. Il leva les yeux et lui fit un sourire qui se figea aussitôt. Il se précipita vers elle à grandes enjambées parmi les fleurs, et elle fut soudain effrayée. Les sentiments qu'elle éprouvait pour lui étaient trop forts. Toute sa vie semblait se concentrer en cet instant.

Elle recula instinctivement, mais il se mit à courir et la rattrapa avant qu'elle ne s'enfuît dans le bois.

— Laisse-moi, le supplia-t-elle alors qu'il l'enlaçait.

— Je ne pouvais rien te dire, Leah, murmura-t-il dans sa chevelure. Ce n'était pas à moi de le faire.

— Mais tu savais tout ! s'écria-t-elle en tentant de se dégager.

Il la serra plus fort.

— Oui, depuis que j'ai neuf ans, quand mon père m'a expliqué pourquoi ma mère était partie.

Leah l'entendait à peine.

— Tout ce temps, alors que je te posais des questions au sujet de la légende, tu connaissais la vérité !

— Je ne t'ai pas menti.

— Tu ne m'as pas dit tout ce que tu savais !

— Parce qu'elle ne t'avait rien dit ! répondit-il.

Il desserra un peu son étreinte sans la lâcher. Sa voix était rude, pressante et vibrante contre son oreille.

— Je pensais que tu étais au courant, surtout après que ta mère a acheté Star's End. Quand j'ai commencé à parler avec toi, j'ai constaté que tu ne savais rien. Je me suis alors dit qu'elle prévoyait vous en parler puisqu'elle vous avait fait venir ici. Je ne croyais pas avoir le droit de dévoiler son secret. Je pensais qu'elle devait avoir ses raisons pour s'être tue si longtemps.

— Et c'est par la rumeur publique que nous l'avons appris, s'écria-t-elle alors qu'il poussait un faible juron.

— Je suis désolé.

Il déplaça ses bras et l'étreignit avec une grande douceur cette fois. Sa tendresse l'envahit et la réchauffa de la tête aux pieds.

— Si j'avais su ce qui allait arriver, je te l'aurais dit moi-même, mais tu attendais toujours ta mère d'un jour à l'autre.

Elle se rappela la toute première fois où elle avait vu Jesse.

— Tu savais qui j'étais avant même que je te dise mon nom, dès le premier jour !

— Bon Dieu ! oui. Quand je t'ai vue, j'ai eu un coup au cœur, comme si j'avais été frappé à l'estomac. C'est ce que mon père m'a dit qu'il avait ressenti la première fois qu'il avait vu ta mère. Même si ça n'avait pas été le cas, la ressemblance m'aurait frappé. J'ai des photos, Leah. Un tas de photos que je n'ai trouvées qu'après la mort de mon père.

Elle perçut de la douleur dans sa voix et comprit tout à coup qu'il avait souffert lui aussi. Elle essaya de se rappeler ce qu'il lui avait dit au sujet de son enfance, de sa mère, de sa relation avec son père, et elle se rendit compte qu'il ne lui avait pas dit grand-chose. Elle lui jeta un regard interrogateur par-dessus l'épaule. Bien que moucheté par le soleil qui traversait les branches des pins à l'orée du bois, le visage de Jesse exprimait une profonde angoisse.

— Oh ! mon Dieu, soupira-t-elle.

Elle ne pouvait pas lui en vouloir. Il était victime de cette histoire, lui aussi. Elle ferma les yeux, se retourna vers lui et posa son front sur sa poitrine.

Il resta sans bouger pendant un moment, puis il l'attira vers lui et la serra bien fort dans ses bras. Quand il sentit que ses jambes fléchissaient, il la laissa glisser au sol, et ils se retrouvèrent assis en tailleur, face à face, genoux contre genoux, mains dans les mains. Sa voix était grave.

— Ma mère est restée avec nous jusqu'à ce que je sois en âge d'aller à l'école. Puis elle est partie. Elle a fait ses valises et elle a tout simplement disparu un jour. Mon père ne m'a rien dit à ce moment-là. Seulement qu'ils avaient des différends, et qu'il valait mieux qu'un garçon grandisse près de son père. Je me suis contenté de son explication et, comme il ne paraissait pas bouleversé, je ne l'ai pas été non plus. Une année est passée, puis

269

une autre. Je commençais à m'ennuyer d'elle, mais pas lui. Il ne manifestait pas beaucoup ses émotions. Il se contentait de se lever le matin, de faire son travail, puis de se coucher le soir. Il n'élevait jamais la voix, ne pleurait jamais.

— Oh! mon Dieu, soupira Leah.

Elle savait très précisément ce qu'il voulait dire.

— Moi, j'étais encore un enfant, continua Jesse, et je pleurais parfois, surtout quand je recevais des lettres de ma mère. Elle m'a écrit qu'elle s'était remariée et qu'elle avait eu deux autres enfants. Elle disait toujours que je devrais aller la voir un jour. Elle m'a même envoyé un billet d'avion pour mon neuvième anniversaire. J'aurais bien voulu y aller, mais je m'en sentais incapable. Je ne pouvais pas laisser mon père tout seul. C'était un personnage tragique. Il y avait une telle tristesse dans son manque d'émotions. Bien que je ne fusse qu'un enfant, je ressentais les choses même si je ne les comprenais pas encore.

— Quand t'a-t-il appris la vérité? demanda Leah.

Elle voyait la souffrance dans ses yeux, une souffrance d'enfant dans des yeux d'adulte, une souffrance d'autant plus poignante.

— Quand ce billet est arrivé. Nous nous sommes disputés. C'est une des rares fois où il a élevé la voix contre moi. Il m'a dit que je devais y aller. Je lui ai dit que je n'irais pas. Il m'a dit qu'il ne pouvait pas être un vrai père parce qu'il n'était que l'ombre d'un homme. Je lui ai dit que ce n'était pas vrai, mais il ne voulait rien entendre. C'est alors qu'il m'a parlé de ta mère.

— Est-ce que tu as été fâché?

— J'ai été attristé plutôt. C'était une histoire navrante. Il l'avait aimée de tout son cœur, et il l'aimait toujours autant, quatorze ans plus tard.

— En as-tu voulu à ma mère?

Jesse hocha doucement la tête.

— D'après mon père, elle n'avait pas vraiment eu le choix. C'était une femme respectable, de bonne famille. Il ne lui en voulait pas d'être partie, pas plus qu'il ne se reprochait de ne pas avoir essayé de la retenir. Des années plus tard, j'en ai voulu à ta mère du simple fait de son existence, mais il l'avait alors retrouvée.

Leah parut abasourdie.

— En imagination seulement, la rassura Jesse avec un sourire triste. Ils ne se sont jamais revus, n'ont jamais eu d'autres rapports. Les dernières années de sa vie, il agissait comme si elle était là. Il y a des gens qui se parlent à eux-mêmes. Lui, il parlait à Virginia. Il l'appelait toujours Virginia. Jamais Ginny. Il disait que c'était un beau nom noble. Mais il est toujours resté parfaitement lucide.

— Comme c'est triste ! soupira Leah.

— C'était un romantique. Il disait que son destin avait été d'aimer Virginia et de la perdre. Que, même s'ils ne se revoyaient jamais, elle garderait toujours une part de lui, une part qu'il ne pourrait jamais donner à quelqu'un d'autre, une part perdue, une part qui ne lui appartenait plus.

Annette avait dit à peu près la même chose au sujet de leur mère. Leah frissonna. Comment aurait-elle pu mettre l'histoire de Jesse en doute alors qu'elle éclairait si bien la personnalité de Ginny ?

— Y a-t-il eu d'autres femmes ?

— Aucune.

— Pas même une aventure sans lendemain ?

— Il n'aurait pas pu, Leah. Il était impuissant.

— Pas avec ta mère.

— Non, évidemment. C'était à l'époque où il essayait encore de se convaincre qu'il pourrait vivre normalement sans Virginia. Après le départ de ma mère, il a arrêté de s'en faire accroire.

— Pourquoi est-elle partie ? Sur quoi portaient leurs différends ?

— Sur la capacité de s'engager, de se consacrer à l'autre, d'aimer. Malgré l'affection et le respect qu'il lui portait, il était incapable d'éprouver un amour véritable pour elle.

— Bien des mariages survivent malgré cela.

Leah pensait en particulier à celui de ses parents à elle.

Jesse poursuivit son histoire.

— Ma mère n'était pas de Downlee. Elle était venue passer l'été, comme la tienne, et elle avait été attirée par mon père qui était un bel homme. Je suis né environ un an après leur mariage. Deux ou trois ans plus tard, elle s'est rendu compte de ce que l'avenir lui réserverait. Ça ne correspondait pas du tout à ce qu'elle voulait.

— Vit-elle encore ?

— Oui. Je la vois une fois par année. Pas ici. Elle ne reviendra jamais ici. Elle n'a pas aimé cet endroit autant que ta mère. Elle n'a pas aimé mon père autant que ta mère.

Leah était prostrée.

— La Ginny dont tu parles est tellement différente de celle que j'ai toujours connue ! Je n'en reviens pas.

Jesse se remit debout et l'aida à se relever.

— Viens. Je vais te montrer les photos.

Elle n'était pas certaine de vouloir les voir. Elle pensait qu'elle en avait vu assez pour la journée. Elle était cependant avide de tout connaître de la personne chaleureuse, sensible et aimante que sa mère avait été avec Will Cray.

Surtout, elle ne pouvait se passer de la présence de Jesse.

Elle mit sa main dans la sienne, et ils reprirent le sentier. À la sortie du bois, ils passèrent à côté des bruyères et des églantines et traversèrent l'allée pour se rendre à son cottage. Quand ils y furent, après avoir déplacé une pile de magazines, une grosse bougie, un morceau de bois flotté, il ouvrit un coffre dont il retira une grande enveloppe en papier kraft. Elle était vieille et usée. Son fermoir métallique était brisé depuis longtemps.

Il s'y trouvait près d'une douzaine de photos, prises en des jours différents et à des endroits différents. Leah reconnut la photo qui avait paru dans le journal. À part celle-là, une seule autre photo montrait un contact physique entre Ginny et Will. Appuyés l'un contre l'autre, ils étaient adossés à un garde-fou en bois au quai du village. Toutes les photos étaient pourtant aussi frappantes les unes que les autres, même sans contact physique.

Il y avait aussi autre chose dans la grande enveloppe. Un rameau d'églantier séché, entre deux feuilles de papier paraffiné, et deux anneaux de cuir, un petit et un grand.

— Des alliances, dit Jesse. Ils faisaient semblant.

Leah avait la mort dans l'âme. Les anneaux dans la main, elle se mit à pleurer.

— Ils auraient dû rester ensemble, dit-elle en sanglotant.

— Ça ne se faisait pas à cette époque-là. Elle était riche et mariée. C'était un travailleur sans le sou.

— Mais ça leur a coûté bien cher. Ils ont anéanti leurs émotions, dit-elle en s'essuyant les yeux.

— On peut voir ça de cette façon-là. On peut le voir autrement aussi.

Oui, elle savait. *Mieux vaut avoir vécu un grand amour et l'avoir perdu que de n'avoir jamais aimé.* Ce qui ramena Leah aux questions qu'elle se posait sur sa relation avec Jesse.

Elle recommença à sangloter.

Jesse la prit alors dans ses bras et l'enlaça étroitement. Elle pleurait à chaudes larmes. Même si elle ne saisissait pas encore tous les rapports qui existaient entre leur histoire et celle de leurs parents, elle en était profondément effrayée.

Il la serra contre lui jusqu'à ce que ses pleurs s'apaisent, puis se leva pour aller chercher des mouchoirs de papier dans la salle de bains.

— Tu m'as dit qu'il était mort parce qu'il avait le cœur brisé, dit-elle en se tamponnant les yeux. Le crois-tu vraiment?

— Absolument.

— Est-ce qu'il espérait qu'elle revienne?

— Non. Il savait qu'elle ne reviendrait pas. Il n'en pouvait tout simplement plus de vivre sans elle.

Leah gémit doucement et Jesse ajouta:

— Je ne lui en veux pas à elle de sa mort, ou de tout ce qui s'est passé avant. Il aurait pu aller la retrouver lui-même. Mais la situation n'était pas simple, et il adorait Star's End. Il est enterré ici. Veux-tu voir où ?

Leah s'essuya les yeux. Elle voulait voir où. La gorge toujours serrée, elle lui fit signe que oui.

Il lui prit la main et la conduisit le long de la falaise, passé la maison, plus loin qu'elle n'était jamais allée. Très agitée, elle avait l'impression que la pierre tombale de Will Cray serait la preuve ultime de la réalité de cette légende qui la touchait de si près. Elle serrait la main de Jesse de plus en plus fort. Il l'aida à franchir un récif, et ils se dirigèrent vers l'intérieur des terres jusqu'à une pente herbue qu'ils dévalèrent presque à la course. De l'autre côté, ils se retrouvèrent de nouveau sur les rochers.

Leah découvrit alors le site, à moins de dix mètres d'elle. Un site à vous couper le souffle. Une autre parcelle herbue entourée de rochers, avec une vue sur la haute mer, des cris de goélands et le fracas des vagues. En plus de la tombe de Will Cray, Leah vit plusieurs autres pierres tombales, du même granit également patiné. Mais devant celle de Will, une frêle silhouette aux cheveux blancs était agenouillée.

18

Will adorait cet endroit. Il me l'a dit la seule fois où il m'a amenée ici. C'était la dernière semaine de mon séjour, et il savait que notre séparation était imminente. Il avait voulu me montrer l'endroit où il souhaitait être enterré.

Tout était resté tel quel. Les rochers, les herbes battues par le vent, les goélands, le roulement des vagues, l'appel de la corne de brume de Houkahee. Je me rappelais avoir pensé, en ce jour lointain, que la mort ne pouvait pas marquer la fin de tout pour quelqu'un qui serait enterré ici. Le ciel était trop vaste, l'horizon trop large. Ils évoquaient de nouveaux mondes à découvrir dans d'autres vies.

Comme cette pensée-là ressemblait à Will! C'est ainsi que je pensais aussi quand j'étais avec lui, mais plus après notre séparation. Ça me revenait pourtant maintenant. Cela tenait sans doute autant à l'atmosphère de Star's End qu'à Will lui-même.

J'ai passé la main sur son nom gravé sur la pierre tombale, lettre par lettre. Je prenais plaisir à l'intimité du geste. J'appréciais aussi la sérénité des lieux et j'étais soulagée d'être enfin arrivée. J'avais rêvé de ce retour si souvent, surtout au cours des dernières années. Je craignais parfois de ne pas y parvenir. J'avais peur d'en être empêchée par l'angoisse que me causaient d'autres adieux, ou de mourir trop tôt.

Mais j'en avais terminé avec mes adieux et j'étais toujours en vie. Je pouvais enfin retrouver Will.

J'entendis un faible bruit, un petit cri différent de celui des goélands qui volaient au-dessus de ma tête. Je me retournai. Un homme et une femme m'avaient aperçue. Ils étaient au sommet de la côte. Ils étaient affectueusement penchés l'un vers l'autre. Je fus surprise de l'intimité que je percevais entre eux. Je me relevai péniblement.

C'était la première des trois minutes de vérité que je m'étais figurées si souvent pendant toutes ces années. J'anticipais des paroles amères et des accusations. J'imaginais réprobation et mépris. Je craignais d'être rejetée.

Leah n'exprimait rien de tout cela. Mon cœur battait pourtant à tout rompre, et je le suppliai de résister encore un peu. Puis je me dirigeai vers ma fille alors qu'elle venait à ma rencontre. Je vis qu'elle avait pleuré.

Je posai la main sur sa joue et lui souris. Elle était très belle.

— Leah. Tu es si différente ! dis-je en touchant ses cheveux. Quand je pense que nous avons toujours voulu les discipliner. C'est ravissant. Tu es superbe !

Elle avait les yeux pleins de larmes, et je la pris dans mes bras. Il y avait des années que je ne l'avais pas tenue ainsi. Notre relation n'était pas physique. Aucune de mes relations n'avait eu cet aspect depuis que j'avais quitté Will. Je me sentais un peu mal à l'aise. Je continuai quand même à la tenir dans mes bras, et le malaise s'évanouit peu à peu.

Au bout d'un moment, je la laissai aller. J'essuyai les larmes sur ses joues. Elle rougit et sourit. Je compris tout à coup qu'elle devait être aussi surprise que moi.

— Veux-tu me présenter ton ami ? lui demandai-je doucement.

Bien sûr, je savais déjà qui il était. Avec ses merveilleux yeux bruns, son visage taillé à coups de serpe, son déhanchement, je ne pouvais pas m'y tromper. Il semblait ébranlé. Manifestement, il savait aussi qui j'étais. Pendant toutes ces années, je m'étais toujours posé la question. Je m'étais toujours demandé ce que Will lui avait dit. J'aurais bien mérité sa colère, mais apparemment, il me l'épargnerait pour l'instant.

Je lui tendis ma main gauche en m'approchant de lui. De mon bras droit, j'entourais toujours la taille de Leah. Je me rendis compte que j'avais besoin de son appui. Je ne me sentais pas solide.

— Vous ressemblez beaucoup à votre père, lui dis-je.

J'admirais sa belle allure un peu rude comme Will l'aurait fait s'il avait été là. Je ressentais de la fierté pour Will.

— Et vous avez beaucoup de talent. J'ai vu les jardins. Ils sont magnifiques.

Il acquiesça, mais d'un air distrait. Il ne recherchait pas les compliments. Il ne pensait pas aux jardins. Son regard était aussi perçant que celui de son père.

— J'ai l'impression de vous connaître. Vous n'avez pas changé.

— Vous êtes trop gentil, lui répondis-je en riant.

Je n'en croyais pas un mot. Mes cheveux étaient blancs, ma peau moins ferme, mon corps avait épaissi bien que je fusse encore mince. On finit toujours par prendre du poids malgré toutes les précautions. J'étais encore fière de mon maintien, mais je m'étais un peu tassée depuis quarante-trois ans.

— C'est vrai, insista-t-il en me fixant intensément. Vous avez le même regard et le même sourire.

— C'est ton sourire de Star's End, fit doucement remarquer Leah. Je l'ai vu pour la première fois tout à l'heure quand Jesse m'a montré les photos de son père.

Mon cœur recommença à palpiter. Je réussis à le calmer.

— Will les a gardées ? demandai-je.

— Oui. Et le rameau d'églantier, et les anneaux de cuir.

— Oh ! mon Dieu, soupirai-je en combattant l'étrange picotement des larmes que je sentais monter.

Il y avait des années que je n'avais pas pleuré. J'avais toujours pensé que mes glandes lacrymales s'étaient atrophiées. Cet étrange picotement me troublait.

— Voudriez-vous me les montrer, plus tard?

Il fit signe que oui et regarda Leah pour voir comment elle allait. Je saisis le regard qu'elle lui rendit et, dans un éclair qui me réchauffa le cœur, je compris tout à coup pourquoi la découverte de mon secret ne l'avait pas choquée. Elle était amoureuse, elle aussi. Elle comprenait.

Ma fille et le fils de Will. Comme c'était bien!

Star's End allait bien à Leah. Ses cheveux en bataille, ses traits détendus, sa peau légèrement hâlée, son amour pour Jesse faisaient d'elle une femme épanouie. Je ne l'avais jamais vue comme ça. Ses larmes mêmes participaient à son épanouissement : elle se sentait libre d'exprimer ses émotions, ici. Comme moi. Elle était enfin elle-même.

J'avais prié pour ça. Leah avait besoin d'un foyer. J'avais été exaucée.

— Es-tu allée à la maison? demanda-t-elle.

Il me fallut un certain temps pour revenir à la réalité.

— Non. Il fallait d'abord que je vienne rendre visite à Will.

Je jetai un coup d'œil vers sa tombe et sentis un pincement au cœur.

— C'est un endroit magnifique. Je suis heureuse que vous l'ayez enterré ici, Jesse.

— Il a toujours vécu à Star's End à partir de ses dix-sept ans, dit Jesse. Il ne pouvait pas être enterré ailleurs.

— Avez-vous toujours vécu ici vous aussi?

— Sauf quand je suis allé à l'université.

J'essayais d'imaginer à quoi sa vie avec Will avait ressemblé. Je craignais que Jesse n'ait souffert, comme mes enfants, et je me sentais à blâmer.

— Je suis désolée pour votre mère. Vivre dans l'ombre de quelqu'un d'autre a sûrement été difficile pour elle. Pour ma famille aussi. Je le regrette.

Ce message s'adressait surtout à Leah. J'accompagnai mon sourire d'un grand soupir de soulagement.

— J'ai si souvent voulu dire cela sans jamais réussir à le

faire. Pourtant ça vient tout naturellement maintenant. C'est ce que j'espérais en achetant Star's End.

Leah fit signe qu'elle comprenait et recommença à pleurer.

— Venez, suggérai-je. Allons dire aux autres que je suis arrivée.

Je voulais agir pendant que je m'en sentais le courage. Je promis tout bas à Will de revenir et laissai Leah et Jesse m'aider à traverser les vallonnements herbus et les anfractuosités rocheuses jusqu'au sommet plus plat de la falaise, vers la maison. Je voyais bien qu'ils se demandaient comment j'avais pu venir toute seule. Les pauvres chéris. Ils ne savaient pas encore quels trésors d'énergie on peut trouver pour réaliser son plus cher désir.

Signe de faiblesse humaine, mon courage fléchissait pourtant à mesure que je m'éloignais de la tombe de Will. J'avais peur d'affronter Caroline et Annette.

Je devais pourtant le faire. Il y avait longtemps que j'attendais cette occasion. En dépit de ma crainte, je ressentais le soulagement d'approcher de la fin du voyage, le soulagement d'être enfin arrivée à bon port. J'étais à la fois exaltée et émerveillée.

Toutes ces années, je m'étais demandé comment je retrouverais l'endroit. La beauté stupéfiante dont je me souvenais aurait-elle pâli, ou se révélerait-elle seulement le fruit de mon imagination? Mais pas du tout. Elle était bien réelle. Tout était même plus beau que dans mon souvenir.

Mes yeux allaient et venaient d'un endroit à l'autre. J'étais émerveillée par la luxuriance des bois et les couleurs vives des jardins. Il y avait aussi la maison, toute pimpante avec sa peinture fraîche. Sans parler de la piscine et du porche, ou de la salle de séjour vitrée qui n'existait pas à mon époque.

Je fus étonnée d'entendre Jesse dire :

— Je vais vous laisser maintenant.

Je voulus protester. Je souhaitais qu'il reste avec nous. Il était un prolongement de Will. Sa présence était rassurante.

— Elles ne savent pas, ajouta-t-il.

Je compris qu'il parlait de sa relation avec Leah. Et je sus que je devais me retrouver seule avec mes filles. Jesse le sentait peut-être lui aussi.

Il se dirigea vers le cottage qui se trouvait là où se trouvait la remise de Will autrefois. C'était un beau cottage, flanqué d'une serre, mais ce n'était pas la remise dont j'avais gardé le souvenir. C'était probablement mieux ainsi. Revoir la remise aurait peut-être été trop dur pour mon cœur.

Je me dirigeai vers la maison avec Leah. Elle tenait mon bras comme le font les jeunes femmes avec de plus vieilles, la main glissée dans le pli du coude. On aurait pu dire cyniquement qu'elle me retenait, qu'elle m'empêchait de m'enfuir. Je pense qu'elle voulait seulement m'offrir son soutien. Et profiter du mien. Elle était perturbée elle aussi.

— Comment s'est déroulé le vol? demanda-t-elle.

— Très bien.

— Es-tu fatiguée?

Mon cœur battait bien régulièrement.

— Pas du tout. Je me sens davantage d'énergie, ici. Tu aimes cet endroit, n'est-ce pas, Leah?

— Je l'adore.

Je sentis un moment de triomphe qui s'évanouit lorsque Caroline apparut sur la terrasse. Elle regardait dans notre direction. Annette la rejoignit aussitôt.

Je les saluai de la main. Elles ne me répondirent ni l'une ni l'autre.

Je poussai un soupir et me sentis tout à coup vieille et fatiguée. J'aurais simplement souhaité m'étendre, fermer les yeux et me retirer du monde un instant. Je pris alors une grande inspiration. L'air était tellement plein des senteurs auxquelles j'avais tant rêvé que je me sentis revivre. Will était avec moi. Sa force tranquille me soutenait.

Quand je fus à portée de voix, je fis remarquer à mes filles :

— Je me rappelle qu'en cet été si lointain, alors que je me colletais avec la décision que j'avais à prendre, je m'imaginais en train de parler de Will à mes parents. Je pensais alors que ce serait le moment le plus difficile de ma vie, mais je me trompais. C'est maintenant.

— Et papa, alors? s'écria Annette. Il me semble que le plus difficile aurait dû être de lui en parler, à lui. C'était ton mari.

La virulence de son accusation ne me surprit pas vraiment. Je savais d'avance que la rencontre ne serait pas une sinécure.

— Oui, il l'était. Mais je n'éprouvais pas les mêmes sentiments pour lui que pour mes parents ou pour mes enfants.

— J'aurais cru que ces sentiments auraient été plus forts, dit-elle d'un air déconcerté. C'était le père de tes enfants.

— Pas à cette époque, lui rappelai-je doucement.

Elle pensait évidemment à Jean-Paul qu'elle adorait. En dix-huit ans de mariage, j'étais absolument certaine qu'elle n'avait jamais songé, ne serait-ce qu'une seconde, à le tromper. Elle se demandait comment j'avais pu être assez faible, sans scrupules et sans cœur pour non seulement y penser, mais le faire.

— Nous étions deux personnes mariées pour des raisons qui n'avaient rien à voir avec l'amour. Notre mariage était en difficulté. Nous espérions le sauver en venant ici.

Le visage de mes filles exprimait de la surprise. Il était évident qu'elles n'avaient jamais entendu parler de ces difficultés. Personne ne les avait connues d'ailleurs, sauf Nick et moi. Et Will, bien sûr.

— Qu'est-ce qui n'allait pas dans votre mariage? demanda Annette.

— Il était fragile.

— Tu n'aimais pas papa?

J'hésitai un instant. C'était une minute de vérité, peut-être la dernière de ma vie. Je répondis timidement :

— Non. Je n'étais pas amoureuse de lui quand je l'ai épousé. Ce n'était pas une condition préalable en ce temps-là.

— Qu'est-ce qui l'était? demanda Leah.

Elle s'était un peu éloignée de moi.

— Le nom. La classe sociale. L'argent.

— Tout cela semble bien froid, statua Caroline.

— Oui, ripostai-je. Comme les mariages convenus dès la naissance, les mariages par correspondance et les mariages de raison. Ce n'étaient pas toujours de mauvais mariages. Plusieurs ont plutôt bien réussi. Personne ne se mariait par amour. L'amour venait parfois de surcroît.

Incapable de résister, je me surpris à examiner la maison, la terrasse et les plates-bandes.

— C'est ravissant.

Je passai à côté des filles, m'approchai de la porte-fenêtre, jetai un coup d'œil à l'intérieur, poussai la porte moustiquaire et entrai.

J'entendis des pas derrière moi, puis Annette me demanda :

— En quoi ton mariage était-il fragile ?

J'étais séduite par ce que je voyais.

— Tout simplement magnifique ! Tellement invitant !

Je fis le tour de la cuisine, je passai la main sur les armoires en bois, le plan de travail en granit, la surface brillante de la cuisinière.

— La décoratrice a fait un excellent travail. Je suis contente.

— En quoi était-il fragile ? répéta Annette.

En me retournant pour voir le reste de la pièce, je dis :

— Nous ne partagions pas les mêmes opinions, Nick et moi. Il n'y avait pas de communication entre nous. Nous étions mal à l'aise ensemble.

Je choisis un fauteuil dans la salle de séjour et m'y dirigeai. Il faisait face aux autres, légèrement en retrait, ce qui me convenait. J'étais l'invitée d'honneur, la vedette du jour, en quelque sorte. Je m'y assis, les mains croisées sur les genoux.

Annette et Caroline, debout derrière le canapé, me dévisageaient. Dans la cuisine, Leah préparait du thé.

— Vous avez l'air en forme toutes les deux.

Caroline fit une grimace.

— Ça n'a pas d'importance.

— Pour moi, oui. Je m'intéresse à vous, les filles. Beaucoup.

— Tu ne nous l'as jamais très bien manifesté.

— C'est vrai.

J'inspirai profondément. Mon cœur se mit à tambouriner, et je sentis tout le poids de mes soixante-dix ans.

J'avais imaginé cet instant trop souvent pendant toute ma vie pour vouloir le retarder davantage. Je dis calmement :

— Pour comprendre ce qui est arrivé, vous devez vous souvenir du genre de vie que j'ai menée pendant mon enfance. Mes frères et moi sommes nés dans une famille riche depuis quatre générations et nous avons mené la vie des enfants de riches. Nous avions des vêtements et des voitures de luxe. Nous avions une maison de campagne et une maison de ville, et des domestiques pour faire tout ce que nous ne voulions pas faire. Nous faisions partie de la haute société, nous étions membres du club de golf, nous allions à toutes les réceptions chic. J'ai grandi en me préparant à faire mes débuts dans le monde, comme toutes mes amies. L'étape suivante était le mariage.

— Veux-tu bien me dire alors ce que ça vous donnait d'aller à l'université ? demanda Caroline en bonne féministe.

À l'époque, je n'étais pas féministe. Mes amies non plus. Nous ne savions même pas que le féminisme pouvait exister.

— L'université, dis-je sans me laisser décontenancer, c'était pour les filles qui, comme moi, n'avaient pas trouvé de garçon qui leur convenait dans leur cercle social.

— Sans aucune considération pour les études ? s'écria Annette dont les enfants iraient bientôt à l'université. Sais-tu combien de filles meurent d'envie d'aller à Harvard ?

— Dans mon temps, lui fis-je remarquer, les filles n'allaient pas à Harvard. Elles allaient à Radcliffe [1], et la principale condition d'admission était la capacité de payer. Je n'ai jamais prétendu être un génie. Oui, on pourrait dire que j'ai gâché ma vie parce que je n'ai pas embrassé une carrière malgré l'éducation

---

1. Institution d'enseignement supérieur pour les jeunes filles, fondée en 1879 et affiliée à l'Université Harvard où les femmes ne seront admises qu'en 1962. (NDT)

que j'avais reçue. Mais les femmes ne faisaient pas carrière en ce temps-là, pas comme maintenant. Je ne porte pas de jugement. Je vous dis simplement ce qui était. Je suis le produit de mon époque. Si je n'ai pas compris pourquoi tu voulais devenir avocate, Caroline, c'est parce que les femmes ne devenaient pas avocates dans mon temps. Nous devenions épouses ou vieilles filles, ce qui était la pire des calamités. Nous ne pouvions pas imaginer qu'une femme trouve satisfaction à exercer une profession d'homme.

— Le peux-tu maintenant ? demanda Caroline.

— Un peu. Je ne suis pas aveugle. Je vois des femmes faire des choses autrefois réservées aux hommes. Je m'y suis habituée. Ce qui ne veut pas dire que je comprends tout à fait. J'ai des idées bien enracinées. Que le mariage apporte la sécurité, par exemple.

— Une femme qui exerce une profession n'a pas besoin de cette sécurité, répliqua Caroline.

Je reconnus qu'elle avait peut-être raison sans vouloir en discuter.

— Mais moi, je n'exerçais pas de profession. J'ai rencontré votre père alors qu'il terminait ses études en administration. C'était un homme très gentil. Il n'y a pas eu d'étincelles entre nous, seulement une grande compatibilité sociale. Il venait du même milieu que moi et il convenait à mes parents. Ce qui n'était pas le cas de tous les garçons qui étudiaient à Harvard.

— Es-tu sortie avec d'autres ? demanda Leah qui était toujours dans la cuisine.

Je souris.

— Les temps n'ont pas changé tant que ça. Je vivais dans une résidence universitaire, loin de la maison. Même si le couvre-feu était sévère, nous jouissions d'une certaine liberté.

— Je ne peux pas t'imaginer passant ton temps à faire la fête, fit remarquer Caroline.

— Non, bien sûr. Mais je ne restais pas toute seule à la maison tous les samedis soirs non plus.

— As-tu déjà été amoureuse de quelqu'un d'autre, quelqu'un qui aurait moins bien convenu à tes parents ? demanda Leah.

— Non. Jamais. C'est pourquoi j'ai été prise au dépourvu quand j'ai connu Will.

C'était vrai que je n'aurais jamais pu imaginer un tel coup de foudre.

— Mais comment as-tu pu te laisser entraîner comme ça ? s'écria Annette. Tu étais déjà mariée. Tu avais donné ta parole à un homme. Comment as-tu pu devenir amoureuse d'un autre ?

— Je ne l'avais pas prévu, dis-je sans m'excuser.

J'avais déjà payé assez cher pour ce que j'avais fait. Je n'avais pas l'intention de me laisser réprimander comme une enfant.

— C'est arrivé comme ça, c'est tout.

— N'as-tu pas réfléchi ? N'as-tu pas pensé : « Je ne peux pas faire ça, je suis mariée » ?

Je soupirai.

— Annette, qu'aurais-tu fait si Jean-Paul nous avait été antipathique à ton père et à moi.

— Ça n'aurait pas été possible. Jean-Paul me convenait trop bien à tous points de vue.

— C'était pourtant un étranger. Il ne parlait pas très bien l'anglais. Il ne connaissait personne dans ce pays. Si nous avions eu l'esprit assez borné pour nous préoccuper de ces choses et si nous t'avions interdit de l'épouser, qu'aurais-tu fait ?

— Je l'aurais épousé quand même.

— Et si nous t'avions prévenue que tu serais traitée en paria si tu épousais un étranger ?

— Ça ne m'aurait pas dérangée.

— Et si nous t'avions menacée de te déshériter ?

— Ça n'aurait eu aucune importance. J'étais amoureuse.

— Et voilà ! dis-je pour conclure.

— Tu veux dire, intervint Caroline tout à fait incrédule, que tu ne t'es pas préoccupée du bien ou du mal quand tu es tombée amoureuse de Will Cray ?

— Non. Je veux dire que c'était tellement irrésistible que le bien et le mal n'existaient plus.

— Peut-être que si ta relation avec papa avait été moins fragile, tu aurais eu plus de volonté pour résister, suggéra Annette.

— Peut-être.

— Pourquoi était-elle fragile ? demanda Caroline.

— Il y manquait quelque chose.

— Pour vous deux ?

— Surtout pour moi. Nous étions mariés depuis quatre ans, et rien n'arrivait. Nous n'avions pas d'enfants. Nous n'étions pas plus proches l'un de l'autre. L'amour promis était toujours absent. Je me sentais frustrée parce que votre père travaillait trop. J'étais certaine qu'il aurait dû y avoir autre chose.

L'image romantique que je m'étais faite du mariage était devenue une véritable obsession.

— Alors, nous avons loué Star's End pour l'été.

Une image romantique, en effet.

— Ça semblait l'endroit rêvé pour nous consacrer du temps l'un à l'autre. Malheureusement, nous n'avions que les week-ends.

— Cette idée a donc été stupide.

En réponse à sa remarque, je lançai un regard glacial à Caroline.

— Même les plans les mieux élaborés tournent parfois mal. Dans la vie, on ne peut pas toujours trancher nettement, ceci est blanc, cela est noir, ceci est bien, cela est mal. On doit parfois faire des compromis.

Je repris mon souffle, fermai les yeux un instant et me ressaisis. Doucement, et tristement parce que le souvenir m'émouvait, je dis :

— Nous avions vraiment espéré passer plus de temps ensemble que seulement les week-ends, mais les choses se sont passées autrement. Votre père a été davantage que prévu accaparé par ses affaires cet été-là. Les week-ends de quatre jours furent réduits à trois, puis à deux jours. J'étais désappointée. J'avais espéré davantage.

— C'est par vengeance alors que tu t'es jetée dans les bras de Will Cray ?

— Caroline ! dit Annette en lui pinçant le coude. Laisse-la raconter son histoire.

Alors que Caroline, en bonne avocate, interrogeait le témoin, Annette, en bonne mère et en bonne fille du milieu, essayait de temporiser. Leurs personnalités correspondaient bien à leurs occupations, c'était le moins qu'on puisse dire.

Je continuai parce que je tenais à ce qu'elles sachent comment je voyais ce qui s'était passé.

— Non, pas de la vengeance. De la tristesse. Et de l'inexpérience. Et de la solitude. Et trop de temps à réfléchir à ce qui aurait dû être et qui n'était pas. Je passais des heures à me promener sur la falaise. Le flux et le reflux de la marée m'apaisaient.

Le simple souvenir en était apaisant, mais je n'avais pas besoin d'y faire appel. On sentait le rythme obsédant des vagues, à l'extérieur, au-delà de la terrasse, de la piscine et de la falaise. Si le son était assourdi dans le salon où nous étions assises, le battement régulier ne laissait pas de doute. Grâce à lui, je retrouvai mon aplomb pour évoquer ce jour lointain qui avait tellement changé ma vie.

— Je l'avais vu de temps en temps travailler sur la propriété. Je savais que c'était le jardinier. Comme nous n'étions que locataires, je n'avais pas besoin d'en savoir plus. Nick lui avait souvent parlé. Je ne l'avais jamais vu d'assez près pour savoir à quoi il ressemblait jusqu'au jour où, alors que je revenais du village avec des paquets, il apparut à côté de la voiture et m'offrit de les porter à l'intérieur.

Je fis une pause, cherchant sans les trouver les mots qui décriraient le mieux la scène. Je regardai mes filles l'une après l'autre, même Leah au fond de la pièce, en essayant de leur faire saisir combien je m'étais sentie désarmée ce jour-là. En évoquant ce souvenir lointain, je chuchotai :

— J'ai eu le souffle coupé ! Tout simplement. J'ai eu l'impression de recevoir un grand coup. Je ne comprenais absolument pas ce qui m'arrivait.

Leah écarquilla les yeux. Ainsi donc, ça lui était arrivé à elle aussi. J'étais tellement contente que je me mis à rire, mais sans trahir le secret de Leah. Je fis plutôt comme si je me moquais de moi-même.

— J'étais là, dis-je en cessant de rire, moi qui avais été entraînée depuis ma naissance à savoir précisément quoi dire à chaque instant et j'étais incapable de prononcer un seul mot. Je savais comment me comporter avec les hommes d'affaires et les politiciens. J'avais même déjà rencontré un prince. Je savais comment traiter avec les plombiers, les bouchers et le pompiste. Mais c'était la première fois que je rencontrais un homme comme lui.

— Papa était un bel homme, répliqua Annette en prenant la défense de son père.

— Très beau. Mais ce n'était pas l'apparence de Will qui m'avait frappée. C'était la façon qu'il avait de me regarder. C'était l'expression de ses yeux, l'émotion profonde qu'elle traduisait. Nous avons été attirés l'un vers l'autre tout de suite.

— Une attirance physique, dit Caroline d'un ton sec que je ne relevai pas.

— Oui. Mais l'attirance était aussi sentimentale et intellectuelle.

— Intellectuelle? Voyons! C'était le jardinier.

— Caroline!

C'était Leah qui protestait cette fois-ci, et je comprenais bien pourquoi.

— Laisse-la dire, Leah, continuai-je. Caroline, est-ce que Ben a une licence en droit?

— Non, bien sûr. C'est un artiste.

— Est-ce que tu considères qu'il t'est inférieur au plan intellectuel?

— Non, bien sûr.

— Parce que c'est un artiste brillant?

— Et parce qu'il a grandi dans un milieu intellectuellement

éclairé. Il n'a pas besoin d'avoir une licence en droit pour comprendre mes causes. Il saisit naturellement ce genre de choses.

— C'était pareil pour Will. C'était un autodidacte. Il avait une curiosité innée et il savait comment la satisfaire. Il dévorait les livres. Il y avait bien des choses qu'il connaissait beaucoup mieux que vous ou moi.

— Tu étais attirée par son esprit? demanda Caroline du même ton cassant.

— J'étais attirée par tout ce qu'il était.

— Dès ce moment-là, quand tu l'as vu de près pour la première fois?

— Aussi étrange que cela puisse paraître, oui.

— Et tu t'es empressée de faire l'amour avec lui.

— Caroline!

— Caroline!

Caroline se tourna vers ses sœurs.

— Vous ne croyez tout de même pas tout ce qu'elle nous raconte?

Annette contourna le canapé pour s'asseoir.

— Je veux entendre la suite de l'histoire de maman sans ton contre-interrogatoire, dit-elle. Garde ça pour plus tard.

Je retins mon souffle, certaine que Caroline allait envoyer promener Annette et envenimer la situation. Je me rappelais si bien leurs querelles à toutes les trois, et pas seulement quand elles étaient enfants. Devenues adultes, elles avaient continué à se chamailler, chacune avec ses propres griefs. Il était maintenant évident que ces griefs s'adressaient à moi, mais je ne le comprenais pas à l'époque. Je me contentais de rester sourde à leurs démêlés.

Caroline n'envoya pas promener Annette. Je fus surprise de voir Leah s'approcher d'elle et poser sa main sur son bras pour la calmer, et encore plus surprise de voir que Caroline ne se dégageait pas.

— Continue, me demanda doucement Leah.

Je l'observai, puis Caroline et Annette. Il s'était certainement passé quelque chose entre elles en mon absence. J'en étais soulagée. Je respirais mieux. Mon cœur allait bien. Satisfaite, je retournai à l'évocation de Will et de notre toute première rencontre.

— Notre entente fut immédiate. J'avais trouvé ma moitié. Mais nous n'avons pas fait l'amour tout de suite. Non. Les femmes ne faisaient pas ça dans ce temps-là, les femmes comme moi en tout cas. Ça ne me serait même pas venu à l'idée que Will et moi pourrions faire l'amour. J'étais naïve. Pas très délurée, pourrait-on dire. Et puis, j'étais mariée à votre père et j'accordais beaucoup d'importance aux vœux que j'avais prononcés.

Je m'adressais surtout à Annette parce que je savais bien ce qui se passait dans sa tête. C'était son dévouement pour son mari et pour ses enfants qui donnait un sens à sa vie. J'avais été comme elle, d'une certaine façon. J'avais donné tout ce que j'avais pu à ma famille, malgré le grand vide qu'il y avait en moi. Je voulais qu'elle le comprenne. Je voulais qu'elle voie que j'avais fait mon possible et qu'elle le reconnaisse. Je voulais aussi qu'elle sache ce qui se passait dans ma tête.

Je voulais qu'elles le sachent, toutes les trois. Je n'avais pas décidé de tromper mon mari. J'y avais été entraînée par une force irrésistible.

— Will et moi avons pris notre temps. Nous parlions, surtout de ce qu'il y avait ici à Star's End. Il me montrait des coins de la propriété que je n'avais pas encore vus. Il me montrait des coins de Downlee que je ne connaissais pas. Il comprenait que j'étais une femme mariée et respectait cela. Moi aussi. J'attendais le retour de votre père avec impatience tous les week-ends.

Je fronçai les sourcils et observai mes mains.

— Votre père arrivait tard le vendredi et repartait tôt le lundi. Ces week-ends ne correspondaient pas à ce que j'avais espéré. Nous n'échangions pas comme il aurait fallu. Notre relation ne s'améliorait pas. Et, bien sûr, il y avait Will. Je commençais à avoir hâte de le voir plus que je n'aurais dû. Nous en étions venus à parler de tout. Nous avions toujours tant de choses à nous dire, même si nous appartenions à des mondes tellement différents.

Cela m'avait étonnée autrefois et m'étonnait encore.

— C'était ce qu'il y avait de merveilleux dans notre relation. Et puis, il y avait aussi l'aspect physique.

Je levai les yeux. Elles me dévisageaient toutes les trois. Elles étaient suspendues à mes lèvres. J'aurais sans doute éclaté de rire si la situation avait été moins poignante. Comment une femme âgée pouvait-elle parler à ses grandes filles de la personne follement passionnée qu'elle avait déjà été ?

— Will me faisait de l'effet, dis-je en poursuivant malgré mon embarras. Avec lui, je devenais impulsive, je me sentais libre. Je n'étais plus la fille de quelqu'un, la femme de quelqu'un ou l'amie de quelqu'un. J'étais une femme. Il me donnait confiance en moi. Les règles et les tabous s'évanouissaient. Quand j'étais avec lui, j'étais aussi sûre de moi et audacieuse que lui.

Nous étions dans le bois ce jour-là. Il m'avait montré les champignons qui poussaient dans la pénombre humide. Il s'était mis à pleuvoir. Nous n'étions que partiellement à l'abri. Nous avons couru le long du sentier en riant, main dans la main, et nous sommes sortis du bois plus près de sa remise que de ma maison. Il proposa que nous y arrêtions pour prendre des imperméables. Je l'aurais suivi au bout du monde tant j'étais amoureuse de lui.

Comme nos vêtements étaient trempés, nous avons trouvé plus sensé d'attendre la fin de l'orage dans la remise. Il alluma un feu dans un petit poêle ventru, puis retira sa chemise et l'accrocha tout près. Il m'aida à retirer la mienne, puis mon pantalon.

Je frissonnais maintenant à l'évocation de ce souvenir. Le regard de Will sur moi était merveilleux. Je me sentais bien au sec, bien au chaud, réconfortée. Il me caressait des yeux, et mon corps était déjà tout endolori avant même qu'il ne m'ait touchée. Quand il se fut dévêtu, je perdis complètement le sens des réalités.

Je repris mon souffle, sortis de ma rêverie et murmurai :

— J'en suis encore scandalisée.

On n'entendait rien d'autre que le bruit assourdi de la mer. J'épongeai les larmes inusitées qui coulaient sur mes joues et je regardai mes filles. Elles étaient stupéfaites.

Je souris.

— Ce fut une période merveilleuse. Même si j'ai souffert dès le début. Tout était bien, mais très mal en même temps. J'aimais Will plus que je n'aurais jamais pensé possible d'aimer quelqu'un. Seulement j'étais mariée à un autre. Je ne l'oubliais jamais. Vous devez le comprendre, les filles. Je n'ai jamais oublié que j'étais mariée. Je pouvais en faire abstraction quand j'étais dans les bras de Will, mais ça ne durait jamais longtemps. Au début, nous n'en parlions pas. Nous pensions tous les deux que notre passion s'éteindrait d'elle-même à la fin de l'été. Mais non. Elle est devenue plus forte.

De plus en plus forte. Je ressentais encore la même attirance pour Will, comme s'il avait été à la porte plutôt que dans le cimetière à l'autre bout de la falaise. Il était vraiment ma moitié. Sans lui, je ne me suis jamais sentie complète.

La gorge serrée, je me rappelais le dilemme qui m'avait déchirée.

— Je devais choisir. Ou je restais avec Will, ou je rentrais à la maison avec Nick. Si je restais avec Will, je perdais tout. Mon mari. Mon nom. Ma famille. Mes amis. Ma réputation. Je ne pouvais rien conserver. Nos relations à Nick et à moi n'auraient pas compris et n'auraient surtout pas accepté que je vive avec Will. Si je restais avec lui, je devais renoncer à tout ce que j'avais appris à apprécier et à vouloir.

Je fermai les yeux, la douleur était encore toute fraîche. J'appuyai deux doigts contre mon cœur, et elle s'apaisa lentement.

— Maman ? s'inquiéta Leah.

Je souris.

— Ça va, Leah.

Je pris encore une minute pour me ressaisir.

— C'était une décision difficile à prendre.

— Sur quoi était-elle fondée? demanda-t-elle.

— Sur tout ce que je viens de dire. À l'époque, je pensais aussi que c'était mon devoir de rentrer avec Nick et d'essayer de sauver notre mariage. J'aimais bien Nick. Même si je n'étais pas amoureuse de lui comme de Will, je me sentais responsable envers lui. Je me disais que mon devoir était de rester avec lui.

Je relevai la tête, par remords plus que par fierté.

— Oui, c'est ce que je me suis dit alors, mais le temps m'a fait comprendre autre chose. En fait, j'aimais le genre de vie que nous menions, votre père et moi. Je souhaitais l'approbation de mes parents. Je voulais tout ce qu'il y avait de mieux pour mes enfants, tous les avantages dont j'avais moi-même bénéficié. Will ne pouvait rien m'offrir de tout cela. J'imaginais que je pourrais en venir à détester les contraintes que m'imposerait ma vie avec lui.

— Mais si tu l'aimais... commença Leah les yeux pleins de larmes.

Je me levai, m'approchai d'elle, caressai ses cheveux, lui passai le bras autour des épaules et la serrai contre moi. J'étais maintenant capable de poser un geste comme celui-là sans me sentir mal à l'aise. J'y prenais même du plaisir. J'étais désolée de penser à tout ce dont je nous avais privées, mes filles et moi, pendant toutes ces années.

C'était ironique. Alors que je prétendais donner, j'avais tout gardé pour moi.

— J'aimais le reste aussi, dis-je tristement. Ça faisait partie de l'image que je me faisais de moi. J'étais matérialiste. Stupide, peut-être. Mais j'étais comme ça, alors. Et puis j'en suis venue à aimer Nick. Nous avons bâti notre relation sur nos expériences partagées. À votre arrivée, vous nous avez rapprochés. Quand vous avez été grandes, nous étions tellement habitués l'un à l'autre que je n'aurais pas pu imaginer un autre genre de vie.

J'essuyai les larmes de Leah comme je l'avais fait sur la falaise. Je surpris le regard étonné de ses sœurs. Elles ne m'avaient jamais vue rechercher les contacts physiques. Elles ne se doutaient pas que, si je me sentais proche de Leah, c'était parce qu'elle aimait tellement Jesse.

— Mais tu n'as jamais oublié Will, dit Leah en sanglotant.

— Non. Je n'ai jamais oublié Will. Il a toujours fait partie de ma vie, même inconsciemment. Il a toujours été présent. Certains de mes amis sont morts au cours des ans. Je les ai pleurés, je les ai regrettés, puis je m'en suis détachée. Mais je n'ai jamais pu me détacher de Will. Personne d'autre n'a jamais touché à cette part de moi dont il s'était emparé.

Un sifflement aigu fendit l'air. Je sursautai. Je craignais presque d'être frappée par la foudre pour avoir blasphémé de la sorte. Leah se dégagea de mon étreinte, et je compris qu'il s'agissait de la bouilloire pour le thé. Je gardai la main sur mon cœur.

— Est-ce que papa était au courant de tout cela? demanda Annette en me regardant de biais.

— Je ne le lui ai jamais dit, si explicitement en tout cas, mais il devait bien s'en douter.

Je m'appuyai contre le dossier du canapé.

— On se demande comment il a fait pour ne pas t'en vouloir.

— C'est vrai, dis-je affectueusement. Votre père était un homme bon. Nous n'avons jamais reparlé de ce qui était arrivé. Nous n'avions pas ce genre d'échanges. Tout ce qu'il savait, et tout ce qui lui importait, c'était que j'avais décidé de rester avec lui.

— Et la confiance alors? demanda Annette. Il n'était pas inquiet quand tu parlais avec d'autres hommes?

— Non. J'avais fait mon choix. Il savait que je tiendrais parole.

— Qui d'autre était au courant de ce qui s'était passé cet été-là? demanda Caroline.

Elle était toute pâle. Je m'imaginais qu'elle se reconnaissait un peu dans notre relation, à Will et à moi, semblable à ce qu'elle vivait avec Ben.

— Personne, dis-je.

— Même pas tes parents? demanda Annette.

Je secouai la tête.

— Ils auraient été scandalisés. Nos amis aussi.

— Avais-tu peur qu'on découvre ton secret?

Je souris.

— Non. Je n'avais pas peur. Les gens de Downlee qui étaient au courant de notre liaison, à Will et à moi, étaient à mille lieues de ma vie avec Nick.

— J'aurais eu peur du chantage, dit Caroline.

— Qui aurait pris cette peine? demandai-je en haussant les épaules. Nick était déjà au courant au sujet de Will. Non, je ne m'inquiétais pas à ce propos. D'autre chose peut-être, mais pas de cela.

— De quoi?

Je sentais l'arôme de pêche du thé préparé par Leah et je mourais d'envie d'en avoir une tasse.

— Ça sent divinement bon, lui dis-je alors qu'elle prenait les tasses en porcelaine dans l'armoire.

— De quoi? insista Caroline.

— D'avoir perdu mes émotions.

Les tasses s'entrechoquèrent quand Leah les déposa. Annette et Caroline se regardèrent.

— Vous en avez toutes souffert, dis-je calmement. C'est mon plus grand regret.

— Tu regrettes de n'être pas restée avec Will? demanda Leah.

— Je regrette le prix que j'ai dû payer pour l'avoir quitté. J'avais cru pouvoir le faire impunément. Retourner à ma vie de femme mariée et m'y épanouir. Mais après avoir quitté Will, j'ai constaté que mon émotivité avait été mutilée. La douleur de la séparation avait été si forte que je me suis renfermée en moi-même. Pour éviter toute souffrance je me suis toujours tenue loin de toute émotion. Je n'en exprimais pas et, jusqu'à un certain point, je n'en ressentais même pas.

— Tu aurais eu besoin d'un psychanalyste, fit remarquer Caroline.

— J'en ai eu un, dis-je en me réjouissant de sa surprise. J'en ai vu un toutes les semaines pendant des années. Il m'a aidée à comprendre les raisons de mon comportement. Il n'a pas pu m'aider à retrouver ce que j'avais perdu.

— Est-ce que tu nous en as voulu ? demanda Annette. Est-ce que nous représentions les chaînes qui te forçaient à rester avec papa ? Est-ce que c'est ça ?

— Bon Dieu ! non, m'écriai-je.

Je la touchai à l'épaule. Elle se raidit et je retirai ma main. Puis, délibérément, je la remis aussitôt.

— Je ne vous en ai jamais voulu de cette façon-là. J'aurais pu vous en vouloir pour autre chose.

— Pour quoi ? dit Caroline.

J'essayai d'exprimer ce que je commençais tout juste à comprendre moi-même.

— J'étais jalouse de vous. Vous étiez toutes les trois capables d'exprimer vos sentiments, ce qui me faisait paraître plus insensible. Vous pensiez que je vous désapprouvais alors que je ne cherchais qu'à me protéger. Si j'avais approuvé tout ce que vous faisiez, j'aurais dû reconnaître mes propres faiblesses. J'étais assez malheureuse sans cela.

Je tapotai l'épaule d'Annette et revins à la question qu'elle m'avait posée.

— Vous, les filles, vous avez toujours été une part essentielle de ma vie. Je ne vous en ai jamais voulu. Des chaînes ? Bien au contraire. Quand je me demandais si j'avais bien fait de choisir Nick plutôt que Will, vous étiez toutes les trois les éléments déterminants qui me permettaient de répondre par l'affirmative. Si j'étais restée avec Will, je ne vous aurais jamais eues.

— Mais tu l'aurais eu, lui, dit Annette. Tu aurais eu ses enfants. Tu n'y as jamais pensé ? Tu ne l'as jamais regretté ?

Je secouai la tête.

— J'avais fait mon choix et je ne l'ai jamais remis en question. La seule chose que j'ai regrettée, c'est de ne pas avoir été capable de vous donner plus de moi-même. Vous avez toutes souffert à un moment ou l'autre et vous auriez eu besoin de moi. Mais je n'avais rien à vous donner. J'avais tout perdu.

— Si c'est comme ça, dit Caroline, qu'est-ce que nous faisons ici? Pourquoi as-tu acheté Star's End?

Je pris la tasse de thé que Leah m'offrait.

— Je pense que tu connais la réponse.

— Bon, d'accord. Tu voulais que nous sachions ce qui s'était passé avec Will. Ça aurait peut-être été plus simple de nous inviter à Philadelphie pour nous raconter toute ton histoire.

— Il ne s'agit pas seulement de savoir. De voir aussi. De sentir. De comprendre. Je voulais que vous fassiez vous-mêmes l'expérience de la vie à Star's End. De plus, il fallait que je revienne ici. Il y a des années que j'en ai la certitude. Je n'y ai pas accordé beaucoup d'attention avant la mort de votre père, mais j'ai été incapable de m'en débarrasser depuis. Il fallait que je revienne. Que je revoie Star's End. Que je rende visite à Will.

— Tu n'avais pas besoin d'acheter la propriété pour autant, fit remarquer Caroline.

— C'est ici que je veux mourir.

— Maman!

— Ne parle pas de ça.

— Grand Dieu!

— C'est vrai, dis-je.

Je n'avais évidemment pas aussi peur de la mort que des femmes encore dans la fleur de l'âge comme mes filles.

— Mais pourquoi? demanda Annette. Toute ta vie s'est passée à Philadelphie.

— Pas toute ma vie. La plus grande partie, mais pas toute. À mon avis, j'ai accompli cinq choses importantes dans ma vie. Mon mariage avec votre père d'abord, mes trois maternités ensuite et enfin ma relation avec Will. Oui, c'était aussi un accomplissement. Quand j'étais avec Will, j'ai vécu des émotions d'une profondeur incomparable. En ce sens, même si j'ai souffert, j'ai eu de la chance.

Je sirotais mon thé. J'aurais pu me rasseoir, mais je ne voulais surtout pas m'éloigner de mes filles. J'étais contente de me tenir près d'elles, parmi elles. De plus, si je m'étais sentie soulagée sur la tombe de Will, je l'étais encore plus maintenant. À chaque boucle que je bouclais, je me sentais plus forte.

— J'ai fait mes adieux à votre père. C'est une affaire réglée. Ce n'est pas encore le cas avec vous, les filles, ni avec Will. Je voulais que vous le connaissiez grâce à moi et à Star's End. Il fallait que vous veniez ici pour avoir une idée de l'atmosphère dans laquelle un amour comme le nôtre a pu s'épanouir.

Je regardai par la fenêtre, les yeux fixés sur l'horizon au-delà des plates-bandes de fleurs et de la falaise.

— Il y avait aussi les excuses à faire. Je n'avais pas envie de vous les présenter à Philadelphie. L'endroit me semblait plus approprié ici.

Je lançai un long regard plein d'espoir à mes filles.

Il est tard. Je me suis couchée, épuisée. Je suis en paix. J'ai été une vraie mère aujourd'hui. Un exercice difficile, mais un grand plaisir aussi. Nous avons passé la soirée à parler, mes filles et moi. En buvant du thé d'abord, puis en dînant, puis en mangeant des glaces dans une boutique au village.

Comme ce fut amusant de s'entasser dans la Volvo pour aller à Downlee! Nous n'avions jamais été aussi bien ensemble. Quand nous faisions ce genre de choses alors que les filles étaient petites, c'était avec bien des cérémonies. Ce soir, il y avait de la camaraderie entre nous. Nous étions comme une vraie famille, bien unie, pour la première fois peut-être.

Était-ce l'œuvre de Star's End? Je veux croire que ça dépend plutôt de nous. C'était déjà là, en puissance. L'environnement nous l'a simplement révélé.

Il faut dire aussi que, lorsque nous sommes parties pour aller manger des glaces, nous avions besoin d'une diversion. Se vider le cœur est éprouvant. Je leur ai redit notre histoire, à Will et à moi. J'ai répondu à leurs questions deux, trois et même quatre fois. Ça ne me dérangeait pas du tout. J'étais tellement soulagée de leur avoir enfin révélé mon secret.

Je pense que c'est cela qui nous a rapprochées. Les filles n'approuvent pas ce que j'ai fait. Ce n'est pas ce que je leur demande ou ce que j'espère. Je veux seulement qu'elles comprennent enfin un peu combien mon aventure avec Will a été bouleversante.

Quand nous sommes revenues à Star's End après avoir mangé nos glaces, nous avons parlé plus sérieusement de nouveau. J'ai dû faire face à d'autres accusations. D'avoir négligé les filles quand elles avaient besoin de moi. De les avoir dressées l'une contre l'autre. D'avoir préféré Leah. J'ai reconnu qu'elles avaient raison en ce qui concerne la première accusation. Je n'ai pas su quoi dire à propos de la deuxième. J'ai tenu à clarifier la troisième. Je les aime toutes les trois autant l'une que l'autre. Je les ai toujours aimées et je les aimerai toujours.

Oui, j'aime mes trois filles. Je les admire. Je veux qu'elles soient heureuses.

Il y a eu des pleurs et des grincements de dents libérateurs. Des embrassades aussi. Surtout de la part de Leah. Mais plusieurs de la part d'Annette, particulièrement gratifiantes. Annette et sa famille sont toujours en train de s'embrasser. J'avais enfin l'impression de faire partie du clan.

Seule Caroline se tient encore sur la réserve. Elle se sent trahie parce que j'ai gardé mon secret toutes ces années. Je pense que sa fierté est blessée. De toute façon, le temps arrangera les choses. Ce qui s'est passé aujourd'hui n'était qu'un début.

Un bon début. Ah! oui. Ce soir, je suis satisfaite. Soulagée. En paix.

Étendue dans l'obscurité, en ce lieu dont j'ai si souvent rêvé, je ne peux évidemment pas m'empêcher de penser à Will. Même si nous n'avons jamais dormi ensemble dans cette maison, j'ai l'impression qu'il est maintenant près de moi. À cause de la brume, de la mélopée rythmée de la mer et du parfum si merveilleux que j'ai toujours porté depuis. La senteur persistante des églantines. Elle me ramène au passé.

Je me souviens de pique-niques sur les rochers, avec du pain croustillant, du fromage et du vin maison. Je me souviens de la brume qui se levait au-dessus de la mer à l'aube et du chaud soleil de midi qui vibrait sur la falaise. Je me souviens des goélettes qui fendaient les vagues vers l'est et des monarques qui papillonnaient des iris aux lis et aux chervis.

Je me souviens des bras de Will. Forts et hâlés. Des mains de Will. Calleuses, portant de nombreuses éraflures, mais si douces à mon cœur.

Je suis là, Will. Je suis là.

Je souris et soupire. Puis de nouveau, plus profondément. Je suis si bien.

19

Annette tenait trois papiers à la main : la carte qui accompagnait les fleurs que Jean-Paul lui avait envoyées et deux messages téléphoniques. Le premier était de la veille et l'assurait que Thomas allait bien. L'autre était arrivé le matin même et disait simplement que Jean-Paul s'ennuyait d'elle.

Elle ne l'avait pas rappelé, parce qu'elle voulait se prouver quelque chose et parce qu'elle avait été emportée dans le tourbillon des événements.

Elle décrocha le combiné, puis le raccrocha. Il était presque une heure du matin, minuit à St. Louis. Jean-Paul serait déjà endormi.

Elle aurait pourtant voulu lui parler. C'était peut-être bien beau d'agir par principe, mais elle était incapable de ne pas écouter son cœur plus longtemps.

Cette fois, elle composa le numéro sans réfléchir à l'heure qu'il était. On décrocha avant la fin de la première sonnerie. Ce n'était pas la voix grave et endormie de Jean-Paul. C'était une autre voix grave, pas endormie du tout, et essoufflée.

— Allô !

Annette sourit. Elle imita l'essoufflement.

— Allô, toi-même.

Il y eut une pause. Elle imagina Robbie qui se redressait, puis s'écriait d'une voix beaucoup plus aiguë :

— Maman ?

Elle souriait toujours.

— Non, Jessica.

C'était du moins le nom de l'actuelle dulcinée de Robbie quand Annette avait quitté la maison, cinq jours auparavant.

— Maman... protesta-t-il.

— Comment se fait-il qu'elle t'appelle si tard?

— Nous étions au téléphone un peu plus tôt. Elle est allée se laver les cheveux pour qu'ils soient secs quand elle ira au lit. Elle a dit qu'elle allait me rappeler. Tout va bien ici, maman. Nous allons tous vraiment très bien. Tu n'as pas à t'en faire. Il n'y a pas eu d'autres bras cassés, Charlene est venue tous les jours, et papa a été formidable. Il dort. Je vais lui dire que tu as appelé.

De toute évidence, Robbie voulait qu'Annette libère la ligne au plus vite, avant que Jessica essaie de rappeler. C'était bien joli, mais il fallait être juste. Si Robbie voulait parler avec sa Juliette, Annette avait le droit de parler avec son Roméo.

— Es-tu certain qu'il dort? demanda-t-elle. La sonnerie du téléphone l'a peut-être réveillé.

— Je viens tout juste d'aller me chercher quelque chose à grignoter en bas. Il dormait comme une souche sur le canapé. J'ai éteint la télé.

— Tu aurais dû le réveiller et lui dire d'aller se coucher dans son lit.

— J'ai essayé, mais il m'a regardé comme si j'étais un pur étranger. Il s'est retourné et il s'est rendormi. C'est pareil tous les soirs. Il n'aime pas aller au lit sans toi.

— Comme c'est adorable! dit Annette.

C'était une autre preuve que l'amour véritable pouvait durer, comme l'affirmaient Jean-Paul et ses sœurs.

— Est-ce que tout va bien là-bas, maman?

— Oui.

Elle prit une grande inspiration et pensa à la soirée qui venait de se terminer.

— Très bien même. Ta grand-mère est enfin arrivée. Nous

avons passé une soirée extraordinaire. Je suis contente d'être venue. Ce qui se passe ici est vraiment important.

— Tant mieux, maman. Veux-tu que papa te rappelle demain ?

— S'il en a envie. Tu dis que Thomas va bien ?

— Thomas est un petit con, mais son bras va bien.

Même si Annette s'en voulait d'avoir posé la question, elle ne put résister à la tentation d'en poser une autre.

— Nat et les filles vont bien ?

— Très bien. Nous allons tous très bien. Qu'est-ce que tu dirais si je demandais à papa de te rappeler à la première heure demain ?

— Ce n'est pas crucial. Il n'est pas obligé de m'appeler à la première heure. En fait, s'il est trop occupé, il peut se dispenser de m'appeler.

C'était vrai qu'elle n'avait pas besoin de lui parler, elle en avait simplement envie. Elle se sentait toute ragaillardie de savoir qu'il n'aimait pas dormir dans le lit sans elle.

— Je voulais juste lui dire bonjour.

— À minuit ?

— Pourquoi pas ?

— C'est tard.

Elle n'allait tout de même pas se laisser réprimander.

— Qu'est-ce que tu dis ?

— C'est tard.

Pour toi aussi, jeune homme, et tu attends quand même un appel.

— Pardon ?

Après un instant de silence, Robbie dit d'un ton penaud :

— Ça va, ça va ! Je te promets qu'on ne se parlera pas long-temps. Bonsoir, maman.

— Bonsoir, Rob.

Fière d'avoir fait preuve de tant d'indépendance, elle rac-crocha.

Caroline ne pouvait pas dormir. C'était la même chose quand

un procès était en cours et qu'elle était incapable de cesser de ruminer. Même si elle ne participait pas à un procès actuellement, elle était aussi stressée. Son corps ne s'était pas encore ajusté aux derniers événements et son esprit était déphasé.

La pensée de prendre une cigarette l'effleura. Ce n'était pas un besoin irrésistible, seulement une pensée, fugitive d'ailleurs. La cigarette, c'était bon pour les réunions stressantes et les déjeuners d'affaires. Pas pour Star's End.

Ce qu'elle aurait voulu vraiment, la seule chose qui aurait pu la calmer, c'eût été de joindre Ben. Mais, ou bien il avait décidé de ne pas répondre au téléphone, ou bien il n'était pas chez lui. Dans un cas comme dans l'autre, ce n'était pas rassurant.

Elle repoussa les draps et sauta du lit. Elle se passa la main dans les cheveux et se dirigea vers le hall d'entrée. Tout était tranquille, tout le monde dormait. Elle descendit silencieusement et traversa à pas feutrés le plancher en bois du hall. Elle alluma une petite lampe dans la cuisine et se prépara un thé.

Pendant qu'il infusait, elle s'approcha de la porte-fenêtre. La lune était cachée derrière une fine couche de nuages argentés entre lesquels apparaissaient et disparaissaient les étoiles. Elle vit aussi une toute petite lueur qui se déplaçait régulièrement à l'horizon.

Une autre lumière donnait l'illusion de bouger à cause du balancement des branches des arbres : elle émanait de la maison de Jesse, à l'emplacement même de la remise du jardinier où Ginny St. Clair avait fait des folies. Caroline ne pouvait toujours pas se faire à cette idée.

— Tu n'arrives pas à dormir ? demanda Annette, venue la rejoindre silencieusement.

— Non. Toi non plus ?

— Je ne sais pas pourquoi. Je devrais être épuisée. Qu'est-ce que tu regardes ?

— La lumière à l'orée du bois. J'essaie de m'imaginer la petite remise que maman nous a décrite. J'essaie de me représenter Ginny courant pieds nus sur la pelouse dans la nuit.

Annette murmura :

— Ça me semble tellement étrange. Je ne l'aurais jamais cru.

— Moi non plus.

— Je voulais en parler à Jean-Paul, mais il dormait.

— Je voulais en parler à Ben, mais il n'est pas chez lui.

— Où est-il ?

— Je n'en sais rien, dit Caroline en feignant l'indifférence. Il n'était pas là hier soir non plus.

Elle sentit qu'Annette la regardait et ne put soutenir son regard.

— J'ai l'impression que je le considère peut-être trop comme acquis.

— Est-ce qu'il sort avec quelqu'un d'autre ?

— Non, mais je ne lui accorde pas ce qu'il souhaite.

— Il voyage beaucoup. Peut-être est-il parti en tournée ?

— Il me l'aurait dit.

— À moins qu'il ne soit parti sur un coup de tête parce qu'il était frustré, ou quelque chose comme ça.

C'était toujours possible, Caroline le savait. C'était pourtant la période de l'année où Ben adorait être dans sa cabane, alors que les jours étaient longs et la forêt verdoyante. Il disait que ça lui donnait de l'inspiration. Il produisait toujours beaucoup à la fin du printemps et au début de l'été.

— Tu devrais vraiment l'épouser, Caroline. Il t'aime. Je l'ai bien vu lors des funérailles de papa. S'il reste avec toi bien que tu l'éconduises, il doit t'aimer beaucoup.

— Tant que nous sommes ensemble, quelle différence est-ce que ça peut bien faire que nous soyons mariés ou non ?

— Il y a une différence. Le mariage c'est un engagement. Un engagement légal.

— Ouais, et je suis bien placée pour connaître tous les emmerdements que ça peut causer.

— Justement.

— Justement quoi ?

— Il faut prendre des risques quand on aime quelqu'un.

Maman ne l'a pas fait. Elle a voulu continuer à vivre dans l'aisance, mais à quel prix ? Oh ! elle ne nous l'a pas dit en toutes lettres. Elle a dit qu'elle en était venue à aimer papa et que, si elle n'avait pas quitté Will, elle ne nous aurait pas eues. Le fait est qu'elle aurait mené une vie complètement différente si elle était restée avec Will. Plus exaltante, peut-être.

Caroline n'en revenait pas. Elle regarda attentivement sa sœur.

— Mais tu étais contre ce qu'ils ont fait. Tu crois en la fidélité. Du moins, c'est ce que j'ai toujours pensé.

— J'y crois vraiment, mais je crois aussi à l'amour. Je ne le reconnaîtrais peut-être pas devant maman, par loyauté pour papa entre autres, mais je regrette qu'elle ait laissé passer quelque chose d'aussi exceptionnel que ce qu'elle vivait avec Will Cray. Voilà ! c'est la fin de mon sermon. Si je t'ai blessée, je m'en excuse, mais c'est ainsi que je vois les choses. Bien que nous n'ayons pas toujours été d'accord toi et moi, tu es ma sœur, Caroline, ajouta-t-elle plus doucement. Je souhaite vraiment que tu sois heureuse.

Caroline fut surprise de constater qu'elle avait la gorge nouée. À supposer qu'elle en eût été capable, elle n'aurait pas été obligée de répondre parce que Leah entra en trombe dans la cuisine à ce moment précis. Elle s'arrêta net en les apercevant.

— Oh ! je vous demande pardon. Je pensais que tout le monde était couché.

— Nous avons peut-être la mauvaise heure, suggéra Annette en jetant un coup d'œil à l'horloge. Il n'est peut-être que dix ou onze heures du soir. Pourtant non. Il est bien une heure et demie. Je sais pourquoi Caroline et moi sommes debout, mais toi ? demanda-t-elle à Leah.

Celle-ci haussa les épaules. Elle portait une couverture en tricot de laine cognac sur sa chemise de nuit. Elle aurait paru malingre si elle n'avait pas eu les pommettes aussi roses. Caroline devina qu'elle aussi avait été perturbée par les révélations de leur mère.

— Je ne pouvais pas dormir, répondit Leah. J'ai pensé aller me promener un peu, ajouta-t-elle aussitôt.

— À cette heure? demanda Annette.

Son ton maternel fit sourire Caroline.

— Ce n'est plus une enfant, rappela-t-elle à Annette.

— Mais il fait noir dehors.

— Je ne marcherai sans doute pas beaucoup, dit Leah en haussant de nouveau les épaules avec désinvolture. Je vais peut-être simplement m'asseoir sur la falaise. Ce n'est pas dangereux. Je l'ai déjà fait.

Caroline s'effaça pour la laisser sortir.

— Veux-tu apporter une tasse de thé?

— Non, merci.

Leah disparut aussitôt après leur avoir fait un signe de la main.

— Penses-tu qu'elle va bien? demanda Annette.

Caroline n'en était pas certaine. Pendant presque toute la confession de Ginny, Leah avait semblé être à la torture. Elle paraissait aller mieux maintenant, les yeux un peu brillants peut-être, mais mieux. Caroline se disait quand même que Ginny avait peut-être eu raison en justifiant ce qui avait pu passer pour du favoritisme envers Leah.

— Elle est plus fragile que nous, je pense. Peut-être un peu égarée même. Est-ce qu'elle te téléphone souvent?

— Non. Je devrais probablement l'appeler plus souvent moi-même. Elle pourrait venir nous rendre visite.

Caroline se disait la même chose.

— Elle a toujours aimé Ben. Il pourrait peut-être lui présenter un de ses amis, soupira-t-elle. Oh! et puis, merde pour l'ami! Peux-tu me dire où diable Ben peut bien être?

Annette ne le savait évidemment pas plus qu'elle. Quand Caroline retourna dans sa chambre, elle essaya de rappeler Ben et n'eut pas davantage de succès. Elle s'agita dans son lit en imaginant le pire:

Ben était parti pour trois mois sans même lui dire au revoir.

Ben s'était tué dans un accident de motocyclette.

Ben avait une liaison avec une autre femme.

Elle serait consternée dans le premier cas, foudroyée dans le deuxième et, dans le troisième, elle ressentirait une souffrance dont elle ne se remettrait sans doute jamais. Elle pouvait composer avec la trahison de ses associés ; elle ne pensait pas qu'elle pourrait même seulement envisager celle de Ben.

C'était curieux. Il y avait des heures qu'elle n'avait pas pensé au bureau. Quelque chose clochait certainement chez elle, même si le bureau ne valait pas la peine qu'elle s'en préoccupe. On lui avait donné un coup de poignard dans le dos parce qu'elle avait osé prendre des vacances. Probablement aussi parce qu'elle était une femme. Caroline avait bien l'impression qu'aucun des hommes n'aurait osé voler un cas à un autre associé masculin. C'était une bande de salauds qui ne méritaient pas qu'elle s'en fasse à leur sujet.

C'était tout autre chose en ce qui concernait Ben.

Elle s'assoupit à quelques reprises et s'éveilla chaque fois en sursaut. Elle se dit que son angoisse devait ressembler à celle qu'Annette ressentait quand elle s'inquiétait pour sa famille et découvrit qu'elle admirait sa sœur. Même si Annette prenait peut-être les choses trop à cœur, Caroline commençait à comprendre que l'inquiétude était sans doute inséparable de l'amour.

Elle se dit aussi que Ginny s'était peut-être vraiment inquiétée pour ses filles pendant toutes ces années, comme elle l'affirmait. La manifestation de l'inquiétude pouvait prendre plusieurs formes. Pour Annette, c'étaient des coups de fil à répétition. Pour Ginny, c'était peut-être plus discret. Caroline savait d'expérience qu'un même fait pouvait être interprété de façons diamétralement opposées par la poursuite et par la défense. Le même coup de fil hebdomadaire pouvait être perçu comme l'accomplissement d'un devoir si on pensait : « maman s'est sentie obligée de m'appeler » ou comme une marque de privation si on pensait plutôt : « maman m'appellerait peut-être plus souvent si elle sentait que ça me fait plaisir ».

Maman. Ben. Annette et Leah. Holten, Wills et Duluth. Tant de choses à considérer. Tant de relations à repenser.

À l'aube, Leah se retrouva pelotonnée sur le canapé en cuir de Jesse. Son regard passait du rameau d'églantier séché près des vieux anneaux en cuir à la mezzanine où Jesse dormait. Ils n'avaient pas beaucoup parlé. Ils avaient fait l'amour, comme toujours quand ils étaient ensemble, puis Jesse l'avait tenue dans ses bras jusqu'à ce qu'il s'assoupisse.

Elle l'entendit se retourner dans le lit, puis l'appeler timidement.

— Leah?

— Je suis en bas, lui répondit-elle.

Le lit craqua de nouveau. Vêtu seulement d'un caleçon de jersey gris qui lui moulait les flancs, Jesse apparut dans l'escalier. Il avait les cheveux en bataille et la barbe longue. Son corps était ferme. Leah se recroquevilla, les genoux contre la poitrine, et le regarda s'approcher.

Il s'accroupit à côté d'elle, repoussant les mèches de cheveux qui cachaient le visage de la jeune femme.

— Qu'est-ce qui ne va pas?

— Je suis toute languissante quand je te regarde.

Il la prit dans ses bras et s'installa sur le canapé. Elle se blottit contre lui, la joue et la paume de sa main appuyées sur sa poitrine. Elle étendit les doigts sur sa peau chaude et couverte d'un léger duvet qui exhalait une odeur mâle.

Ginny avait les églantines, Leah avait Jesse. Elle savait que, où qu'elle soit dans le monde, elle ne pourrait jamais humer cette mâle odeur de musc sans évoquer Jesse. Elle en était torturée d'avance.

Ils ne parlèrent pas plus qu'ils ne l'avaient fait auparavant. Ils restèrent simplement assis, respirant à l'unisson.

— Je dois m'en aller, murmura-t-elle enfin.

Elle l'embrassa, lui passa les bras autour du cou et le serra bien fort. S'il y avait une part de désespoir dans son étreinte, elle refusa de s'y arrêter. Elle ne quittait pas Star's End tout de suite. Elle avait encore du temps.

Dans la pâle lueur pourpre de l'aube, elle franchit la pelouse en courant, passa près de la piscine et traversa la terrasse. Elle ouvrit la porte de la cuisine et se glissa subrepticement à l'intérieur, dans l'espoir d'aller se cacher dans sa chambre sans être vue.

Mais la porte du réfrigérateur était entrouverte. Éclairée par la lumière qui en émanait, Caroline était debout, une boîte de jus à la main, l'air abasourdi. Consternée, Leah songea qu'il n'y avait pas de quoi s'en étonner. Elle pouvait facilement imaginer le tableau qu'elle offrait à sa sœur. Ses cheveux étaient en broussaille, son visage était rouge, et elle était tout essoufflée.

— Grand Dieu ! Leah, es-tu restée dehors tout ce temps ?

— Je n'étais pas fatiguée, dit Leah sans mentir. J'ai pensé que ce serait bête d'essayer de dormir. Mais je vais y aller maintenant. Et toi ? Tu as soif ?

— Je suis surtout énervée.

Caroline laissa la porte du réfrigérateur se refermer et alla chercher un verre.

— En veux-tu ?

— Non, merci. Je pense que je vais monter, répondit Leah en souriant. À tout à l'heure.

Elle quitta la pièce et grimpa l'escalier.

Ce n'est qu'une fois couchée dans son lit, emmitouflée dans la douillette jusqu'aux oreilles, qu'elle se demanda pourquoi elle n'avait pas parlé de Jesse à Caroline.

Elle n'avait pourtant pas honte de lui. Bien au contraire.

Mais elle avait peur de la réaction de Caroline, et de celle d'Annette d'ailleurs, si elles apprenaient sa relation avec lui.

Si ? *Quand* elles l'apprendraient.

Plus tard.

Caroline resta dans la cuisine, perchée sur un tabouret, à regarder le soleil se lever au-dessus de l'horizon lointain et scintiller sur les vagues. Elle buvait à petites gorgées, tantôt du jus d'orange, tantôt de l'eau, et pensait à toutes les erreurs qu'elle avait commises.

D'abord, elle avait tenu Ben pour acquis. Elle ne l'aurait pas volé s'il disparaissait pendant trois mois. Il était libre comme l'air. Elle ne pouvait lui en vouloir de ne pas se sentir d'attaches, puisqu'elle en était responsable.

Ensuite, elle s'était fait une image préconçue d'Annette et de Leah. Elle les avait considérées comme superficielles alors qu'elles ne l'étaient pas. Bien sûr, elles ne faisaient peut-être pas carrière, mais Caroline, en revanche, n'avait pas une famille comme Annette ou des amis à profusion comme Leah. Ses sœurs valaient probablement autant qu'elle. Elles l'avaient prouvé la veille. Malgré toutes ses compétences professionnelles, Caroline n'avait pas réagi mieux que ses sœurs aux étonnantes révélations de Ginny.

Peut-être moins bien, même. Leah avait été capable d'écouter Ginny, de la comprendre et de pleurer avec elle sur ce qu'elle avait perdu. Annette aussi. Mais pas Caroline. Elle n'avait rien pardonné. Ou plutôt si. Elle le croyait du moins. Seulement elle avait été incapable de l'exprimer.

Elle fut frappée de constater qu'elle ressemblait à Ginny sur ce point. Elle qui avait passé toute sa vie à se démarquer de Ginny. Elle qui avait toujours détesté l'attitude distante de Ginny. Elle qui s'était toujours fait un point d'honneur d'être sincère.

Elle se rendait compte tout à coup que la sincérité lui avait souvent fait défaut, en ce qui concernait les émotions en tout cas. Avec Annette et Leah. Avec Ben. Avec Ginny.

Poussée par un grand sentiment d'urgence, elle saisit le téléphone et composa le numéro de Ben, puis écouta la sonnerie qui n'en finissait plus de retentir. Elle compta jusqu'à dix pour voir si le répondeur s'enclencherait. Ce ne fut pas le cas et elle raccrocha, encore plus frustrée et plus énervée qu'avant.

Il était six heures et demie à l'horloge. Leah avait passé la nuit debout et dormait sans doute à poings fermés. Tout comme

Annette avec qui elle avait discuté dans la cuisine à peine quelques heures plus tôt.

Il ne restait que Ginny.

Caroline se rappela qu'une fois, alors qu'elle avait seize ans et qu'elle avait été si détestable que Ginny refusait même de lui adresser la parole, elle avait cherché une façon de s'excuser sans la trouver. Elle avait proposé de faire les courses, d'amener Annette et Leah au cinéma, d'aller chercher son père à la gare. Comme rien ne semblait fonctionner, elle s'était finalement glissée dans la chambre de sa mère un matin et s'était assise sur le bord du lit jusqu'à ce que Ginny s'éveille. Elles ne s'étaient rien dit. Ginny lui avait simplement touché la main et lui avait souri. Tout avait été réglé.

Elle sortit de la cuisine et monta silencieusement l'escalier. Elle frappa doucement à la porte de Ginny. Il n'y eut pas de réponse. Elle tourna la poignée, ouvrit la porte et se glissa à l'intérieur. Ginny dormait si paisiblement que Caroline s'immobilisa un instant près de la porte. Elle ne pouvait s'imaginer ce qu'avait pu être la journée de la veille pour sa mère. Caroline avait été bouleversée de la voir rire et pleurer, élever la voix, parler de passion et de romantisme. Ginny avait dû l'être encore plus. Ce n'était pas une sinécure de se vider le cœur. Et Ginny n'était plus jeune.

Elle avait pourtant l'air jeune, étendue sur son lit, le visage dégagé des soucis du monde. Elle paraissait sereine, heureuse même. Mais elle était étonnamment immobile.

Un peu mal à l'aise, Caroline s'approcha silencieusement. De près, les traits de Ginny étaient détendus, ses paupières fermées, et sa bouche esquissait un sourire. Mais elle était livide, et son teint était cireux.

— Maman? murmura Caroline.

Elle frémit de tout son être et tendit une main tremblante vers celle de sa mère. Elle était froide. Sa joue aussi.

Caroline posa timidement sa main toujours tremblante sur les cheveux de Ginny. Sa mise en plis était impeccable, comme toujours, une coiffure adéquate pour affronter n'importe quelle situation. Les pommettes étaient prononcées, la mâchoire et le menton bien marqués. Ginny était une très belle femme, même pétrifiée comme une statue d'albâtre.

Les yeux de Caroline se remplirent de larmes. Elle se laissa tomber sur le bord du lit et prit la main glacée dans la sienne.

— Oh! maman, s'écria-t-elle, comment as-tu pu faire une chose pareille?

Ce n'était pas juste! C'était la première fois que Ginny se confiait à ses filles! Ce ne devait être qu'un début.

Elle ressentit le même sentiment d'urgence que lorsqu'elle était montée. Submergée par la douleur, elle se mit à sangloter.

— Je m'excuse. J'aurais dû te parler davantage. J'ai été fière et têtue. Je pensais t'avoir parfaitement comprise. Quand j'ai vu que ce n'était pas vrai, je me suis mise en colère.

Elle pleurait doucement, elle tenait toujours la main de Ginny dans les siennes et la secouait de temps à autre.

— Réveille-toi, maman. Il faut que nous nous parlions.

Elle poussa un long soupir rauque et s'essuya les yeux sur son épaule, mais ses larmes coulaient toujours.

— Nous ne nous sommes jamais parlé. C'est aussi ma faute. Devenue adulte, j'aurais pu faire les premiers pas, mais j'ai pris mes distances. Comme toi. Parce que ce qu'on ne sait pas ne fait pas mal. Oh! mon Dieu...

Elle poussa un long cri désarmé et lugubre et fut secouée par de profonds sanglots.

— Caroline? demanda une voix effrayée. Qu'y a-t-il, Caroline?

Elle se balançait sur le lit, la main de Ginny posée sur ses cuisses. Elle entendit un gémissement juste derrière elle, puis un bref cri angoissé. Des bras l'entourèrent, et elle s'y laissa tomber. Elle continua de pleurer à chaudes larmes avec Leah.

— Ce n'est pas juste, lui dit Caroline.

Elle aurait voulu crier et hurler. Elle aurait voulu retarder l'horloge.

— Je sais.

— Il y avait encore tant de choses à dire.

— Je sais.

— Ce n'était qu'un début, hier.

— Ou un présage, dit Annette qui se tenait sur le seuil, toute tremblante.

Blanche comme une morte, elle s'approcha, les yeux exorbités, les paupières inférieures gonflées de larmes, et regarda fixement Ginny.

— C'est probablement son cœur.

— Mais le médecin a dit qu'elle allait bien, protesta Leah.

— La première fois, oui. J'ai demandé à Jean-Paul de vérifier. Il y a eu d'autres consultations et un électrocardiogramme a révélé une irrégularité.

Leah avait le souffle coupé.

— Elle n'en a rien dit. Pourquoi l'a-t-elle caché ?

— Peut-être ne voulait-elle pas admettre qu'elle était malade ? Elle s'était fait prescrire un médicament. Peut-être ne le prenait-elle pas ?

— Si nous l'avions su, nous l'aurions obligée à le prendre.

Caroline frotta le dos de Leah pour la réconforter. Elle avait l'impression d'avoir les idées plus claires.

— Non, Leah, murmura-t-elle. Nous n'aurions pas pu prendre les décisions à sa place. Ginny faisait les choses à sa façon.

Elle retint un sanglot, puis éclata de rire à travers ses larmes.

— J'ai toujours pensé qu'elle était faible. Comme j'étais stupide ! Elle avait une volonté de fer. Quand elle prenait une décision, elle s'y tenait. Elle nous a dit qu'elle voulait mourir ici, elle est donc morte ici. Elle devait avoir tout prévu.

— Regardez son visage, dit Annette d'un ton ému. Si calme, si heureux.

— Elle a rejoint Will, dit Leah.

Caroline n'était pas certaine de croire à l'au-delà, mais peut-être existait-il. Elle pouvait se tromper à ce propos comme à bien d'autres. Elle se sentait humiliée et vidée. Elle était haletante.

Elle s'essuya le visage avec son poignet et reprit ensuite la main de Ginny.

— Faut-il appeler quelqu'un ? demanda Annette. La police ? Les pompes funèbres ?

— Pas tout de suite, dit Caroline.

Elle n'était pas prête à laisser partir Ginny. Pas cette nouvelle Ginny qu'elle trouvait si intéressante.

— Que serait-il arrivé si nous l'avions su plus tôt ?

— Au sujet de Will ? demanda Leah.

— Nous aurions pu en parler davantage avec elle. Nous aurions eu du temps pour la connaître mieux. C'est triste.

— Pas si on pense qu'elle aurait pu mourir avec son secret la semaine dernière ou le mois dernier, dit Annette. Elle s'est accrochée à la vie pour venir ici. C'est un triomphe, d'une certaine façon.

— Pensez-vous qu'elle a acheté la maison en pensant à sa mort ? demanda Leah.

— Elle a dit qu'elle voulait mourir ici.

— Peut-on vraiment déterminer soi-même une chose comme ça ?

— D'après Jean-Paul, il arrive que la volonté soit plus efficace que la médecine pour guérir quelqu'un. C'est très puissant.

Caroline commençait à s'en rendre compte.

— Voilà pourquoi la justice n'est rien d'autre que des conneries.

— Comment ça ?

— À cause de la preuve matérielle sur laquelle on fonde un verdict de culpabilité. Mais ce n'est qu'un côté de la médaille. Comment un jury peut-il décider si un accusé est coupable ou innocent en ne considérant qu'un seul côté de la médaille ?

— L'autre côté, c'est le mobile ?

— Ouais, bien sûr. Qu'en savons-nous effectivement ? On ne peut pas savoir ce qui se passe dans la tête des gens. Pas vraiment. Regardez maman, par exemple. J'étais certaine de savoir exactement ce qui se passait dans sa tête, mais je me trompais.

Dieu sait que je l'ai condamnée sur de simples preuves maté-
rielles.

Ses larmes n'étaient pas taries, après tout. Elle recommença
à pleurer.

Leah la consola à son tour en lui entourant les épaules de
son bras.

— Pas seulement toi, Caroline. Nous aussi.

Annette tendit la main vers le visage figé de Ginny, hésita,
puis l'effleura.

— Elle nous a laissées faire. Elle n'a pas discuté. Elle ne
s'est pas défendue.

— Pourquoi, bon sang? s'écria Caroline.

Sa question plana dans l'air immobile et silencieux. À l'extérieur, la mer se fracassait sur le rivage, les goélands criaient en
volant au-dessus de la falaise et la corne de brume lançait son
appel du côté de Houkabee Rocks, mais tous ces bruits étaient
assourdis.

Annette se décida finalement à rompre le silence.

— Elle pensait bien faire. Comme tout le monde dans la vie.
On ne commet jamais d'erreur intentionnellement. Elle se produit
malgré soi. Maman croyait bien faire en ne nous parlant pas de
Will Cray. Pour protéger papa sans doute.

— Ou plutôt pour se protéger elle-même.

Après avoir lancé cette accusation, Caroline ajouta du même
souffle, sur un ton perplexe :

— Ou encore pour se punir.

— Nous devons appeler quelqu'un, chuchota Annette.

— Attends.

Pas encore, pas encore. Caroline n'était pas prête.

— Elle serait contente de nous voir toutes les trois ici autour
d'elle. Elle rêvait de nous voir proches les unes des autres. Ça la
dérangeait que nous ne le soyons pas.

— Pourquoi ne l'étions-nous pas?

— Parce que nous avons suivi des chemins différents dans
la vie.

— La belle excuse!

— Nous n'avons jamais vu les choses ainsi.

— Nous n'y avons tout simplement jamais réfléchi, constata Caroline. Ensemble du moins. Je ne vous déteste vraiment pas, les filles.

— Mais ça ne t'intéresse pas de passer du temps avec nous.

— Vous avez vos propres vies, et j'ai la mienne, dit Caroline sur la défensive. Mais c'est une chose stupide à dire. Après tout, le droit n'est qu'une partie de ma vie. La plus grande partie sans doute. Une partie gigantesque. Et c'est probablement tout aussi stupide. Je pense qu'il y a pas mal de choses auxquelles je devrais réfléchir, ajouta-t-elle le souffle un peu court.

Le silence retomba. Le soleil était maintenant assez haut pour entrer par la fenêtre. Ses rayons éclairaient le lit de biais et se glissaient jusqu'au visage de Ginny, illuminant ses traits d'un éclat sinistre.

— Je crois qu'il est temps, dit alors Caroline. Elle a mérité de se reposer.

Mais Annette résistait à son tour, se pressait contre le lit et tenait Ginny par les épaules. Leah laissa aller Caroline et enroula un bras autour de la taille d'Annette. Caroline déposa la main de Ginny sur le lit, doucement et à contrecœur. Elle savait que ce ne serait pas plus facile si elle tardait à le faire.

Avant de changer d'idée, elle contourna rapidement le lit et décrocha le téléphone. Quelques instants plus tard, elle avait réveillé l'ordonnateur des pompes funèbres de Downlee et l'avait mis au courant de la situation.

— Il arrive, dit-elle à Annette et à Leah.

— Devrions-nous appeler l'avocat de maman à Philadelphie? demanda Annette. Elle a peut-être laissé des instructions écrites.

— Peut-être, reconnut Caroline. Mais je crois qu'elle nous en aurait parlé. Elle avait tout prévu. Elle n'aurait pas laissé ça au hasard.

Pas faible du tout. Très forte plutôt, décidée et maligne. Caroline regarda ses sœurs.

— Nous avons une bonne idée de ce qu'elle voudrait.

— Elle voudrait être enterrée ici, dit Annette.

— Star's End a son propre cimetière, ajouta Leah. C'est à l'autre bout de la falaise. Will y est enterré.

— Et papa alors ? demanda Caroline en se faisant l'avocate du diable.

Leah parut sur le point de dire quelque chose, mais s'arrêta. Annette dit calmement :

— Après avoir quitté Will, elle a donné toutes les années de sa vie à papa jusqu'à sa mort. Elle se sentait une responsabilité envers lui. Je pense qu'elle a rempli son engagement.

Caroline le pensait aussi. L'expression de Leah manifestait également son accord.

Une fois cela réglé, il n'y avait rien de plus urgent à faire que d'attendre l'arrivée de l'ordonnateur des pompes funèbres. Caroline envoya Annette et Leah s'habiller pendant qu'elle restait assise à côté de Ginny. Elle était incapable de la laisser toute seule pendant les toutes dernières minutes où elle leur appartenait encore. Quand elles la reverraient, ce serait à la maison mortuaire, puis ensuite au cimetière sur la falaise, et elles seraient entourées de la famille et des amis.

Tenant la main de Ginny, elle laissa couler ses larmes. Elle n'avait pas la force de les retenir. Ni l'envie. Elle n'avait pas assez pleuré dans sa vie. C'était bon de le faire.

Elle essaya encore une fois de joindre Ben. Elle souhaitait désespérément entendre sa voix, mais il ne répondit pas. Elle se dit que, lorsque les arrangements funéraires seraient réglés et que la matinée serait plus avancée dans la région de Chicago, elle appellerait des amis susceptibles de connaître les allées et venues de Ben. En attendant, elle ne pouvait que s'inquiéter et souffrir.

Leah revint. Caroline aurait malgré tout aimé rester avec Ginny. Elle était l'aînée. C'était sa responsabilité, pensait-elle. Mais la vérité était qu'elle avait plus de comptes à régler avec Ginny que les autres.

Comme elle savait qu'elle devrait être habillée quand l'ordonnateur des pompes funèbres arriverait et que, par ailleurs, Leah avait elle aussi le droit de passer du temps seule près de Ginny, elle se retira dans sa chambre. Elle jeta un coup d'œil sur le lit où elle avait eu un sommeil si agité la nuit précédente. Elle se demanda à quel moment Ginny était morte. Elle se dit qu'il était tragique qu'aucune d'entre elles n'ait été à ses côtés à ce moment-là. Elles étaient toutes près d'elle. Tout près. Mais aucune à ses côtés.

C'était, d'une certaine façon, à l'image de la vie de leur famille, essentiellement tragique.

Elle y songeait encore quand elle retourna dans la chambre de Ginny où Annette s'était jointe à Leah pour assurer la garde. La scène illustrait bien cette tragédie. Elles entouraient toutes les trois Ginny dans la mort comme elles ne l'avaient jamais fait de son vivant. Il y avait de l'amertume dans la consolation qu'elles éprouvaient à être ensemble.

Caroline avait l'impression d'avoir subi une grande perte, ce qui était plutôt curieux puisqu'elle se considérait comme parfaitement indépendante de Ginny. Et elle l'était, dans la vie de tous les jours. Pourtant... Ginny était sa mère. Au fond d'elle-même, Caroline avait toujours su qu'elle était là. Mais voilà qu'elle était partie, brusquement, et pour toujours.

Un peu avant neuf heures, on sonna à la porte. Caroline quitta des yeux le visage de Ginny pour regarder Leah et Annette. La gorge serrée, elle chuchota :

— C'est pour de vrai à présent.

Ses sœurs semblaient partager son avis, à en juger par leurs signes de tête convulsifs.

Annette descendit ouvrir à l'ordonnateur des pompes funèbres. En l'attendant, Caroline regarda tour à tour le visage de Ginny et celui de Leah qui semblait terrifiée.

Caroline contourna le lit et prit sa sœur dans ses bras. Quand elle travaillait au bureau du procureur, elle avait assisté à l'enlèvement d'un cadavre à deux reprises. Elle savait à quoi s'attendre. Pas Leah.

Même dans un petit bled comme Downlee, l'ordonnateur et son assistant avaient les cheveux bien coiffés, des habits de funérailles bien repassés et des souliers noirs bien cirés. C'était toutefois la seule ressemblance avec les expériences antérieures de Caroline. Après que le corps de Ginny eut été recouvert, déposé sur une civière sur roues et sorti de la maison, Caroline n'en menait pas plus large que Leah et Annette.

Elles restèrent toutes les trois sur le perron pour assister au chargement du corps dans le corbillard. Elles le regardèrent s'éloigner lentement dans l'allée.

Leah étouffa un cri angoissé. Caroline lui prit la main. Elle vit que Leah ne regardait pas le corbillard mais qu'elle fixait un point de l'autre côté de la pelouse.

Jesse Cray était là. Même s'il était encore loin, on pouvait se rendre compte qu'il ne savait pas s'il devait s'approcher ou s'en aller. Il décida de venir vers elles, et Leah poussa un autre cri. Elle se libéra et se précipita vers lui. Avant que Caroline n'ait eu le temps de comprendre ce qui se passait, Leah se jeta dans les bras de Jesse.

Tout devint alors clair comme le jour, et Caroline en resta stupéfaite. C'était pourtant logique, en y pensant bien.

Annette, appuyée contre Caroline, semblait aussi interdite que sa sœur.

— Leah et Jesse ?

— C'est là qu'elle était la nuit dernière.

— Et c'est pourquoi l'histoire de maman et de Will l'a tellement déchirée. Pourquoi ne nous en a-t-elle pas parlé ?

— Aurions-nous compris ? Pas la personne que j'étais en arrivant ici, en tout cas.

— Tu as raison. Après tout, c'est le jardinier.

— Mais c'est aussi le fils de Will Cray. Ce qui représente bien autre chose.

— Crois-tu qu'ils sont amoureux ?

— Il y a certainement quelque chose entre eux. Regarde comme ils se serrent l'un contre l'autre.

Caroline pensait combien elle aurait souhaité se retrouver dans les bras de Ben à ce moment précis. Leah et Jesse, les mains serrées, s'approchèrent d'elles. Leah paraissait effrayée.

— Je suis désolé au sujet de votre mère, dit Jesse. C'est dommage qu'elle n'ait pas pu passer plus de temps à Star's End. Elle aurait aimé ce que l'endroit est devenu. J'aurais voulu la connaître davantage.

— Aviez-vous entendu parler d'elle ? demanda Caroline.

Il eut un sourire un peu forcé, un peu triste.

— Pendant des années, mon père ne parlait que d'elle. Elle était ce qu'il avait de plus cher au monde. Il aurait été heureux de son retour.

Caroline avait l'impression que Jesse en savait beaucoup plus qu'elles sur Ginny et Will et qu'il en avait déjà parlé avec Leah.

Mais ils n'avaient pas dû se contenter de parler. C'était évident à la façon dont Leah se tenait tout près de Jesse, presque appuyée contre lui, sous sa protection en quelque sorte.

— Quand vous fixerez les arrangements funéraires, dit Jesse en s'adressant aux trois sœurs, avez-vous l'intention d'inviter les gens du village ? Ils aimaient beaucoup votre mère, vous savez. La rumeur de son retour s'est répandue quand vous êtes allées manger des glaces hier soir. Ils seront désolés de ne pas l'avoir revue. Ils souhaiteraient certainement lui rendre un dernier hommage.

Caroline pensa à toutes les autres personnes qui le voudraient aussi. Elle pensa aux appels téléphoniques à faire. À Gwen, au seul frère de Ginny encore vivant et à son cousin, à ses innombrables amis à Philadelphie et à Palm Springs. Elle pensa à appeler Ben, se rappela qu'il ne répondait pas au téléphone, imagina les démarches qu'elle pourrait entreprendre pour le retrouver. Elle connaissait plusieurs excellents détectives privés avec lesquels elle avait eu affaire à différentes reprises. Elle pourrait en appeler un au besoin.

Elle entendit alors un bruit qui lui parut incongru à Star's End. Elle jeta un regard vers l'allée. Elle s'attendait presque à voir le corbillard revenir. Elle eut même l'espoir insensé que Ginny se soit réveillée d'un sommeil cataleptique.

Le son n'était pas aussi feutré et assourdi que celui du corbillard. Il lui était pourtant familier.

— Ben ? murmura-t-elle.

Elle ne pouvait pas le croire. La motocyclette s'engagea dans la courbe et émergea en pleine lumière.

— Ben !

Elle laissa les autres sur le perron et se précipita vers l'allée. Il arrêta sa moto à plusieurs mètres, mit pied à terre et retira son casque. Son visage était pâle et ses yeux inquiets. Il jeta un coup d'œil dans la direction d'où il venait, puis regarda devant lui, au-delà de Caroline, vers Annette et Leah.

— Pourquoi ce corbillard est-il ici ? demanda-t-il.

— Ça fait deux jours, trois même, que j'essaye de t'appeler.

— Ta maman ?

Elle fit signe que oui.

Il ferma les yeux bien fort, rejeta la tête en arrière, puis la redressa. Il se rapprocha de Caroline et la serra contre lui. Elle lui passa les bras autour du cou, s'y agrippa et se remit à pleurer.

Ben était enfin là.

20

Au bout du fil, la voix de Jean-Paul était tout endormie. Annette savait qu'elle l'avait réveillé. On était samedi, seul matin de la semaine où il faisait la grasse matinée, et seulement jusqu'à huit heures. Même s'il était à peine sept heures à St. Louis, elle n'en pouvait plus d'attendre. Le mariage, c'était fait pour ça. Partager des malheurs comme la mort d'une mère.

Elle assena son histoire d'un seul coup au pauvre Jean-Paul qui tombait littéralement des nues. Elle lui raconta tout ce qu'elle s'était crue assez forte et indépendante pour retarder de lui dire la veille au soir. Ce matin, la force et l'indépendance n'avaient plus cours. Il fallait absolument qu'elle partage avec son meilleur ami les événements capitaux qui venaient de bouleverser sa vie.

Elle parla à Jean-Paul de la légende de Star's End et du rôle que Ginny y avait tenu. Elle lui parla de l'intimité qui s'était établie entre ses sœurs et elle quand elles avaient découvert le secret de leur mère, de l'arrivée de Ginny et des épanchements qui avaient suivi. Elle lui parla de la randonnée jusqu'au magasin de glaces et de sa conversation avec Caroline dans la cuisine au milieu de la nuit. En pleurant doucement, elle lui raconta qu'elle était remontée dans sa chambre sans se rendre compte que Ginny était en train de rendre le dernier soupir.

— Ça me fend le cœur, Jean-Paul, dit-elle en pleurant. Voilà que nous apprenons des choses inouïes au sujet de notre mère, des choses qui nous permettent de comprendre son comportement pendant toutes ces années. Voilà que pour la première fois de notre vie tout est clair entre nous et incroyablement agréable, et il a fallu qu'elle meure.

— Je suis désolé, chérie, vraiment désolé.

— Ce n'est pas juste que ça se passe comme ça.

— Non. La mort est rarement juste.

Il dit ces mots avec une conviction si profonde et tellement d'indulgence qu'Annette eut honte de ses plaintes. Jean-Paul côtoyait la mort tous les jours. Il voyait mourir des gens qui avaient des dizaines d'années de moins que Virginia, des gens qui laissaient derrière eux des enfants encore tout jeunes. Il voyait des gens mourir de mort subite, prématurée et cruelle. La mort de Virginia n'était rien de tout cela.

Annette essaya d'être moins pessimiste.

— Tu aurais dû la voir. Elle était transformée. Son visage s'est animé quand elle nous a parlé du temps qu'elle a passé avec cet homme. Son teint était éclatant. Elle souriait, elle riait même. Crois-le ou non, Jean-Paul, elle a même pleuré. Quand c'est arrivé, nous nous sommes regardées toutes les trois, complètement déroutées. Nous ne l'avions jamais vue pleurer auparavant. Nous n'aurions pas cru qu'elle en était capable. Elle a toujours été tellement stoïque.

— C'est étonnant qu'elle ait pu taire si longtemps son secret et survivre quand même. Que son cœur ne se soit pas rebellé plus tôt.

Annette suffoqua. Elle n'avait pas fait le lien entre les problèmes cardiaques de Ginny et son secret si bien gardé, mais c'était d'une logique implacable.

— C'est donc le prix ultime qu'elle a dû payer pour les décisions qu'elle a prises. On dit que Will Cray est mort parce que son cœur était brisé. C'est indirectement ce qui lui est arrivé à elle aussi. Nous avons toujours pensé qu'elle n'avait pas d'émotions. Nous nous trompions lourdement. Tu aurais dû la voir. C'était comme si la marmite qui contenait ses émotions avait débordé.

— Avait-elle l'air bien ?

— Très. Elle avait parfois le souffle un peu court, mais ça semblait normal compte tenu de ce qu'elle nous révélait. Nous avions toutes le souffle court. J'imagine que, dans son cas, c'était aussi un symptôme.

— Prenait-elle ses pilules ?

— Elles étaient sur sa table de chevet. Le flacon semblait plein.

— On l'avait prévenue d'éviter les émotions fortes.

Annette sourit affectueusement en entendant cela. Les hommes avaient décidément des réactions moins émotives que les femmes. Même Jean-Paul, pourtant tellement plus sensible que la plupart des hommes. Comme ses confrères médecins, il voulait sauver la vie de ses patients. Il ne pouvait pas admettre que le prix à payer pour qu'ils restent vivants leur paraisse parfois trop élevé.

— Comment peut-on dire à une femme dans sa situation d'éviter les émotions fortes ? demanda Annette. Elle était soulagée d'être de retour ici. Elle était allée voir la tombe de Will. Ses yeux étaient brillants. Elle était de plus en plus animée à mesure que la soirée avançait. C'était si agréable d'être avec elle, Jean-Paul. Ce n'est pas juste. Le jour même où nous l'avons découverte, nous la perdons. Ce n'est vraiment pas juste.

Annette était encore tout étonnée et consternée.

— Je suis désolé, chérie. Je voudrais être près de toi. Comment vont Caroline et Leah ?

Annette reprit son aplomb.

— Elles vont bien. Elles sont tristes, bien sûr. Caroline encore plus que Leah.

— Ah ! oui ? C'est étonnant.

— J'aurais pensé la même chose il y a une semaine. Mais plus maintenant. J'ai connu Caroline sous un nouveau jour. Elle n'est pas aussi dure à cuire qu'elle voudrait nous le faire croire. J'ai l'impression que les angles de son caractère se sont arrondis avec le temps.

— Peut-être n'a-t-elle jamais été réellement dure, mais elle ne l'a jamais laissé paraître. Un peu comme votre mère qui vous a enfin laissé voir qu'elle était humaine, après tout. Avez-vous pensé aux funérailles, tes sœurs et toi ?

Annette n'avait pas fait le rapport entre l'attitude professionnelle de Caroline et le stoïcisme de Ginny. Elle se dit qu'elle y réfléchirait plus tard.

— Nous avons seulement décidé de l'enterrer ici.

— À Star's End ?

Annette ne put s'empêcher de sourire.

— Ça te choque, hein ? Mais tu n'as pas entendu son histoire, Jean-Paul. Tu ne l'as pas vue pendant qu'elle nous la racontait. Il n'y a aucun doute. Nous sommes toutes les trois d'accord. Elle aurait voulu être enterrée ici.

— Plutôt qu'avec Dominick ?

Annette prit une profonde inspiration et se redressa. Sa chambre offrait une vue de biais sur la mer, mais elle faisait plutôt face à la pelouse longée par la falaise couronnée d'un lointain nuage rose. Le regard d'Annette se porta sur les églantines et elle fut submergée par leur arôme. Elles faisaient partie de l'histoire. Annette voulut faire saisir à Jean-Paul le rôle qu'elles avaient joué dans la vie de Virginia St. Clair.

— Quand j'ai appris ce qui s'était passé entre maman et Will, commença-t-elle, j'ai d'abord été offensée, au nom de papa. Puis maman a continué son histoire, et nous avons compris tout ce qu'elle avait ressenti pour Will et qu'elle avait abandonné pour papa. Avec dignité et honneur, elle a rempli son devoir auprès de lui. Elle est restée avec lui et a rendu sa maison agréable. Elle a été sa femme et la mère de ses enfants. Elle n'a peut-être pas joué ces rôles de bon cœur, mais elle les a quand même remplis mieux que bien d'autres femmes.

Après un court silence, Jean-Paul s'exclama :

— Fichtre ! C'est toute une concession que tu fais là.

— C'est vrai, dit Annette en souriant d'un air penaud.

Elle se sentait plus forte et plus brave comme toujours quand elle parlait avec Jean-Paul.

— Veux-tu que je te dise autre chose ? Au début je m'identifiais à papa. Maman était mariée avec lui comme je suis mariée avec toi. Et moi, je n'envisagerais jamais de m'amouracher d'un autre homme. Je ne pouvais m'empêcher de penser que ce qu'elle avait fait était immoral, qu'elle aurait dû oublier une fois pour toutes ce fameux été. Mais elle a continué à parler. Elle nous a expliqué comment cet été avait influencé tout le reste de sa vie. Elle nous a raconté ce qu'elle avait vécu avec Will. Des expériences sexuelles sans doute, mais passionnées aussi. Son visage était transfiguré par l'amour. Je l'ai senti, Jean-Paul. C'est à cela que je me suis alors identifiée, ajouta-t-elle en reprenant son souffle.

Jean-Paul poussa un long soupir douloureux.

— Je t'adore, s'empressa-t-elle d'ajouter dans un élan de sincérité. Si j'en fais trop parfois...

— Chut !

— Ce n'est pas mon intention. Il m'arrive de me laisser emporter.

— Je t'aime, Annette.

— Oui, mais tu ne m'étouffes pas. J'essaie de ne plus le faire. Même si ça me manquait de ne pas pouvoir parler avec toi, j'avais peur de t'appeler.

— Ah ! non, non, soupira-t-il encore douloureusement.

— Je pense que tu avais raison. J'essayais de compenser pour ne pas ressembler à Ginny. Mais, oh là là ! il y a aussi un revers à la médaille. C'est humiliant. J'ai toujours pensé que notre relation à toi et à moi était tellement meilleure que celle de mes parents. Je m'en faisais une gloire. Nous avions réussi là où ils avaient échoué. Mais maman a connu avec Will une relation aussi merveilleuse que la nôtre. C'est pourquoi, oui, nous allons l'enterrer ici.

Annette émit cette conclusion en poussant un long soupir, épuisée tout à coup par les épanchements de la veille et les heures chargées d'émotions qui avaient suivi la macabre découverte de Caroline à l'aube.

— Oui. Vous avez raison. Avez-vous décidé du jour et de l'heure ?

— Pas encore. Nous allons rencontrer le pasteur ce matin.

— Veux-tu me rappeler dès que tu le sauras ?

Les idées se bousculaient dans la tête d'Annette.

— Oui, mais tu n'as pas besoin de venir, dit-elle dans un effort ultime d'indépendance.

— Bien sûr que si. Je suis ton mari. C'était ma belle-mère. Elle a toujours été très aimable avec moi.

— Écoute, Jean-Paul. C'est vraiment au bout du monde. C'est un long voyage. Je me contenterai de savoir que toi et les enfants pensez à moi. De plus, la plupart de ses amis vont aussi trouver que c'est au bout du monde. Ils ne comprendront pas pourquoi nous l'enterrons ici, et je ne suis pas certaine que nous aurons envie de le leur expliquer. Si elle n'a pas jugé bon de leur révéler son secret de son vivant, je ne pense pas qu'il faille le dévoiler maintenant. Nous nous contenterons de dire qu'elle avait toujours aimé cet endroit depuis l'été qu'elle y avait passé avec papa. Nous ferons célébrer un sorte de service à sa mémoire la semaine prochaine à Philadelphie. Toi et les enfants pourriez venir alors. Ça aurait davantage de bon sens.

— Je veux être avec toi.

Elle sourit.

— Le savoir me suffit, répondit-elle toute fière d'elle. Les enfants ont besoin de toi ce week-end. Faites quelque chose d'extraordinaire tous ensemble. Pour célébrer le retour de maman à l'endroit qu'elle aimait le plus au monde. Elle était heureuse. Elle est morte en souriant.

Sa voix se brisa. Ce sourire avait été tellement poignant.

— Amène les enfants à l'église demain et dites une prière particulière pour elle. Je vais te rappeler plus tard de toute façon. Juste pour entendre ta voix. Est-ce que je peux ? demanda-t-elle timidement.

— N'hésite pas. Je t'aime, ma chérie.

— Moi aussi, dit-elle les yeux remplis de larmes.

Elle hésitait à raccrocher et à couper la communication. Jean-Paul représentait sa planche de salut.

— Jean-Paul? Merci de m'avoir convaincue de venir. Je l'aurais regretté si je ne l'avais pas fait.

— Chut! Occupe-toi de tes sœurs à présent. Aide-les à surmonter cette épreuve.

— Je t'aime.

— Vas-y, murmura-t-il.

De la fécule de maïs. De la farine. De la levure. Du miel. Leah vérifia ce qu'il y avait sur le plan de travail et y ajouta rapidement du beurre, du babeurre et des œufs. Elle versa un litre de myrtilles dans une passoire et les passa sous l'eau en les débarrassant des queues et des bouts de feuilles qui s'y trouvaient. Elle répéta l'opération avec deux autres litres.

— Leah, dit Annette en s'approchant derrière sa sœur, que fais-tu?

— Je fais des muffins au maïs et aux myrtilles. J'aurais préféré faire quelque chose avec des framboises, mais comme la saison n'est pas très bonne, il n'y en avait pas assez au marché, dit-elle en commençant à mesurer la fécule de maïs. Je vais en faire huit douzaines. J'ai pensé en donner quatre à Julia et en garder quatre pour nous. Il y a certainement des gens qui vont arrêter en passant. Nous ajouterons les muffins à ce que Julia va apporter.

Elles avaient fixé les funérailles au lundi, ce qui laissait peu de temps pour les préparatifs.

— Tu n'es pas obligée de faire ça maintenant.

Leah ressentait un besoin pressant de s'occuper.

— Oui, il le faut. Puisque Caroline et toi faites tous les appels téléphoniques, c'est le moins que je puisse faire. C'est beaucoup plus facile que d'avoir à appeler Gwen. Comment était-elle?

— Pas surprise, mais très triste.

— Et les amis de maman? Je n'avais pas envie de leur parler. Même si vous avez toujours pensé que je les aimais, ce n'était pas le cas.

— Je crois que nous avons à nous parler, intervint Caroline.

— Où est Ben? demanda Annette.

— Il dort. Il a traversé la moitié du pays sur sa foutue motocyclette avec seulement deux arrêts de six heures pour se reposer. Cet homme est complètement cinglé.

— Non. Parfaitement adorable, répliqua Annette.

Après une minute de silence éloquent, Caroline acquiesça. Leah leur lança un bref coup d'œil avant de retourner à sa fécule de maïs. Elle avait perdu le compte du nombre de tasses qu'elle avait déjà mesurées. Elle ne savait plus si c'était cinq ou six. Elle fixa le bol d'un air découragé.

— Alors, pendant que Ben dort, parlons un peu de Jesse, dit Caroline.

Leah recommença à mesurer, en retirant une tasse de fécule du premier bol pour la verser dans un deuxième.

— Leah?

— Il n'y a rien à dire, murmura-t-elle.

— À vous voir ensemble, on ne dirait pas qu'il n'y a rien entre vous.

— On dirait plutôt qu'il y a assurément quelque chose, fit remarquer Annette.

Quatre tasses. Leah en mesura une cinquième.

— Peut-être.

— Depuis quand? demanda Caroline.

Une sixième tasse.

— Depuis lundi. Dimanche, si on considère qu'il m'a surprise alors que j'étais endormie dans la balançoire dimanche soir.

— De quel genre est ce quelque chose entre vous? demanda Annette.

Leah déposa le contenant de fécule de maïs qui était presque vide et prit la farine.

— Et ça, c'est une question de quel genre ?

— La question d'une sœur qui se préoccupe de toi.

— Tu peux dire deux sœurs même, ajouta Caroline.

— C'est nouveau ça, fit remarquer Leah sèchement.

— Oui.

— Dépose la farine, Leah. Parle-nous.

Elle comprit qu'elle n'aurait pas la paix à moins de leur répondre. Elle déposa la farine, s'agrippa au bord du plan de travail les yeux fixés sur le bois décapé des armoires.

— Il n'y a rien à dire. Nous nous sommes rencontrés. Nous avons parlé. C'est un homme intéressant. Mais c'est le jardinier. Il vit ici, moi à Washington. Il porte des jeans, moi de la soie.

— Pas en ce moment, observa Caroline.

Leah s'essuya la main sur son jean.

— C'est vrai. C'est différent ici. De plus, je suis en train de faire la cuisine, ou d'essayer en tout cas. Honnêtement, vous faites tout un plat de pas grand-chose. Il y a mille raisons pour lesquelles Jesse et moi ne nous convenons pas du tout. D'accord, oublions les jeans et la soie. Parlons plutôt de la bière et du champagne, du ragoût de bœuf et des crêpes Suzette. Il fait des voyages l'hiver, moi l'été. D'ailleurs, je ne peux pas rester ici. Je pars en voyage bientôt.

— Où vas-tu ?

Elle s'était trop avancée. Forcée d'improviser, elle dit :

— Dans le Montana, je pense. Le projet n'est pas encore confirmé. Si ce n'est pas dans le Montana, ce sera ailleurs. Ensuite je dois rentrer à Washington pour présider le gala de la Société du cancer, pendant que Jesse tondra la pelouse ici. Je suis claire, il est sombre. J'aime l'opéra, lui les reprises à la télévision...

— Les reprises de quoi ? demanda Annette.

Leah n'en avait aucune idée. Elle n'avait jamais vu Jesse regarder la télévision. Quand elle était avec lui, il était entièrement captivé par elle. Elle pensait quand même que l'idée des reprises lui allait comme un gant.

— C'est curieux, dit Caroline. Je l'aurais plutôt associé aux canaux culturels, à PBS, par exemple. Il semble avoir l'esprit vif et brillant. Tu as dit que c'était un autodidacte. Tu lui as donné le titre d'horticulteur. Ça veut dire que tu le trouves intelligent.

Leah se tourna à demi.

— Il est intelligent, dit-elle.

— Et bel homme.

— Et bien élevé.

— C'est vrai qu'il est tout ça... reconnut Leah en s'interrompant aussitôt.

— Et plus encore, poursuivit Annette à sa place.

Leah fit une grimace. Elle sortit du tiroir une attache pour les sacs à ordures et s'en servit pour retenir ses cheveux. Si les cheveux ébouriffés étaient épatants pour se promener sur la falaise, ils devenaient vraiment embarrassants pour faire la cuisine. En pensant qu'elle pourrait les faire couper, elle eut un pincement au cœur. Qu'est-ce que Ginny avait dit? *Quand je pense que nous avons toujours voulu les discipliner.* Comme si les cheveux dénoués de Leah rappelaient à Ginny tout ce à quoi elle avait renoncé.

Les larmes lui montèrent aux yeux. Elle pressa la main sur son front et dit sans se retourner :

— Pourquoi la vie est-elle si compliquée?

— Parfois elle a seulement l'air d'être compliquée, exposa Caroline. Si on fait des choix et si on met un peu d'ordre dans ses idées, tout devient beaucoup plus simple.

— Oh! soupira Leah. Je ne sais pas. J'essaie de faire des choix et de mettre de l'ordre dans mes idées depuis lundi dernier. Non. Ce n'est pas vrai. Je fais plutôt semblant d'ignorer la situation depuis lundi dernier et je m'enfonce de plus en plus.

— C'est l'amour? demanda Annette.

— Je pense que oui, soupira Leah.

— Et le sexe? demanda Caroline.

À la grâce de Dieu, pensa Leah.

— Oh! oui, oui, oui.

— C'est inouï, dit Annette. Où étions-nous pendant que tout ça se passait ?

— Vous dormiez. Ou vous faisiez des courses.

— Tu faisais ça pendant que nous faisions des courses ?

Leah leur jeta un coup d'œil par-dessus son épaule. Elle répondit lentement, d'un ton assuré.

— Pendant que vous faisiez des courses, nous avons parlé. Nous avons marché le long de la falaise. Je l'ai regardé travailler. Pensez à ce que maman nous a dit de sa relation avec Will, ajouta-t-elle d'un ton plus embarrassé. C'est la même chose pour moi avec Jesse. C'est à la fois la chose la plus extraordinaire qui me soit jamais arrivée, et la plus effrayante. Maman et Will d'abord, Jessie et moi maintenant. Ça donne le frisson quand on y pense.

— Qu'est-ce qu'il en dit ?

Leah fit les gros yeux.

— Il dit que c'était écrit dans le ciel. Il est romantique.

— Comme Will.

— Oui, oui.

— Et tu es comme maman.

— Non, pas du tout.

— En ce qui concerne la vie mondaine, tu lui ressembles certainement beaucoup plus que nous deux, dit Caroline.

— En apparence, concéda Leah.

Elle décida d'en profiter pour dissiper le malentendu qui régnait depuis si longtemps. Elle se tourna vers ses sœurs.

— Peut-être un peu par mon style de vie en général, mais pas plus. Maman voulait à tout prix tenir sa place dans la société. Elle adorait les invitations, les gens qu'elle fréquentait. Elle tenait mordicus aux conventions sociales. Pas moi.

— Leah, regarde la vie que tu mènes !

— Justement. Je n'agis pas pour faire impression. Je m'habille avec élégance parce que c'est ce que j'ai toujours fait. Je cours les magasins parce que c'est ce que j'ai toujours fait. C'est la même chose pour le coiffeur et la manucure. Pour les réunions de conseils d'administration. C'est ma vie.

— Mais ce n'est pas ce que tu aimes faire? demanda Caroline.

— C'est ma vie, répéta Leah qui ne trouvait rien d'autre à dire.

Sa vie à Washington lui était familière. Elle savait à quoi s'attendre. Il n'y avait jamais de surprises. Elle savait comment composer avec toutes les situations.

— Oh! Leah.

— Maman avait choisi la vie qu'elle menait, dit-elle en essayant d'éclaircir ses idées. Moi, j'ai tout simplement constaté un beau matin que ma vie était comme ça.

— Qu'est-ce que tu aimerais mieux?

Dans un accès de dépit, Leah croisa les bras sur sa poitrine.

— Faire la cuisine. J'aimerais mieux faire la cuisine. J'ai l'impression de produire quelque chose quand je fais la cuisine. Quand j'ai terminé, j'ai un résultat concret à présenter.

— Alors fais la cuisine, dit Caroline. Mets un service de traiteur sur pied. Ouvre un restaurant.

— Ça n'est pas si simple que ça paraît, soupira Leah.

— Pourquoi? demanda Annette.

— Parce que je travaille en amateur. Je ne suis pas un grand chef et je ne veux pas aller étudier pour le devenir. Je n'ai jamais eu le goût des études. Ça gâcherait tout mon plaisir. D'ailleurs, il y a des restaurants à tous les coins de rue à Washington. Et une pléthore de services de traiteur.

— Alors quitte Washington.

— Mais j'adore Washington.

C'était vrai. Il y avait plus d'activités culturelles à Washington que partout ailleurs. Certaines parties de la ville étaient tout simplement magnifiques. En revanche, elle aurait pu se passer des arrivistes et des raseurs. Et du climat humide.

— Si tu adores Washington et que tu adores Jesse, tu vas devoir choisir.

— Justement, s'écria Leah.

Elle savait qu'elle devait changer des aspects de sa vie. Elle en avait discuté en long et en large avec Ellen. Mais elle n'avait jamais imaginé que ces changements entraîneraient de tels bouleversements.

— Reste ici et ouvre une boulangerie, suggéra Caroline.

— Tu veux rire ? demanda Leah bouche bée.

— Non.

— Je ne peux pas rester ici.

— Pourquoi ?

— Je viens juste de vous le dire. J'adore Washington. J'y ai des engagements. De plus, à présent que maman est morte, nous allons vendre Star's End.

Caroline regarda Annette.

— Avons-nous décidé de le faire ?

— Je ne me souviens pas que nous en ayons discuté.

— Peut-être devrions-nous le faire.

Leah était mal à l'aise. Une décision trop rapide au sujet de Star's End précipiterait les autres décisions qu'elle avait à prendre.

— Pas tout de suite. C'est trop tôt. Attendons après l'enterrement de maman.

Elle se retourna vers le plan de travail et reprit la farine.

— De quoi as-tu peur ? demanda doucement Caroline.

Leah tourna la tête.

— Est-ce à moi que tu parles ?

— Voyons, Leah.

Tant pis pour la farine. Elle se tourna de nouveau vers ses sœurs, mais elle résistait encore.

— Je n'ai peur de rien.

Sauf du changement. Sauf de l'échec.

— Tu dis que tu aimes Jesse.

— Tu dis bien que tu aimes Ben, rétorqua-t-elle.

— C'est pourquoi je commence à reconsidérer des choses. Tu devrais peut-être le faire aussi.

— Quelles choses reconsidères-tu? demanda Annette à Caroline.

Leah aurait bien voulu le savoir aussi, mais Caroline ne se laissa pas distraire.

— Penses-tu que maman a pris la bonne décision en quittant Will?

Leah haussa les épaules.

— Elle avait papa et elle nous a eues, nous.

— Mais elle a perdu Will. Même si c'était une décision honorable, penses-tu que c'était la bonne décision?

— Comment veux-tu que je te réponde, Caroline? s'écria Leah. Je ne suis pas elle.

— Non. Mais presque. Tu es amoureuse d'un homme dont le style de vie est à l'opposé du tien. Si tu restes avec lui, tu devras faire des changements majeurs dans ta vie. Alors, es-tu prête à faire ces changements ou non? L'honneur n'est pas en cause. Tu n'es pas mariée. De ton propre aveu, tu fais ce que tu fais par habitude plus que par choix. Il est peut-être temps que ça change. Tu dois choisir, Leah.

— Jesse n'est qu'un jardinier.

— Oh! je t'en prie, hurla Caroline. Pourquoi fais-tu la snob? Essaies-tu de te prémunir contre l'opinion que nous pourrions avoir de lui? Si c'est le cas, tu as tort. Je pensais vraiment ce que j'ai dit l'autre jour. Ça ne m'a jamais causé de problème que Ben ne soit pas bardé de diplômes comme nous. Mais les choses étaient différentes dans le temps de maman. On ne se mariait pas en dehors de sa classe sociale, de sa religion ou de sa race. Aujourd'hui on attache moins d'importance à tout cela. On le devrait, du moins. Que Jesse soit jardinier n'a aucune importance, dans la perspective d'une vie en commun.

— Si tu l'aimes, dit Annette d'une voix traînante.

Leah soupira. Elle leva des yeux déconcertés au plafond.

— J'ai de la difficulté à le croire, je pense. Tout est arrivé si vite. Et puis il y a le parallèle avec l'histoire de maman et de

336

Will, ajouta-t-elle en baissant les yeux. J'ai peur de prendre de la sentimentalité pour autre chose.

Elle omettait le fait qu'elle était tombée amoureuse de Jesse avant même d'être au courant de la relation entre Ginny et Will.

— Est-ce que Jesse souhaite que tu restes?

Leah était tout émue.

— Dans chacun de ses regards.

Annette soupira à son tour.

— C'est tellement romantique.

Mais Leah n'était pas prête à se laisser convaincre.

— Une relation à long terme est davantage qu'un roman d'amour. Les romans d'amour ne durent pas, je le sais. Ça m'est arrivé deux fois.

— Avec deux crétins.

— Elle a raison, ajouta Caroline. Je l'ai su dès que je les ai vus.

Leah sentit remonter son vieux sentiment d'insécurité. Encore une fois, elle avait l'impression d'être stupide. Une vraie tête de linotte.

— Ah! oui? Comment?

— Je les ai observés à tes mariages. Ils étaient plus intéressés à voir qui les regardait qu'à te regarder, toi. Ils voulaient être sûrs que les gens riaient de leurs plaisanteries, étaient suspendus à leurs lèvres. Tu représentais le gros lot. C'étaient de mauvais partis, ajouta-t-elle en hochant la tête. Tous les deux. C'était évident.

— Si c'était si évident, l'accusa Leah, pourquoi ne me l'as-tu pas dit?

— M'aurais-tu écoutée? rétorqua Caroline.

— Tu étais amoureuse de l'idée de vivre un grand amour, dit Annette.

— Es-tu sûre que ce n'est pas encore le cas? demanda Leah d'un ton provocant.

Mais elle crânait pour la galerie. Elle avait peur de ses déficiences personnelles dans le domaine de l'amour.

— Je ne connais Jesse Cray que depuis cinq jours. Je me sens lamentable.

— Tu as peut-être seulement besoin de plus de temps.

— C'est ce que j'essaie de vous dire.

Caroline leva les mains en signe de reddition.

— D'accord. Prends ton temps. Mais je dois t'avertir, je ne peux pas rester ici indéfiniment. Peu importe ce que je déciderai d'en faire, ma vie est à Chicago. Dans une semaine au plus tard je devrai repartir. Annette aussi. La maison est à toi.

— Mais nous ne garderons pas la maison, argumenta Leah.

Caroline se tourna vers Annette.

— Où en es-tu rendue dans la liste des appels à faire?

— Presque à la moitié. Lillian me donne un coup de main en s'occupant de son cercle d'amis. Elle n'a pas été plus surprise que Gwen. Elle a dit que les adieux de maman lui avaient paru trop sérieux.

— Elle est morte, continua Leah. Nous ne pouvons pas garder la maison.

Elle aurait mieux fait de ne pas gaspiller sa salive. Caroline se dirigea vers la porte, Annette sur les talons.

— Lillian et ses amis viendront-ils aux funérailles? lui demanda-t-elle.

— Oui. Ils coucheront à Portland dimanche soir et feront le trajet jusqu'ici en voiture tôt lundi matin. Ils seront probablement assez nombreux.

— Les filles? essaya Leah de nouveau.

Caroline se retourna.

— Gwen arrive. Il vaut mieux que tu utilises la cuisine avant son arrivée. Elle est bien capable de se bagarrer avec toi pour en prendre possession.

Leah était outrée qu'elles ne la prennent pas au sérieux.

— Elle pourra se bagarrer tant qu'elle voudra, leur lança-t-elle. C'est pour moi que maman a fait construire cette cuisine. Si je veux l'utiliser, je le ferai tant que je voudrai.

Elle retourna à la fabrication de ses muffins, pour de bon cette fois.

Assise au pied du lit, Caroline contemplait Ben qui dormait et se disait qu'il était vraiment un homme extraordinaire. Il avait abandonné son travail pendant la saison où il était le plus créatif et foncé vers l'est contre vents et marées pour venir la retrouver. Il ne savait pas que Ginny était morte. Il ne savait même pas si elle était enfin arrivée à Star's End. Il voulait être près de Caroline. C'est tout.

En le regardant, elle se sentait alanguie, éprouvant un désir qui dépassait l'attirance physique pourtant bien présente. Il était affalé sur le lit, à plat ventre, le bas du corps recouvert d'un drap. Son dos dénudé était ferme et hâlé, ses épaules criblées de taches de rousseur, son cou robuste et ses cheveux en broussaille. Elle avait caressé son dos si souvent qu'elle pouvait en deviner chaque muscle sans même le toucher.

Il bougea en poussant un long soupir qui fit onduler son dos. Tournant la tête, il entrouvrit un œil, la vit, lui sourit et lui tendit une main.

Elle s'approcha, prit la main de Ben et la porta à son cou puis à sa bouche.

— À quoi penses-tu? chuchota-t-il encore tout endormi.

— Que tu es un très bel homme. Que je ne peux pas croire encore que tu es vraiment ici. J'avais imaginé des choses tellement horribles.

— Comme quoi?

— Que tu m'avais abandonnée pour une autre femme.

— Je te manquais tant que ça?

Elle acquiesça en souriant. Il l'attira doucement, et elle s'étendit contre lui. Elle l'embrassa légèrement et passa ses doigts sur sa bouche, son cou, puis sa pomme d'Adam.

Comme il était viril!

— Je veux qu'on se marie, dit-il la voix tremblante.

— Oui, je sais. Et je pense que je commence à fléchir.

Il déglutit.

— C'est vrai ? Comment se fait-il ?

— Parce que tu as raison pour bien des choses. Mon cabinet, par exemple.

Elle lui raconta ce qui s'était passé avec Luther Hines pendant qu'il était en route.

— Si j'avais entendu les nouvelles moi-même, jura-t-il furieux pour elle, je t'aurais appelée aussitôt.

— Ce qui m'aurait empêchée d'avoir ce bel exemple de la loyauté de mes associés. Tu les avais bien jugés, Ben.

— Hum, hum !

Il ouvrit la fermeture éclair du jean de Caroline, glissa ses mains à l'intérieur et la serra plus fort contre lui. La tête blottie dans son cou, elle humait les odeurs du sommeil et du désir montant qui émanaient de lui.

— Comment se fait-il que tu les voyais tels qu'ils sont et pas moi ?

— Tu le savais aussi, chuchota-t-il en baissant son jean. Tu les connaissais bien au fond.

Elle soupira. Elle commençait à vibrer intérieurement comme toujours quand Ben la caressait. Il avait sa façon à lui de la gagner et de l'exciter.

— Je ne peux pas me faire à l'idée d'y retourner.

Il s'était mis à genoux et lui retirait son jean.

— N'y retourne pas. Ouvre ton propre cabinet.

Elle releva les hanches pour lui faciliter la tâche.

— Où ?

— Chez moi.

— Je ne peux pas travailler à la campagne, protestâ-t-elle en se débarrassant de son jean et de son slip d'un coup de pied. Pas avec le genre de droit que je pratique. Il faut que je sois proche d'un palais de justice. C'est là que les choses se passent.

— Alors viens vivre avec moi et fais la navette, dit-il en la mettant à cheval sur ses genoux. Installe un bureau chez moi pour travailler les jours où tu n'as pas besoin d'être au tribunal.

Il la berçait contre lui.

Elle murmurait son nom. Oh! oui, tous les hommes avaient peut-être des érections, mais celles de Ben étaient exceptionnelles.

— C'est petit chez toi, réussit-elle à dire en essayant de se cramponner à leur sujet de conversation.

— On agrandira, c'est tout, gronda-t-il contre sa joue. On rénovera la vieille cabane à outils.

— Et les livres de droit? Oh! Ben.

Il s'était enfoncé en elle et la comblait de plus en plus...

— Tu n'auras qu'à les acheter ces foutus livres, conclut-il en l'allongeant sur le dos et en s'étendant sur elle.

Elle enroula ses jambes autour de ses hanches pour qu'il pénètre encore plus profondément en elle.

— Il me faudra une secrétaire, des employés.

— Tu en engageras, c'est bien simple, dit-il avec un grand coup qui la cloua contre le drap.

Elle s'accrocha à son cou, pantelante et toute brûlante.

— Il me faudra aussi un associé.

Cette idée s'estompa quand il s'enfonça de nouveau en elle, lui faisant perdre toute notion du temps et de l'espace. Ben éveilla tous les sens de Caroline en maîtrisant le corps de la jeune femme qui se mit à rougir, à transpirer et à onduler, à mesure que son plaisir s'amplifiait. Il retarda le moment de l'orgasme jusqu'à ce qu'elle lui demande grâce. Elle en aurait été furieuse si elle n'avait pas su qu'il avait besoin d'elle autant qu'elle de lui.

— C'est terrible comme tu m'as manqué, murmura-t-il dans un filet de voix, le corps détendu.

— Je n'ai pas été partie longtemps.

— Trop longtemps. Trop loin.

— Tu pars plus longtemps et plus loin quand tu travailles.

— Trop longtemps. Trop loin. C'est ce que je trouve. Je dois vieillir.

Il se coucha sur le côté et s'appuya sur un coude. La respiration encore haletante, il prit un air concentré.

— Trouve un associé, ou deux. Des gens en qui tu auras confiance.

— Et si je ne trouve pas de clients?

— Avec ta réputation? Impossible!

— Les plaideurs n'ont pas les mêmes clients tout le long de l'année. Notre clientèle change constamment. On ne sait jamais d'une année à l'autre si on aura beaucoup ou peu de travail. Le travail vient par vagues.

— C'est déjà comme ça.

— Oui. Mais c'est différent dans un grand cabinet. Le cabinet comble les temps morts.

— Alors c'est moi qui comblerai les temps morts, dit-il avec un large sourire. Tu vivras la vie d'artiste avec moi, dans la dèche, tirant le diable par la queue, toujours à la recherche d'une cause, de n'importe quelle cause...

Elle lui mit la main sur la bouche pour l'interrompre. Ils savaient bien tous les deux que ce n'était pas une question d'argent.

— J'ai peur de l'échec.

Ben respira profondément et lui embrassa le bout des doigts.

— Tout le monde est comme ça, dit-il doucement. Mais la notion d'échec est bien relative. Si ce que tu veux dans la vie c'est d'abord prouver aux salauds de ton cabinet que tu es capable de jouer leur jeu et que tu démissionnes, tu auras l'impression d'avoir échoué. Si, en revanche, tu veux d'abord être une bonne avocate...

— Je n'avais pas la situation bien en main, n'est-ce pas? demanda-t-elle. C'étaient eux qui l'avaient. Je me faisais des illusions.

— Non. Tu as toujours été parfaitement intègre. C'était une bonne façon de te défendre contre eux.

— Ben?

— Oui?

— Notre vie serait-elle si différente si nous étions mariés ?

— Pas tellement en apparence. Comme tu es connue sous ton nom dans le milieu juridique, je suppose que tu ne voudrais pas en changer. Si tu continuais à travailler en ville, tu garderais ton appartement et ta voiture. La différence serait plus au-dedans de nous. Dans le plaisir de savoir que l'autre nous attend et de vouloir qu'il nous attende.

Caroline s'imaginait pendant la préparation d'un procès, travaillant tard dans la nuit et levée à l'aube. Elle pensait à tous les avocats qu'elle connaissait dont le mariage n'avait pas survécu à ce genre de vie.

— Tu ne trouveras pas ça difficile ?

— Non.

— Pourquoi ?

Il haussa les épaules.

— J'ai mon propre travail. Je peux m'occuper. Et puis, même les procès les plus longs ont une fin. Les meilleurs plaideurs doivent parfois faire des trêves. Si j'ai l'assurance que tu es à moi pendant ces périodes, je pourrai attendre.

— Et des enfants ? lui demanda-t-elle.

Elle avait parlé sans réfléchir, et il était trop tard pour retirer ses paroles. Elle n'avait jamais voulu d'enfants avant. Mais elle était maintenant sur le point d'être trop vieille pour en avoir.

— Ça dépendra de toi, dit Ben.

— Toi, en voudrais-tu ?

— Je pourrais m'en passer. Mais je ne détesterais pas ça. Ça m'est indifférent, ma belle. Mais toi, tu ne m'es pas indifférente.

Annette essayait de s'occuper. Elle fit les derniers appels téléphoniques aux amis et à la famille de Virginia pour que Caroline puisse passer un peu de temps avec Ben. Elle appela à Portland pour réserver des chambres d'hôtel pour ceux qui viendraient aux funérailles. Elle appela la compagnie de taxis de Downlee pour organiser leur transport. Elle confirma les arrangements avec le pasteur et transmit l'information à l'ordonnateur des pompes funèbres.

Les odeurs qui montaient par bouffées de la cuisine l'informèrent que Leah avait terminé ses muffins et entrepris autre chose. Elle sentit l'odeur de pommes qui cuisaient. Elle sentit l'odeur du poulet frit que Leah servit au déjeuner après l'avoir fait refroidir. Ce fut un repas tranquille sur la terrasse, préparé par Leah et servi par Ben. Assis tous les quatre près les uns des autres, ils appréciaient la magnificence des lieux et ressentaient la tristesse qui en émanait. Ils parlèrent de Ginny. Ils parlèrent des fleurs et de la mer. Ils parlèrent ouvertement et sans remords des funérailles de Ginny qui devraient correspondre à ses vœux.

Caroline semblait plus calme et plus sereine depuis l'arrivée de Ben. Annette ressentit une pointe d'envie en les regardant. L'intimité qui régnait entre eux s'exprimait subtilement, d'un geste de la main, d'un regard, comme celle de vieux amants satisfaits. Annette ressentait la même chose avec Jean-Paul.

Il lui manquait. Son absence lui faisait ressentir encore plus cruellement la perte de Ginny. Mais ça n'aurait quand même pas eu de sens de lui demander de venir.

Comme Caroline avait de la chance que Ben soit là !

Annette se dit que Jesse aurait dû être près de Leah. Si Leah pensait la même chose, elle n'en parlait pas. Elle était même assise dos à la pelouse et aux plates-bandes, là où Jesse aurait pu se trouver. Pauvre Leah. Elle était aussi désorientée qu'Annette pouvait se sentir seule.

Caroline partit avec Ben pour lui montrer les lieux, et Leah retourna à la cuisine. Annette remonta à sa chambre. Elle aurait bien appelé Jean-Paul, mais elle lui avait spécifiquement demandé de sortir avec les enfants. Elle s'interrogea sur ce qu'ils avaient décidé de faire. Elle espérait qu'ils s'ennuyaient d'elle.

Elle se pelotonna sur le lit défait et s'endormit. Quand elle se réveilla, il était près de dix-sept heures. Leah était toujours au travail et préparait de nombreux plats à en juger par les odeurs qui montaient jusqu'à la chambre d'Annette. Elle saisit des effluves fugitifs de vin, de tomates et de cari et imagina une sorte de ragoût. Avec des légumes. Une soupe consistante. La spécialité de Gwen.

Malgré les odeurs capiteuses et les bruits assourdissants de la mer, elle avait un grand sentiment de vide. Elle s'assit sur le bord du lit et tendit la main vers le téléphone. Se rappelant le décalage horaire entre le Maine et le Missouri, elle reposa la main sur ses genoux.

Elle pensa à Ginny pour qui le temps n'avait plus aucune signification. Elle se leva et traversa l'entrée. Gwen devait être de retour car le lit avait été soigneusement refait dans la chambre de Ginny. Tout le reste était dans le même état qu'au moment de sa mort.

Annette toucha le napperon de lin sur la commode. Un plateau au rebord doré y était posé. Il contenait un tout petit vase avec une tige de phlox, un cadre en or délicat avec une photo d'Annette et de ses sœurs alors qu'elles étaient petites et un magnifique flacon de parfum.

Annette le porta à son nez et s'émerveilla de la précision avec laquelle le parfumeur de Ginny avait réussi à reproduire l'odeur des églantines. Elle essaya de s'imaginer ce que cela avait pu représenter pour Ginny de vivre jour après jour avec cet arôme, expression tangible de tout ce qu'elle avait perdu.

La douleur qu'elle-même ressentait à l'évocation de cette perte broyait son propre cœur. Annette poussa un long soupir mélancolique. Elle passa la main sur la commode, sur la coiffeuse et sur la chaise à dossier droit qui se trouvait devant. Elle ouvrit la penderie et regarda les vêtements que les déménageurs avaient apportés, des vêtements en soie, en lin et en laine, tous dans les tons neutres que Ginny portait, à l'exception d'un quelque chose de tissu éclatant.

Elle repoussa les autres vêtements pour prendre ce quelque chose. C'était une robe avec de grandes gerbes de fleurs rouges et jaunes qu'elle crut reconnaître. Elle l'avait déjà vue, il y avait bien longtemps, alors qu'enfant elle jouait où elle n'aurait pas dû.

Elle se rappela avoir pensé alors qu'elle était magnifique, mais que, puisque Ginny ne la portait jamais, elle avait dû appartenir à sa grand-mère.

Elle comprit soudain que le tailleur ivoire qu'elles avaient confié à l'ordonnateur des pompes funèbres ne conviendrait pas du tout.

Elle se retourna vivement, anxieuse de remédier à la situation avant qu'une erreur impardonnable ne se produise. Elle eut le souffle coupé. Jean-Paul était dans l'embrasure de la porte, l'air hésitant, mais plus beau que jamais.

Les larmes lui montèrent aux yeux. Même si c'était absurde, elle se dit que, si elle ne trouvait pas une explication rationnelle pour ce qu'elle tenait à la main, la présence de Jean-Paul pourrait se révéler un mirage.

— Maman a dû porter cette robe cet été-là avec Will, dit-elle en sanglotant. C'est ce qu'on devrait lui mettre pour l'enterrer.

— Tu as raison, répondit doucement Jean-Paul.

Dieu merci ! ce n'était pas un mirage. C'était bien sa voix à lui, si calme et rassurante.

— Jean-Paul ?

— C'est bien de faire preuve d'indépendance, mais tu le feras une autre fois, d'accord ?

Elle sourit à travers ses larmes.

— Jean-Paul.

— Tu m'as dit de faire quelque chose d'extraordinaire avec les enfants en souvenir de ta mère, et je n'ai rien trouvé de mieux. Eux non plus.

À bien y penser, Annette non plus.

21

Bien que les funérailles aient été fixées au lundi midi, les gens du village commencèrent à passer dès le dimanche après-midi. S'il y avait des curieux dans le lot, ils ne se manifestèrent pas. Les gens ne posaient pas de questions et ne jetaient pas de coups d'œil furtifs dans la maison. Ils étaient souvent timides, toujours gentils et discrets, et ne restaient pas longtemps pour la plupart.

— Nous venons seulement vous offrir nos condoléances.

— Je me souviens de votre mère. Elle était tout sourire.

— C'est dommage qu'elle soit morte si tôt après son retour.

Comme ils arrivaient rarement les mains vides, à l'heure du dîner, la table de la salle à manger était chargée de ragoûts, de salades et de plus de victuailles que Leah n'aurait pu en cuisiner en une semaine.

Elle s'affairait quand même, parce qu'elle ne voulait pas être obligée de réfléchir.

Heureusement, Gwen comprenait la situation. Elle oublia son propre chagrin pour régler les détails de dernière heure dont ni Caroline ni Annette n'avaient le cœur de s'occuper et céda la cuisine à Leah. Celle-ci cuisinait sans arrêt : une soupe froide pour le lendemain, un saumon poché avec une sauce à l'aneth, une compote de fruits et des petits pains de formes, de grosseurs et de saveurs variées.

— Bonjour.

Le son de la voix de Jesse la remua. Effrayée et troublée, elle sourit quand même.

— Bonjour, dit-elle sans lever les yeux.

Elle était en train de farcir des champignons, une tâche délicate.

— Tu n'es pas fatiguée ?

— Je vais bien.

— Tes sœurs sont inquiètes.

— Ce sont elles qui t'envoient ?

— Non. Je suis inquiet moi aussi. Il y a bien assez de nourriture, Leah. Tu n'es pas obligée de continuer à cuisiner.

— Mais nous avons invité tout le village. Si tout le monde vient à la maison après les funérailles, nous aurons besoin de tout cela et de bien davantage.

— Les gens vont apporter des choses. Julia va en apporter un plein camion.

— Maman aurait aimé entendre cela, fit remarquer Leah d'une voix presque hystérique, à la limite entre le rire et les pleurs. Sa plus grande peur a toujours été de manquer de quelque chose quand elle donnait une réception.

Jesse la serra contre lui. Il l'embrassa sur le front.

— Elle aurait approuvé tout ce que tu as fait. Elle aurait aimé que tu passes maintenant un peu de temps avec les autres.

— Non. Il faut que je cuisine. Je n'aurai pas le temps demain matin. Il faudra que je m'occupe des fleurs.

— Je m'occuperai des fleurs. C'est mon travail.

— Mais je veux le faire, dit-elle en levant enfin les yeux vers lui.

Il portait un pantalon gris et un pull-over, et avait l'air tout aussi distingué que Jean-Paul ou Ben. Sur le point de dire quelque chose, elle s'interrompit.

— Qu'y a-t-il ?

Elle ravala sa salive.

— Tu n'as pas l'air d'un jardinier.

Il ne se comportait pas comme un jardinier non plus. Depuis

la veille, il avait parlé d'ombre, de lumière et d'ouverture de l'obturateur avec Ben et discuté de la conservation de l'écosystème avec Jean-Paul. Il avait emmené les enfants d'Annette en promenade sur les rochers, ce qui avait donné aux adultes un moment de répit bien apprécié.

C'était un homme exceptionnel, apparemment capable de passer avec beaucoup d'aisance d'un rôle à l'autre. Elle aurait bien voulu être comme ça elle aussi, mais le changement n'avait jamais été son fort. Elle aimait mieux faire ce qui lui réussissait. Elle avait peur de prendre des risques.

Même si son amour pour Jesse représentait justement un risque majeur, elle ne pouvait rien y faire. Juste à le regarder, elle se languissait de tout ce qu'il était et se sentait terrifiée à l'idée du rôle qu'il pourrait jouer dans sa vie. Elle ne voulait pas en discuter, elle ne voulait même pas y penser.

— Comment trouves-tu les gens de ma famille ? lui demanda-t-elle.

— Ils sont gentils.

— Un peu écrasants ?

— Non.

— Moi, je trouve qu'ils le sont.

— Parce que tu te compares à eux. Mais tu es différente, Leah. Plus douce.

— Oh ! non. Je suis membre du jet set. Je suis une dure.

— Tu es faite pour vivre ici.

— Mes amis de Washington ne seraient pas d'accord. C'est moi qui donne les plus belles réceptions en ville.

— À te voir faire, je n'en doute pas.

— Ceci n'est pas une réception, Jesse. Ce sont des funérailles. Ça ne compte pas.

— Tu pourrais inviter les gens du village à Star's End une fois par mois et donner une réception grandiose.

— Mais je dois rester à Washington.

— Non, ce n'est pas vrai.

— Je veux y rester.

— Vraiment?

C'était son dilemme, en bref. Elle poussa un court son plaintif et retourna à ses champignons. Il n'ajouta rien, lui embrassa le front et sortit.

L'aube du lundi annonçait un jour de juin éclatant que Virginia aurait adoré. Faisant fi de la tristesse que lui inspirait cette pensée, Leah se leva tôt et se mit à composer des arrangements floraux. Elle avait le coup d'œil et des mains adroites et trouvait de la satisfaction dans l'accomplissement de cette tâche.

Mais elle était fatiguée. Elle n'avait pas dormi beaucoup la nuit précédente. Elle avait cuisiné tard et était restée assise les yeux grands ouverts à la fenêtre de sa chambre pendant des heures avant de céder et de traverser la pelouse en courant pour se rendre chez Jesse. Elle avait été incapable d'y dormir plus de quelques minutes à la fois. Son esprit était trop agité.

À onze heures, les invités étaient arrivés de Portland et prenaient un café et des brioches sur la terrasse. À onze heures trente, les gens du village avaient commencé à arpenter l'allée. À onze heures quarante-cinq, le pasteur avait fait son apparition et, à onze heures cinquante, le corbillard s'était présenté. Entouré des personnes qui avaient été les plus proches de Ginny de son vivant, le cercueil fut transporté sur la falaise jusqu'à l'endroit où les églantines s'épanouissaient.

À midi, le soleil était au zénith, les goélands tournoyaient et les vagues se brisaient sur les rochers dans des gerbes d'écume. Le pasteur prononça alors quelques mots, des réflexions générales sur l'amour, la fidélité et le retour aux sources, puis la procession se mit en marche le long de la falaise jusqu'au cimetière.

Leah entendit à peine le pasteur qui avait repris la parole. Elle était plongée dans des pensées sur l'amour et la mort, submergée par la douleur. Elle jetait un regard brouillé par les larmes sur la fosse et sur le vaste horizon.

Elle pleurait doucement, un mouchoir de papier pressé sur sa lèvre supérieure, lourdement appuyée contre Jesse qui l'entourait de son bras. Il était chaud et vivant, même dans un cimetière. Elle se laissait aller au réconfort de sa présence, sans essayer d'y résister ou de le cacher à quiconque.

Une fois de retour à la maison, elle fut la parfaite hôtesse qu'elle s'était entraînée si longtemps à devenir. Elle accueillit les invités, entretint la conversation, s'assura qu'il y avait de la nourriture en abondance et que le vin coulait à flots. Plus tard, elle ne put dire à qui elle avait parlé ou ce qu'elle avait mangé. Elle ne se souvenait que de la tristesse poignante qui l'avait envahie au moment où le cercueil de sa mère avait été descendu dans la fosse, de la douleur extrême qui l'avait fait hurler intérieurement et de la chaleur de Jesse.

Elle se rappelait aussi avoir combattu toute la journée le désir qu'elle avait de lui, pour capituler la nuit venue. Le cottage de Jesse était un refuge, un endroit où elle pouvait laisser la sensualité effacer tout le reste. Dans ses bras, elle trouvait l'oubli, l'amour, la sécurité et la passion. Elle ne réussissait pas à dormir, là non plus, mais son temps était bien rempli.

Le matin arriva inéluctablement. Elle rentra à la maison pour prendre une douche et mettre un jean propre et un tee-shirt. Elle n'eut pas la force de se maquiller et se contenta de donner quelques coups de brosse à ses cheveux encore humides. Elle rejoignit ensuite les autres dans la cuisine.

Elle laissa Annette préparer le petit déjeuner. Elle laissa Caroline faire le thé. Complètement épuisée, émotivement vidée, elle se réfugia dans un coin du canapé, appuya sa tête contre le dossier et replia sous elle ses pieds nus. Les yeux fermés, elle se laissa bercer par le bavardage d'Annette et de ses enfants.

— Est-ce que ça va, tante Leah ?

Elle ouvrit les yeux et sourit à Devon.

— Je vais bien.

— Tu as l'air fatiguée. Et triste.

— Je le suis.

— Veux-tu du thé ?

— Oh ! oui, j'aimerais bien.

Elle se retrouva presque aussitôt avec une tasse de thé chaud à la main. Un peu plus tard, tout devint calme dans la cuisine. Elle entendit le cliquetis des couverts dans le lave-vaisselle et le clapotis de l'eau dans l'évier. Le silence s'établit, puis elle entendit des pas feutrés. Elle sentit ensuite un mouvement près d'elle, sur le canapé.

— Leah? Parlons un peu.

C'était la voix de Caroline. Ouvrant les yeux, elle vit également Annette assise sur la table basse. Elle les regarda toutes les deux.

— Quelque chose de sérieux?

— De très sérieux, dit Annette. Jesse et toi. Un sujet d'importance.

Leah referma les yeux. Elle ne se sentait pas prête pour une conversation sérieuse, surtout pas à propos de Jesse. Elle le revoyait comme il était quand elle l'avait laissé, étendu sur son lit dans toute sa nudité. Elle ne voulait pas penser à autre chose.

Caroline lui secoua le genou.

— Ne fais pas la sourde oreille. Il s'agit de ton avenir.

— Justement. *Mon* avenir. Vous n'avez pas à vous en inquiéter.

— Si nous ne le faisons pas, qui le fera?

— Celle qui l'a toujours fait. Moi.

— Il est évident que tu t'en inquiètes, fit remarquer Caroline, parce que tu sembles avoir passé un mauvais quart d'heure. La question est de savoir si ça te mène quelque part.

— Tu ne peux pas garder ça pour toi, Leah.

— Nous pouvons peut-être t'aider.

Ellen McKenna avait essayé de l'aider. Elle avait montré à Leah comment prendre du recul et analyser sa vie avec plus d'objectivité. Mais c'était plus facile à dire qu'à faire. Leah était incapable d'être objective en ce qui concernait Jesse. Il la bouleversait tellement et si profondément qu'elle était incapable de faire la part des choses.

— Je suis très fatiguée, dit-elle.

Elle voulait les voir partir. Elle le croyait du moins. Ce n'est pas désagréable d'avoir quelqu'un pour s'occuper de soi, mais sans trop insister. Oui, elle voulait les voir partir. Pour l'instant en tout cas.

Comme personne ne parlait plus, elle se demanda si elles étaient effectivement parties. Ouvrant un œil, elle les vit pourtant toutes les deux qui la fixaient du regard.

— Que voulez-vous que je fasse? soupira-t-elle.

— Nous voulons que tu prennes une décision.

— Non, précisa Leah, vous voulez que j'en arrive à la conclusion à laquelle vous êtes déjà parvenues vous-mêmes. Ça ne peut pas fonctionner comme ça. Vous ne savez pas ce que je veux ou ce dont j'ai besoin. Vous ne pouvez absolument pas savoir si Jesse me convient ou non.

— Il te convient, dit Caroline.

— Comment peux-tu en être certaine? demanda Leah toute prête à se laisser convaincre.

— Il n'a d'yeux que pour toi.

— Juste ciel! Caroline, ce n'est pas un argument.

— Oui, c'en est un.

— C'est peut-être seulement une idée fixe. Tel père, tel fils.

— Leah, la gronda Annette. Tu sais que ce n'est pas vrai. Il est trop normal pour ça. Trop rationnel. Trop... correct.

Leah savait tout cela, bon sang! Elle s'enfonça davantage dans le canapé et ferma les yeux.

— Tu ne peux pas attendre éternellement, l'avertit Caroline.

Leah rouvrit les yeux en un éclair.

— Pourquoi? C'est bien ce que tu fais, toi.

Caroline hocha la tête.

— Plus maintenant.

— Tu t'es décidée? demanda Annette avec espoir.

D'un air penaud, Caroline passa la main dans sa coiffure bien sage.

— Ouais. Je pense qu'on va le faire. Rien d'imposant, juste une cérémonie civile un après-midi.

— Pas de robe longue avec une immense traîne et une douzaine de demoiselles d'honneur? la taquina Annette.

Leah voyait bien qu'elle était contente et elle l'était aussi. Ben était un type merveilleux. Il y avait longtemps qu'il était amoureux de Caroline.

— Et le cabinet alors? demanda Leah en se rappelant une de leurs conversations antérieures. Tu as dit que ça ne marcherait pas si tu restais dans ce cabinet et que tu épousais Ben.

— Ça ne marcherait pas.

— Qu'est-ce que tu vas faire?

Caroline réfléchit un instant. Elle s'extirpa du canapé et s'approcha du téléphone dans la cuisine. Leah entendit la tonalité, suivie de onze notes mélodieuses et d'une sonnerie. La voix qui sortit de l'interphone avait un son métallique.

— Bureau de Graham Howard.

— C'est Caroline St. Clair. Graham est-il là?

Elle regarda Leah et Annette d'un air songeur en attendant d'avoir la communication.

— Qu'est-ce que tu fais? demanda Leah.

Caroline pinça les lèvres.

— Caroline! l'avertit Annette.

Caroline se croisa les bras sur la poitrine.

— Caroline! rugit Graham.

À travers l'émetteur, sa colère envahissait toute la salle de séjour.

— Il était temps que tu rappelles. J'essaie de te joindre depuis hier. Tu n'as pas eu mes messages?

— Et tu n'as pas eu les miens?

— Si. Je suis désolé au sujet de ta mère, mais il y a une situation d'urgence ici. De gros problèmes dans la poursuite contre FenCorp pour collusion. Pete Davis qui travaille avec eux depuis plusieurs mois pour préparer le procès vient de se mettre dans le pétrin...

— Quel genre de pétrin?

— Rien de grave, vraiment...

— Quel genre de pétrin ?

Graham soupira.

— Il a été surpris au lit avec une femme avec laquelle il n'aurait pas dû se trouver. Ce n'est vraiment pas grave...

— Une autre femme que la sienne ?

— Une prostituée minable qui faisait malheureusement partie d'un réseau sous surveillance policière. Pete s'est trouvé au mauvais endroit au mauvais moment. Il n'y aurait pas eu de problème si le *Sun-Times* n'avait pas publié les noms. Maintenant que c'est fait, les gens chez FenCorp ne veulent pas être associés à cette affaire. Ils disent que ça peut leur nuire et ils ont raison. Nous voulons que tu serves de doublure à Peter. Il a fait tout le travail. Il te dira quoi faire. Tu ne couches pas avec le maire ou quelque chose comme ça au moins ?

Caroline s'était rapprochée de Leah et Annette. Pendant que Graham continuait à se plaindre des méfaits de la presse, elle leur dit :

— Voilà un parfait exemple de ce que j'ai dû endurer depuis des années. Ce type s'en fout que maman soit morte. Il s'en contrefout que je sois en vacances. Il n'a manifesté aucune sympathie quand un de ses chers confrères m'a volé une cause. Et il a une moralité de salaud.

— Es-tu là, Caroline ? demanda Graham.

Caroline se rapprocha lentement de l'appareil.

— Je suis là.

— Voudrais-tu prendre le combiné ? La réception n'est pas très bonne. J'entends des bruits de fond. Mieux encore, prends le premier avion pour revenir ici.

— Je regrette, Graham. Je suis en vacances.

— Tu pourras prendre des vacances plus tard cet été.

— Je pleure la perte de ma mère.

— C'est compréhensible, admirable même. Mais n'oublie pas que tu as aussi des responsabilités envers le cabinet, ajouta-t-il d'un ton plus sec.

— Comme le cabinet a des responsabilités envers moi ?

355

— Le cabinet t'a toujours bien traitée.

— Foutaises ! dit-elle en fulminant. Le cabinet a fait de l'argent avec moi depuis le premier jour. Je n'étais pas une jeune recrue fraîche émoulue de la faculté de droit. Personne n'a eu à m'entraîner. J'étais d'égale à égal avec vous. Je suis arrivée avec mes propres compétences, mes propres relations, ma propre réputation. Vous avez fait une bonne affaire en m'engageant, mais vous n'avez pas su en profiter.

— Qu'est-ce que tu dis ?

— Je dis que vous avez engagé une femme pour la forme, puis que vous avez essayé de la mettre à votre main. Vous m'avez fait attendre plus longtemps que tous les autres avant de m'offrir de devenir associée. Vous avez épluché mes feuilles de temps plus que celles des autres. Vous avez toujours critiqué mon travail. Tu ne peux pas dire le contraire, Graham. J'ai entendu plus d'une allusion sur les critères de mesure de productivité à mon sujet.

— Peut-être pas à tort, rugit-il. Je vois bien qu'il y a quelque chose qui te dérange, mais tu ne dis pas très clairement ce que c'est.

— Très bien ! je n'irai pas par quatre chemins, dit Caroline en souriant à Leah et Annette. Je démissionne.

Il y eut un moment de silence au bout du fil. Puis Graham prit un ton paternaliste.

— Tu es perturbée, Caroline. Tu vis une période émotivement difficile. Tu viens juste de subir une perte.

— Sais-tu qu'en fait je me sens plutôt bien ?

— Écoute, on pourrait se reparler un peu plus tard cet après-midi.

— Non, Graham. Nous nous parlerons lundi prochain quand je retournerai au bureau, et le seul sujet de discussion sera alors de déterminer quelles causes je vous laisse et celles que je garde. Au revoir.

Elle reprit le combiné, le reposa sur son support, puis se retourna et fit un large sourire.

— Ouf! ça m'a fait du bien.

Leah n'en revenait pas.

— Je ne peux pas croire que tu as fait ça.

— Es-tu certaine que c'est bien ce que tu veux? demanda Annette.

Caroline poussa un grand soupir comme quelqu'un qui vient de se débarrasser d'un lourd fardeau.

— Oui. C'est ce que je veux. J'ai vécu l'expérience du gros cabinet juridique. C'est fait. Ça ne m'apporte plus rien.

— Ça ne t'apporte plus rien, répéta Leah. Mon Dieu! Que te faut-il de plus?

Caroline s'approcha du canapé.

— Je ne suis pas sûre encore. Mon propre cabinet, je pense. Ouais, c'est ça. Mon propre cabinet, mon propre horaire, mon propre personnel. Mes propres règles, pour changer.

Leah jeta un coup d'œil vers Annette. Elle était convaincue que Caroline vivait depuis des années selon ses propres règles.

Caroline saisit son regard.

— C'est curieux l'image qu'on peut donner de soi. On y croit soi-même parfois. J'ai peut-être cru que je vivais selon mes propres règles, mais ce n'était pas le cas. J'essayais de me conformer à l'image brillante de la dure avocate qui part à la conquête du monde. Et c'est ce que j'ai fait, d'une certaine façon. Mais quelqu'un a dû payer pour ça.

— Ben? demanda Annette.

— Ben. Maman. Vous deux. Moi-même.

Leah était stupéfaite. Elle avait toujours considéré Caroline comme une personne dure, arrogante et autoritaire.

— Mais tu es ambitieuse. Tu as toujours été ambitieuse. Ça ne peut pas changer tout d'un coup.

Caroline fronça les sourcils en regardant vers la fenêtre, puis par terre. Elle contourna distraitement le canapé et s'assit.

— On dirait que l'ambition n'est plus là, dit-elle d'une voix plus douce. Je ne peux plus la saisir.

— Non, bien sûr, dit Annette. Pas avec tout ce qui s'est passé ici depuis quelques jours.

— C'est justement pour ça, je pense, dit Caroline d'un ton songeur. Maman est morte. L'ambition a peut-être disparu avec elle. C'était peut-être seulement de la rébellion.

Leah n'en croyait rien.

— Tu n'aurais pas réussi aussi bien que tu l'as fait si ça n'avait été que ça. Tu es l'aînée. Les aînés ont toujours de l'ambition.

— Mais l'aiguillon n'est plus là. Bien sûr, c'est dans ma personnalité de prendre les choses à cœur. Si j'ouvre mon propre cabinet, j'y mettrai aussi beaucoup d'énergie. Mais j'ai l'impression d'être différente maintenant. Je n'ai plus rien à prouver à maman.

Elle avait les yeux humides, et Leah aussi.

— Pourtant, continua Caroline, elle m'approuverait sans doute davantage maintenant qu'avant. Elle serait très heureuse que je me marie. À présent que je sais ce qui s'est passé avec Will, j'ai même l'impression qu'elle serait contente que j'épouse Ben.

Et que j'épouse Jesse, pensa Leah. Ginny aurait adoré cette idée. Leah se serait enfin sentie approuvée. Mais ça ne voulait pas dire que c'était le mieux pour elle. Après tout, c'était sa vie à elle. Elle baissa les yeux.

— Alors, annonça Caroline en tapotant affectueusement le genou de Leah, il ne reste plus que toi.

— Pourquoi ne pas nous contenter de savourer ton bonheur à toi pendant quelques instants ? demanda Leah.

— Parce que nous voulons également le tien.

— Je suis capable de m'en occuper toute seule.

— Nous voulons t'aider, intervint Annette. Depuis la mort de maman, tu n'as plus que nous.

— Maman ne m'a jamais aidée, lui rappela Leah qui sentit aussitôt le poids du regard de Caroline se poser sur elle.

— Nous ferons donc mieux qu'elle. N'est-ce pas ce que nous avons toujours voulu faire toutes les trois?

Oh! oui. Mais comment faire mieux? Leah ne savait pas si Ginny aurait dû tout abandonner pour rester avec Will. Elle ne savait pas si Ginny aurait été plus heureuse ainsi. Aucune d'entre elles ne le savait. Aucune ne le saurait jamais.

— De quoi as-tu peur? demanda plus doucement Caroline.

— De l'échec, répondit Leah en soupirant.

— Mais si tu l'aimes..., commença Annette.

Leah lui lança un regard pitoyable.

— L'amour a bien marché pour toi. Pas toujours pour moi.

— Si ça ne marche pas, tant pis. Tu auras essayé au moins.

— Si ça ne marche pas, je vais être anéantie.

— Parce que tu l'aimes tellement.

— Parce que je l'aime si étrangement. C'est différent de tout ce que j'ai ressenti jusqu'à maintenant. Ça me fait terriblement peur.

— Parce que c'est une passion trop dévorante?

— Parce que ça te semble irréel?

— Parce que le désir est de plus en plus fort, dit Leah. Plus il est satisfait, plus il augmente. Comment est-ce que ça va finir? Qu'est-ce que je suis censée faire? J'ai ma vie. Je ne peux pas tout abandonner.

Annette poussa un léger cri plaintif.

— C'est précisément ce que maman a dit autrefois.

Caroline s'enfonça dans le canapé.

— C'est la hantise du tout ou rien. On dirait bien que c'est un trait de famille. Mais bonté divine! est-ce nécessaire? Faut-il que je sois la meilleure avocate au monde et rien d'autre? Faut-il que tu sois épouse et mère de la même façon, Annette? Faut-il que ce soit Washington ou le Maine, Leah? Pourquoi pas un peu des deux?

— Parce qu'un peu n'est pas assez! s'écria Leah.

— D'accord. Pourquoi pas beaucoup des deux?

— Parce que je serais incapable de me partager entre les deux.

— Qu'en sais-tu ?

— Je le sais.

— As-tu déjà essayé ?

— Comment l'aurais-je pu ? Je n'ai jamais rencontré personne comme Jesse avant.

— Il représente tout ce que tu as toujours voulu, dit Annette. Tu ne peux pas laisser passer ça.

Leah éclata d'un grand rire perçant, un peu hystérique.

— Qu'est-ce que je peux faire pour ne pas le perdre ?

— Tu as peur de l'échec.

— C'est justement ce que je viens de dire ! s'exclama-t-elle en s'extirpant du canapé dans un sursaut d'énergie.

— Leah !

— Ne pars pas.

— J'ai besoin de prendre de l'air.

Elle se rendit compte que ses sœurs la suivaient et hâta le pas.

— Il faut en parler, Leah.

— Nous voulons t'aider.

Elle se retourna brusquement et leva la main. Elles arrêtèrent net.

— Je vous en prie, dit-elle doucement. J'ai besoin de réfléchir.

Elles restèrent sur place et acquiescèrent à regret.

— Merci, murmura-t-elle avant de sortir.

Les yeux baissés, elle traversa la terrasse, contourna la piscine et se dirigea vers l'avant de la maison. Elle n'avait pas de but précis. Elle avançait d'instinct dans un univers qu'une brume tiède rendait surréaliste.

Elle traversa la pelouse d'un pas décidé, marchant pieds nus au rythme de l'appel de la corne de brume de Houkabee.

Je l'aime.

Mais j'ai ma vie à Washington. Elle est bien organisée. J'y suis à l'aise.

Je pourrais faire la cuisine ici. Je pourrais faire du jardinage. Je pourrais tricoter des chandails pour Jesse.

Je ne sais pas tricoter.

Je pourrais apprendre, mais je serais peut-être complètement nulle, et Jesse serait désappointé.

Je ne voudrais pas le désappointer. Lui faire perdre ses illusions. Lui faire défaut.

Mais je l'aime.

Elle se mit à courir. Elle ralentit un instant sur le gravier de l'allée. Dès qu'elle se retrouva sur la pelouse, elle repartit de plus belle. Laissant la maison derrière elle, elle traversa les bosquets d'arbustes, les plates-bandes de fleurs, le jardin de bruyères et les massifs d'églantines. Elle avança jusqu'au bord de la falaise et s'arrêta sur les rochers pour reprendre son souffle.

Il y avait un épais brouillard. Elle ne voyait rien. Le monde extérieur était aussi opaque et insondable que son propre monde intérieur.

Dans un dernier sursaut d'énergie, elle repartit vers le bois. Elle trouva le sentier et le suivit, d'un pas régulier et énergique, foulant les aiguilles de pin et les racines. Quand elle atteignit enfin la clairière, elle s'arrêta en titubant. La gorge serrée, elle ne pensait à rien d'autre qu'aux fleurs sauvages, plus belles que jamais dans la brume. Elle fit un autre pas chancelant, puis un autre. Noyée dans une mer de bleu, de blanc et de jaune, elle se laissa enfin tomber à genoux et s'assit sur ses talons. Elle posa les mains sur le sol et aspira de grandes bouffées d'air.

Elle retrouva peu à peu son souffle et les battements de son cœur ralentirent. Elle était complètement vidée et éreintée. Elle se laissa alors tomber sur le côté, sans se préoccuper de l'humidité du sol, et s'allongea sur le dos parmi les fleurs sauvages. Elle ferma les yeux. Le monde autour d'elle embaumait le musc de terre humide et les mauvaises herbes. Elle se laissa envahir par ce parfum qui semblait tisser un cocon protecteur autour des pensées contradictoires qui l'assaillaient. Elle s'endormit.

Le temps était chaud et humide à Washington. Debout dans la canicule, Leah dut attendre vingt minutes avant d'obtenir un taxi. Elle portait des vêtements de ville, une jupe qui lui sanglait la taille et des souliers qui faisaient porter tout son poids sur la plante de ses pieds. Le taxi n'était pas climatisé, et la présence d'un cortège présidentiel bloquait complètement la circulation sur le Arlington Memorial Bridge.

Quand elle arriva chez elle, l'air y était suffocant. Le climatiseur s'était détraqué en son absence. Elle appela la compagnie qui assurait le service de réparation, mais les employés étaient tous en tournée. On lui promit que quelqu'un passerait le lendemain.

Résignée, elle trouva un bref répit sous la douche. Quand elle voulut mettre du fond de teint sur son visage humide malgré l'essuyage, ce fut un gâchis. Elle n'eut pas plus de succès avec ses cheveux. Ils frisaient désespérément. Elle les tira vers l'arrière, les noua et les fixa avec des pinces, mais des mèches s'échappèrent et frisottèrent. Elle les mouilla et les lissa de nouveau. Elles se remirent aussitôt à frisotter. Elle vaporisa du fixatif. Les mèches restèrent en place. Pendant cinq minutes. Puis se remirent à frisotter.

Elle se regarda dans le miroir d'un air désespéré. Il n'était pas question que la présidente du gala de la Société du cancer aille où que ce soit dans cet état.

Elle mit donc des lunettes noires et un chapeau de paille à large bord et prit un taxi jusqu'au salon de coiffure où il faisait délicieusement frais. Son coiffeur lui fit d'abord un brushing pour lui lisser les cheveux. Sans crier gare, il coupa ensuite aux ciseaux les longues mèches flottantes du devant et tailla une frange avant même qu'elle ait eu le temps de réagir.

Elle en fut horripilée. Consternée, elle pensa se remonter le moral en se faisant maquiller, mais le virtuose de la palette lui mit du rouge sur les joues et du jaune sur les paupières. C'était horrible. Leah ne mettait jamais du rouge sur ses joues. Du rose pâle ou du bronze peut-être, mais rien d'aussi cru que du rouge. Comme ses cheveux étaient déjà jaune pâle, il fallait un contraste sur ses paupières, du lilas fumé ou du gris de préférence. Avec du jaune, elle semblait avoir la jaunisse.

Elle ne se plaignit pourtant pas. S'il fallait qu'elle pique une crise de colère, tout le monde le saurait. Les cancans se répandaient comme une traînée de poudre dans une ville aussi potinière que Washington, et ça pouvait vous être fatal. Il arrivait qu'on perde sa cote pour bien moins qu'une crise de colère.

La cote de Leah n'était cependant pas très élevée. Moyenne plutôt. Elle n'avait même jamais été reçue à la Maison-Blanche.

Elle se sentait laide, déprimée et socialement rejetée. Elle s'enferma dans la cabine téléphonique, déposa une pièce de monnaie et composa le numéro de Susie MacMillan.

— La résidence des MacMillan.

— Puis-je parler à Mme MacMillan, s'il vous plaît?

— Je regrette. Mme MacMillan n'est pas là.

— C'est Leah St. Clair. Je croyais qu'elle revenait de vacances hier.

— Elle est revenue. Mais elle a été invitée avec l'ambassadeur à passer le week-end sur le yacht des Dunkirk. Ils ne seront pas de retour avant lundi.

Leah déposa une autre pièce de monnaie et composa le numéro de Jill Prince.

— Jill, c'est Leah. Je viens juste de rentrer en ville et je suis littéralement en train de griller dans cette chaleur. Je pensais me rafraîchir en allant dîner à l'Occidental. Veux-tu m'y retrouver?

— Je suis désolée, Leah, mais je ne peux pas. Nous attendons un tas de gens. Une réception organisée à la dernière minute, juste à notre retour du Québec. Je t'aurais bien offert de te joindre à nous, mais la table est déjà mise, les places sont assignées et il y a un nombre pair de convives. Tu sais ce que c'est.

— Bien sûr. Pas de problème. On se verra une autre fois.

En plus de se trouver laide, déprimée et socialement rejetée, elle ressentait maintenant cruellement sa situation de célibataire. Elle déposa encore une autre pièce de monnaie. Cette fois elle appela Monica Savins. Monica était divorcée. Il ne serait pas question de nombre pair.

— Allô! Monica, comment ça va? demanda-t-elle.

— Leah? Mon Dieu! Leah, tu es la seule personne au monde à laquelle je voulais absolument parler. Je ne peux pas croire que tu es rentrée en ville. C'est une coïncidence extra-ordinaire! Absolument imprévue. Il faut que tu me rendes service, Leah. Je suis dans un terrible pétrin pour ce soir. J'avais pris un rendez-vous avec David. Tu connais David, il travaille au ministère de la Justice. Mais j'ai reçu un appel de Michael. Tu ne connais pas Michael, il fait partie de l'Administration. Il m'a invitée à la Maison-Blanche. Pour quelque chose d'intime. Le président, sa femme, Michael et moi... et quelques autres personnes. Je ne peux pas laisser passer ça. Penses-y, la Maison-Blanche. Le problème, c'est que David s'attend à ce que je l'accompagne à un dîner à l'ambassade de Bolivie. Il sera furieux s'il doit y aller seul. Tu le connais, Leah. Pourrais-tu y aller avec lui?

Leah le connaissait très bien. Elle savait qu'il faisait de l'embonpoint, qu'il ne parlait de rien d'autre que de la justice, qu'il transpirait trop et qu'il fumait le cigare.

— Zut! Monica, je ne peux pas. J'ai d'autres projets. Donna Huntington pourrait peut-être te dépanner.

Elle déposa une dernière pièce de monnaie et plaça un dernier appel.

— Allô! Ellen. J'ai besoin de ton aide.

— Non, Leah, ce n'est pas vrai. Tu sais très bien ce que tu dois faire.

— Oui, je sais. Je dois prendre du recul et jeter un regard objectif sur ma vie, mais rien ne m'a préparée à ce qui m'arrive avec Jesse. Il ne ressemble à aucun autre homme que j'ai connu.

— Il était à peu près temps! Tu as eu affaire à des salauds, Leah.

— Ce n'étaient pas des salauds.

— Comment les qualifierais-tu ?

— D'immatures.

— De quoi d'autre ?

— D'égoïstes.

— Essaie encore.

— De salauds.

— Et pourquoi les avais-tu choisis alors ?

— Je ne sais pas.

— Bien sûr que tu le sais. Tu voulais tellement être amoureuse que tu as agi sans réfléchir. Tu as écouté ton cœur alors que ton cerveau était dans les vapes. S'il avait fait son travail, il t'aurait dit de prendre le temps d'y penser avant d'épouser l'un ou l'autre de ces types, mais tu trouvais tout cela tellement romantique que tu avais peur de tout perdre.

— J'ai peur maintenant aussi.

— C'est normal. Tu te prépares à faire un grand pas. Seulement cette fois-ci ton cerveau dit la même chose que ton cœur. Fais-le, Leah. Je ne peux pas le faire à ta place. C'est toi qui es au volant.

— Mais je suis un chauffeur minable.

Ellen soupira.

— Je n'ai pas le temps d'en discuter maintenant, Leah. J'ai des patients qui ont vraiment besoin de moi. Pas toi.

Leah entendit presque aussitôt le déclic : Ellen avait raccroché. Se sentant abandonnée, elle raccrocha à son tour, mit son sac à main en bandoulière et partit à pied par les rues de la ville. Ses cheveux se remirent aussitôt à friser et son maquillage à couler. Il n'y avait pas de taxi dans Connecticut Avenue, alors elle continua à marcher jusqu'à Dupont Circle. Elle y trouva un taxi et, comme elle était trempée de sueur, elle se rendit directement à la maison et retourna sous la douche.

Enveloppée dans une serviette de bain, elle se blottit dans l'ombre de son appartement, plus esseulée et solitaire que jamais. La sonnette de la porte résonna. Avec une folle poussée d'espoir, elle dévala les marches de l'escalier et jeta un coup d'œil par le judas, mais l'odeur qui s'insinuait sous la porte ne lui laissa aucun doute. Elle ne fut pas surprise de voir un visage bouffi, luisant de sueur, et un cigare.

Elle se laissa glisser le long de la porte, serra ses genoux contre sa poitrine et, en dépit de la chaleur étouffante, se mit à frissonner.

Ce n'était pas la chaleur qu'elle sentait, mais le froid. Pas vraiment le froid, mais la fraîcheur, sur ses bras et ses pieds qui étaient nus. Elle était couchée sur le côté, l'oreille posée sur quelque chose de plus moelleux que le plancher de marbre de son hall. En ouvrant les yeux, elle vit de hautes herbes et des fleurs. Des fleurs sauvages. Le champ.

Elle ressentit un grand soulagement. Elle n'était pas à Washington, mais à Downlee. Pas de chaleur, mais de la brume. Pas de rues embouteillées, mais des sentiers jonchés d'aiguilles de pin. Pas de ronds-points encombrés de marginaux et de sans-abri, mais un grand champ débordant de plantes. Pas David, mais Jesse.

Jesse.

Elle s'assit et repoussa vers l'arrière ses cheveux emmêlés. Ils bouclaient furieusement. Ses longues vagues blondes, sans frange, étaient à son image et à celle de Star's End.

Ces boucles étaient tout à fait naturelles et elles lui allaient vraiment très bien. Elle ne comprenait pas pourquoi elle avait essayé de les discipliner tout ce temps. Elle ne pouvait trouver aucune raison valable.

Elle rejeta la tête en arrière et remplit ses poumons de l'air humide du champ. Il était frais et limpide, évocateur, substantiel et apaisant. En redressant la tête, elle le vit tout à coup. Jesse. Assis à une dizaine de mètres d'elle, la tête et le torse émergeant des fleurs, il la regardait.

Elle se mit à avancer sur les genoux, fendant les touffes de fleurs, sans le quitter des yeux. Arrivée près de lui, elle continua d'avancer et entoura le corps de Jesse de ses bras et de ses jambes.

Il la serra dans ses bras.

— Je me demande pourquoi je me suis tant torturée, murmura-t-elle. C'est ici que je veux être, pas là-bas.

— Mais tu as ta vie là-bas, répliqua-t-il comme elle l'avait fait si souvent elle-même.

— C'est la vie que j'ai fini par mener parce que je n'avais rien d'autre et que je m'y sentais en sécurité, mais ce n'est pas celle que je veux.

Elle se rappelait tous les détails déprimants de son rêve. C'était vrai qu'elle aimait Washington. Mais pourrait-elle encore y vivre ? En sachant que Jesse était ici ?

— J'avais de la difficulté à croire que ce que nous vivions ensemble était bien réel. C'était trop bon, trop fort.

— C'est encore comme ça.

— Je sais. Et, réel ou non, c'est ce que je veux.

Elle se rendit compte que ses membres entouraient Jesse solidement sans être crispés. Comme toujours avec Jesse, elle se sentait bien.

— Downlee est un village à l'esprit de clocher, la prévint-il.

— Pas tout à fait. Juste un peu. Mais ça ne fait rien. Je me sens bien ici.

Même si tout le monde était au courant des affaires de tout le monde, il y avait quelque chose de rassurant dans l'intimité que cela suggérait et dans l'intérêt que les gens vous manifestaient. Personne ne s'intéressait à vous à Washington, pas comme elle l'aurait souhaité en tout cas. Le commérage y était mesquin. Ici, c'était un lien très fin qui unissait les gens du village.

— Tu vas peut-être t'ennuyer.

— Dans un endroit où on vend des cafetières à cappuccino ? J'ai dix fois plus de choses à faire ici qu'à Washington, dit-elle en constatant que c'était bien vrai.

Elle recula pour le regarder, pour se repaître de son beau visage taillé à coups de serpe et pour se noyer dans ses yeux qui évoquaient le passé et l'avenir, le soleil et la brume, et les vagues qui explosaient en milliers de gouttelettes scintillantes. Elle sut qu'elle avait raison.

— Je ne m'ennuierai pas. Je ne m'ennuierai jamais.

Elle passa le bout de ses doigts sur ses joues, son menton et sa bouche. Et elle sourit.

22

Wendell Coombs vint s'asseoir à l'extrémité gauche du long banc de bois, la mine renfrognée. Il avait mal aux os. Ce n'était pas une bonne journée. La semaine et le mois ne l'avaient pas été non plus. Wendell n'aimait pas du tout ce qui se passait à Downlee.

Il posa sa tasse sur son genou avec un grognement maussade. Cette tasse contenait du jus de légumes. Il avait abandonné le café.

— Clarence, marmonna-t-il en jetant un coup d'œil vers l'extrémité droite du banc.

Clarence le salua.

— Wendell.

— Y va faire ben humide.

— Ouais.

Wendell leva sa tasse, la porta à sa bouche, puis la reposa sans boire. Ce n'était pas du jus de légumes qu'il aurait voulu. C'était du café, mais pas de ces trucs extravagants qu'on servait au magasin général. Du vrai café, comme celui que faisait Mavis avant de fermer son restaurant et de déménager à Bangor. Dans une communauté de retraités. Il aurait mieux aimé être pendu que de se retrouver dans un endroit semblable. Ça n'était pourtant pas beaucoup mieux de rester à Downlee où tout s'en allait à vau-l'eau. Chaque jour, de nouvelles affaires remplaçaient les anciennes.

— Sais-tu la nouvelle ? demanda-t-il à Clarence.

— Ça dépend laquelle.

— Elles vont pas vendre Star's End.

Wendell en restait consterné.

— Ouais.

— Comment ça s'fait qu'tu l'sais ? dit-il en regardant Clarence de travers.

— J'y ai bien pensé.

— C't'une folie, si tu veux savoir. C't'un endroit affreux.

Ça l'avait déjà été, mais les St. Clair avaient bien arrangé le domaine. C'est ce que Clarence pensait en tout cas. Et June aussi. Et Gus, et Cal, et Edie.

— Avec tout c'bois blanc et c'te vitre, marmonna Wendell. Des tapis chic. Des nourritures bizarres.

— T'étais pas obligé d'aller voir.

— Ouais, sûr. Fallait qu'j'aille présenter mes respects comme tout l'monde.

Clarence tira sur sa pipe vide. Il prit sa blague à tabac dans sa poche.

— Mon frère Barney, y dit qu'les funérailles ont coûté plus de dix mille dollars, déclara Wendell.

— Non.

— Ouais, sûr. Surtout pour payer l'père pour qu'y dise queq'chose de gentil.

— L'père s'fait pas payer. On donne c'qu'on veut.

— Et l'plus qu'on donne, l'plus qu'y dit des belles choses. Y a p'têt' reçu les dix mille, mais j'ai quand même pas cru tout c'qu'y a dit, ajouta-t-il en aboyant. *Une bienveillante philanthrope*, tu parles ! C'était une grippe-sou. Comme tous les riches. À part ça, j'aime pas c'qu'elle a fait à Star's End. J'trouve ça tape-à-l'œil, si tu veux savoir.

Clarence ouvrit sa blague et y plongea sa pipe.

— Ça n'est pas si mal.

— Tu m'en reparleras quand ça fera cinq ans qu'elles seront ici. Quand leurs enfants auront couraillé dans le village tous les étés. Quand la mafia prendra le contrôle de la vente des arbres de Noël à la place des anciens combattants.

Clarence bourra le fourneau de sa pipe, reporta celle-ci à sa bouche et replia sa blague.

— Sa mort est un signe, prévint Wendell. Elle est venue ici, elle avait à peine mis le pied dans c'te maison, et clac ! ç'était fini. Elles devraient vendre. On devrait leur dire. On pense p'têt' qu'on a déjà eu des ennuis, mais on a encore rien vu.

Clarence frotta une allumette.

— Y en a pas beaucoup qui pensent comme toi.

— C'est parce qu'y connaissent pas grand-chose. Y sont pas assez vieux pour ça. Des enfants, pis des artistes. Pis des ordinateurs.

Clarence commençait à en avoir assez d'entendre les sempiternelles histoires de Wendell. Il se demandait parfois s'il ne ferait pas mieux de rester à la maison avec June. Mais elle l'obligerait à faire le lavage et à étendre le linge dehors. Il se dit qu'il aimait mieux endurer Wendell encore un peu.

Il tira sur sa pipe jusqu'à ce que le tabac soit allumé, puis il éteignit l'allumette d'un coup de poignet et souffla une bouffée de fumée que Wendell écarta de la main, l'air furieux.

— As-tu queq'chose à dire ?

— Y a pas d'ordinateurs à Star's End.

— Pas encore.

— T'en es-tu déjà servi ?

Wendell eut l'air horrifié. Clarence, lui, ne l'était pas du tout.

— Howard m'a montré c'que ça pouvait faire. Y'a des nouvelles qui sont pas dans l'journal. Y'a les scores des dernières parties jouées dans l'ouest la veille. Les Red Sox[1] ont perdu.

Wendell grogna. Clarence le toisa.

— J'gage que tu l'savais pas.

— J'aurais pu m'en douter, grommela Wendell.

Clarence tira avec plaisir une profonde bouffée. Il venait tout

---

1. Équipe de base-ball de Boston. (NDT)

juste d'exhaler un large ruban de fumée quand Callie Dalton monta l'escalier. Clarence porta la main à sa casquette.

— 'jour, Callie.

— 'jour, Clarence.

Elle passa à côté d'eux et entra dans le magasin.

— C't'une femme haïssable, bougonna Wendell dans sa barbe.

Clarence n'était pas d'accord. Callie et George jouaient parfois au scrabble avec June et lui. Clarence les aimait bien. Wendell lui lança de nouveau un regard noir.

— J'suppose que t'aimes les St. Clair aussi.

Clarence jeta un coup d'œil sur la rue principale. C'était une matinée tranquille, comme tous les jours à Downlee.

— Moi, pis beaucoup d'autres. Reconnais-le, Wendell. T'es en train de perdre la bataille.

— Juste parce que l'monde comme toi prend le bord de l'ennemi.

— Y'a pas d'ennemi.

— C'est c'que tu penses.

Wendell grogna et tourna le dos à Clarence. Puis il se dit qu'il allait lui couper le sifflet, car Potts, l'embaumeur, était son voisin :

— As-tu entendu parler de sa robe ? demanda-t-il en se retournant vers Clarence.

Celui-ci croisa les jambes.

— Potts dit qu'elle était toute jaune pis rouge, rigola-t-il. Tu te rends compte ? L'enterrer dans queq'chose comme ça ! Une chance que le cercueil était fermé.

Il hocha la tête.

— Pauvre Will.

— Will est mort. Les os y font plus mal.

— Elle aurait pas dû être enterrée là.

— Elle avait l'droit.

— Jesse aurait pas dû laisser faire ça, crachota Wendell.

Jesse. Y va avoir bien du plaisir. Y vont s'marier, lui pis la plus jeune.

— Ouais.

— Comment ça s'fait qu'tu sais ça?

— Voyons, Wendell, tout l'monde sait ça au village.

— Pourquoi est-ce qu'y fait ça? Potts dit qu'c'est pour l'argent. Le chef dit qu'elle est enceinte. Elmira dit qu'c'est par amour, mais elle dit n'importe quoi. Moi j'dis qu'y veut avoir Star's End. C'est c'que j'voudrais si j'étais à sa place.

— Une chance que tu l'es pas, marmonna Clarence d'un ton impatient.

Il en avait vraiment assez d'entendre Wendell émettre ses opinions. Elles étaient presque toujours hargneuses.

— As-tu queq'chose à dire? demanda Wendell.

Clarence retira sa pipe de sa bouche et regarda son acolyte droit dans les yeux.

— Une chance que t'es pas Jesse. Si tu l'étais, c'te fille-là s'rait damnée.

— On va être damnés nous autres aussi. Elle va vivre ici, tu sais. Pis sais-tu c'qu'elle va faire? Organiser des orgies!

Clarence n'en croyait pas ses oreilles.

— Qui t'a dit ça?

— Ma cousine Haskell. Elle vit à Washington. Y font tout l'temps la noce là-bas, dit-il en lui lançant un regard mauvais. On avait vraiment pas besoin d'ça. Des politiciens. Y vont venir ici et parler à tort et à travers. J'vas t'dire queq'chose, Clarence. Elle pis ses amis politiciens, y sont mieux d'y penser à deux fois avant d'envahir le village. On a pas plus besoin des politiciens que d'la mafia. On a pas besoin d'orgies non plus. Et on a pas besoin qu'un gars de chez nous s'marie avec une de leurs filles.

Clarence vit la camionnette de Hackmore Wainwright descendre la rue et tourner vers le quai. Il eut tout à coup envie de se retrouver sur le quai. Il se leva du banc.

— Où est-ce que tu vas? demanda Wendell en fronçant les sourcils.

373

— Sur le quai.

— Pour quoi faire ?

— Pour avoir la sainte paix.

— T'aimes pas c'que j'dis ? Eh bien, vas-y sur le quai. Sais-tu qui est là ? Buck Monaghan est là. Sais-tu c'que Buck Monaghan va dire ? Buck va dire qu'y faudrait qu'on casque pour reconstruire le quai parce qu'autrement les nouveaux bateaux de pêche qu'y va acheter pourront pas accoster. Le fait est qu'le vieux quai est bien correct. L'problème, c'est Buck. Y'a les yeux plus grands qu'la panse. *La technologie électronique de pointe*. Foutaises ! Y'a pas besoin d'nouveaux bateaux. Y trouvera pas les poissons pour les remplir. La mer est en train de s'vider par ici.

— Non.

— Ouais, sûr. S'vider. On devrait mettre tous les bateaux en cale sèche pour un bout de temps, si tu veux savoir.

— Personne t'a rien demandé, dit Clarence en prenant une grande inspiration.

Et, fier de lui, il s'éloigna.

ÉPILOGUE

Je me redresse, je ferme les yeux et je respire profondément l'air piquant de cette matinée de septembre. Il remplit mes poumons et me fait frissonner de plaisir de la tête aux pieds. C'est étonnant. Depuis quatre ans que je suis à Star's End, je devrais bien y être habituée. Pourtant chaque nouvelle journée m'émerveille.

Quatre ans. C'est difficile à croire. Il s'est passé tant de choses. Tout naturellement.

Jesse et moi nous sommes mariés au mois d'août de cette première année. Une cérémonie très simple dans le champ de fleurs sauvages. Caroline et Ben, qui s'étaient mariés discrètement, plus tôt, au cours de ce même été, étaient là, tout comme Annette et Jean-Paul avec leurs enfants, et une poignée des plus proches amis de Jesse.

La mère de Jesse avait décliné notre invitation, et c'est bien compréhensible. Il aurait été difficile pour elle d'être le témoin du mariage de la fille de l'objet de son ressentiment avec son propre fils, et sur les lieux mêmes du crime, si on peut dire. Je l'ai connue depuis. Jesse et moi nous faisons un devoir de lui rendre visite chaque hiver à l'occasion de nos voyages. Tout compte fait, elle a toujours été cordiale envers moi, chaleureuse même. J'aime croire qu'elle a appris à m'apprécier et que, si le mariage avait lieu maintenant, elle y assisterait.

Ce fut une journée magnifique. Après la cérémonie, nous

avons ouvert la maison aux gens du village et nous avons donné une fête à tout casser. Il y eut de la danse sur la pelouse, des vivres et des boissons en abondance et un immense feu de joie sur la falaise. Ce ne fut que la première de bien d'autres fêtes du même genre. Jesse et moi adorons recevoir les gens du village à Star's End. C'est une façon pour nous de les remercier de leur gentillesse.

— Maman ! Regarde, maman !

Le son mélodieux de la voix de Joshie me ramène sur terre. Il court vers moi sur ses jambes robustes de petit garçon de trois ans et me tend une poignée d'asters sauvages.

— Des fleurs violettes ! s'écrie-t-il fièrement.

Je m'agenouille pour prendre son cadeau et je l'enlace en le serrant contre moi.

— Très violettes, dis-je aussi fièrement que lui.

Je lui montre les fleurs de couleur plus claire.

— Et des roses, et des mauves aussi.

— J'aime celle-là, déclare-t-il en tirant une fleur violette du bouquet et en me la mettant sous le nez. Tu la sens ?

— Bien sûr.

À mon tour je lui mets la fleur sous le nez. Il la renifle exagérément, puis l'éloigne et l'examine comme si c'était une pièce de machine compliquée. Je suis moi-même fascinée de le voir faire et j'essaie d'imaginer ce qui se passe dans sa tête.

La maternité m'a prise au dépourvu, au propre comme au figuré. Jesse et moi avions présumé que nous n'aurions pas d'enfant avant un certain temps, mais je suis devenue enceinte peu après notre mariage et je ne l'ai jamais regretté. J'ai aimé être enceinte et j'ai même aimé accoucher. Si je disais cela à mes sœurs, elles se moqueraient de moi pour le reste de mes jours. Et surtout, j'adore être la mère de Joshie. Il a le même caractère doux et égal que son père. Jesse est fou de lui.

Avec un cri de joie, Joshie lance sa poignée de fleurs en l'air. Elles retombent en pluie sur lui. Il part aussitôt à la course le long de la falaise, s'arrête brusquement et s'accroupit. Une minute plus tard, il brandit un ver de terre.

Je déteste les vers de terre. Je déteste tout ce qui rampe, un point c'est tout. Mes sœurs ont toujours pensé que je jardinais avec des gants pour protéger mes ongles. Pas du tout. Même si mes ongles sont maintenant rarement vernis, je porte quand même des gants quand je fouille dans la terre.

— Regarde, maman.

— Je vois, mon chéri.

Ce que je vois, ce sont des petits doigts qui tiennent bien fort quelque chose de visqueux qui me donne la nausée.

— Est-ce que tu fais attention de ne pas lui faire mal ?

— Oui. Regarde. Il bouge.

— Les vers de terre aiment bouger. Ils aiment par-dessus tout bouger dans la terre. En se tortillant, ils l'améliorent. C'est ce que papa dit toujours. Rappelle-toi.

Joshie fait signe que oui.

— Tu ne veux pas le laisser aller ?

Joshie hoche la tête et, en faisant ce geste, il aperçoit tout à coup des pissenlits plus loin sur la falaise. Il laisse tomber le ver de terre et il repart.

Je suis là et je le regarde. Je me dis qu'il ne peut pas y avoir de plus beau spectacle que celui de mon fils – vêtu d'un jean et d'un sweat-shirt semblables aux miens, mais en miniature – agenouillé sur le gazon, soufflant sur le duvet des pissenlits. En arrière-plan, j'aperçois le cap de granit, la mer et le ciel parsemé de nuages. Je me sens comblée à cause, bien sûr, du nouveau bébé que j'attends, mais aussi et surtout parce que toute ma vie me semble harmonieuse.

Je respire de nouveau profondément avec autant de plaisir, et je me dirige vers Joshie. Comme j'arrive près des pissenlits dénudés, il commence à grimper sur un rocher. Il connaît le chemin et m'entraîne un peu à l'intérieur des terres. Nous atteignons une pente herbue, et il se met à courir. Puis il tombe et roule jusqu'en bas, se relève et remonte l'autre versant en rampant. Arrivé au sommet, il s'écroule sur le gazon et me lance un large sourire invitant.

Peux-tu le voir, maman ? J'espère de toutes mes forces qu'elle m'entend. *C'est un merveilleux enfant, tellement gentil qu'il vous fait fondre de tendresse. Jesse retrouve Will en lui. Moi, je retrouve Jesse.*

Après avoir rejoint Joshie au sommet de la pente, je le fais asseoir entre mes genoux et je lui parle à l'oreille pendant que nous regardons les vagues couronnées d'écume.

— Regarde le bateau. Il est beau, n'est-ce pas ?

— Il est comme celui d'oncle Ben.

Ben avait loué un deux-mâts pendant le mois qu'il a passé avec Caroline à Star's End. Nous nous sommes beaucoup amusés, avec Annette et sa famille qui étaient venus se joindre à nous. Ce n'était pas le premier été que nous nous retrouvions tous ensemble. Depuis la mort de Ginny, nous nous faisons un devoir de ne pas nous perdre de vue. Nous passons la fête de l'Action de grâce chez Annette à St. Louis, Noël dans une auberge au nord de Chicago, près de la cabane de Ben, dans les bois, et l'été à Star's End.

Plus ou moins.

Ce n'est pas toujours facile. Les trois aînés d'Annette vont à l'université, l'horaire de Jean-Paul est implacable, et Annette elle-même travaille à temps partiel au département de service social de l'hôpital. Ironiquement, Caroline a plus de facilité à planifier des vacances. Maintenant qu'elle a sa propre clientèle, trois associés en qui elle a confiance et deux assistants sur qui elle peut toujours compter, elle choisit ses causes avec soin.

C'est une bonne chose. Elle et Ben attendent un enfant pour le mois de décembre. Avec un peu de chance, le bébé naîtra lorsque nous serons tous présents.

Annette et moi l'espérons. Caroline a quarante-quatre ans. S'il y a des complications, nous voudrions être là pour l'aider.

Pourtant, Caroline est une batailleuse. S'il y a une femme qui

378

peut avoir un premier enfant à quarante-quatre ans sans problème, c'est bien elle.

— Où est oncle Ben ? me demande Joshie d'une petite voix triste.

Il me le demande souvent. Ben et lui sont devenus les meilleurs amis du monde l'été passé. La séparation a été difficile pour tous les deux.

— Il est à Chicago avec tante Caroline.

— Je voudrais jouer avec lui.

— Je sais, mon chéri, lui dis-je en le serrant dans mes bras. Tu le pourras bientôt. Tu vas le voir à l'Action de grâce et encore à Noël. Avant même que tu aies eu le temps d'y penser, l'été va arriver et Ben sera de nouveau ici.

— Avec son bateau ?

— Peut-être. Veux-tu cueillir des fleurs ?

J'ai à peine fini de lui poser ma question qu'il s'élance vers les soucis qui poussent à l'intérieur du cimetière. Non loin de là, il y a aussi des aconits, dont le bleu violacé tranche sur l'orange. Ce sont les dernières couleurs que nous aurons jusqu'au printemps, mais cette idée n'est pas déprimante. L'hiver à Star's End n'est pas dépourvu de charme. Évidemment, nous ne sommes pas là pendant la période la plus difficile. Il est quand même bien agréable de se retrouver dans le confort douillet de la maison, autour d'un feu de bois crépitant.

Nous cueillons d'énormes bouquets de fleurs. Joshie connaît aussi ce rituel. D'une voix chantante, il entonne :

— Pour papi Will.

Il dépose des fleurs devant la pierre tombale de Will, puis devant celle de maman.

— Et pour mamie Ginny.

Profondément concentré, il prend toutes les fleurs qui restent dans une seule main et me sourit.

— Pour nous.

Il se concentre de nouveau, choisit un des soucis et, dans un geste qu'il n'a jamais posé auparavant, une pure imitation de Jesse, il s'approche de moi et glisse la fleur dans mes cheveux.

Je perds le souffle, rattrape la fleur que le vent a fait tomber et la fixe plus solidement dans mes cheveux en bataille.

— Pour moi?

Il fait signe que oui, m'entoure de ses petits bras et me serre bien fort, puis s'échappe et part à toute vitesse. Je me dis que j'ai bien de la chance d'avoir un petit garçon comme lui, puis je me ressaisis et je le suis.

Nous nous dirigeons vers la maison, dévalons puis remontons la pente herbue vers l'intérieur des terres. Joshie galope maintenant, du moins il essaie. Il a plutôt l'air de trotter, mais l'essentiel est qu'il soit content. C'est un enfant heureux, surtout quand il sait que son père va bientôt arriver.

Jesse est allé au village pour livrer mes pains et mes muffins à Julia et pour acheter des bulbes d'automne. Joshie et moi l'aurions volontiers accompagné. C'est ce que nous faisons habituellement, à la fois pour être avec Jesse et pour voir nos amis; mais la perspective d'une promenade matinale sur la falaise était trop séduisante pour y résister.

Plus tard, pendant que Jesse plantera ses bulbes et que Joshie fera la sieste, j'irai prendre un café avec Julia. Nous planifions un autre voyage d'espionnage, dans des restaurants des Berkshires[1] cette fois. Pendant que nous serons dans la région, nous prévoyons passer une journée à la station thermale.

Il n'y a pas de meilleure façon de se préparer à une soirée d'espionnage. Pas vrai?

Peu après, Jesse et moi irons à Washington pour signer le contrat de vente de ma maison et pour la vider. Nous n'y sommes vraiment pas assez souvent pour que ça vaille la peine de la garder, surtout qu'il y a beaucoup de bons hôtels tout près. Nous aimons la ville, mais je n'y suis plus attachée comme avant. J'ai

---

1. Région de villégiature des Appalaches située dans l'ouest du Massachusetts. (NDT)

pris racine à Downlee. Je ne peux plus imaginer d'autre chez-moi.

Jesse non plus, bien sûr. C'est toujours lui le jardinier et, même s'il engage d'autres personnes pour exécuter les corvées les plus dures, il supervise tout le travail. Star's End est, à raison, une source de satisfaction personnelle pour lui. C'est un endroit de rêve qui ne cesse d'embellir.

Tout comme ma vie. C'est ce que je me dis en regardant Joshie gravir un rocher et repartir en courant. Il me semble toujours que tout va tellement bien que ça ne peut pas aller mieux. Mais les choses s'améliorent toujours. Tantôt, c'est une averse qui lance un arc-en-ciel spectaculaire au-dessus de Star's End. Ou alors Joshie qui met une fleur dans mes cheveux. Ou encore Jesse qui me regarde d'une façon qui m'émeut plus que jamais.

Je repense à la vie que je menais avant de le connaître. Elle était faite de raffinement, mais vide et morne. Et moi qui me torturais à l'idée de la quitter !

J'étais bien folle.

Pas si folle que ça pourtant. J'ai fini par faire le bon choix.

Le dernier jour que nous avons passé ensemble, maman a dit qu'elle n'avait pas regretté sa décision. Il ne se passe pourtant pas un jour sans que je me réjouisse d'avoir pris une décision différente de la sienne. Je connais un amour semblable à celui qu'elle a vécu si brièvement, et il ne cesse de croître.

Devant moi, Joshie accélère. Dans son excitation, ses jambes l'abandonnent parfois et il trébuche. Mais il se relève alors aussitôt et repart de plus belle. Ce n'est pas étonnant. Il vient d'apercevoir Jesse.

Je m'arrête pour les regarder. Joshie se précipite sur Jesse qui l'attrape en le serrant dans ses bras. Ils se regardent et se disent quelque chose. Puis, Joshie perché sur les épaules de Jesse, ils se dirigent vers moi.

Ils forment un si beau tableau, le père et le fils, que je reste immobile à le contempler. Et la seule approche du père lui-même me fait encore vibrer intérieurement, même après quatre ans de vie commune. Incroyable.

— Hello, dit-il en me rejoignant.

Tout aussi incroyablement, je reste sans voix. Avec ses émouvants yeux bruns, sa peau hâlée, ses longues jambes, sa démarche souple et même les mèches que Joshie a soulevées en s'accrochant à ses cheveux, il a toujours la même beauté un peu rude. Il est terriblement viril. Je crois que je ne m'y habituerai jamais.

Il le sait et me sourit.

— As-tu fait une bonne promenade ?

Je fais signe que oui.

— As-tu trouvé tes bulbes ?

— Ouais. Julia te remercie pour les douceurs. Elle dit aussi qu'elle a pris des renseignements sur les enrobages d'algues.

Les yeux brillants, il me demande :

— Voulez-vous lancer une nouvelle affaire ?

Il sait pertinemment que ce n'est pas le cas, mais je n'ai pas l'intention de le démentir. Je souris.

— Ça se pourrait.

Il passe son bras autour de mes épaules et nous marchons côte à côte.

— As-tu des nausées ? me demande-t-il.

— Non. Le petit déjeuner m'a aidée.

— Penses-tu que c'est une fille ?

Je lui souris en haussant les épaules.

— Ça se pourrait. Ou peut-être...

Nous nous rapprochons l'un de l'autre. Tous mes sens sont aiguisés. J'entends les goélands, les vagues, le vent. Je hume l'odeur iodée de la mer, l'odeur piquante des pins, la mâle odeur du musc. Je sens la fraîcheur de septembre et la chaleur de Jesse. Et plus encore. Une flamme. Ni tangible ni extérieure, mais bien présente et qui nous entraîne vers la maison.

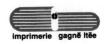

imprimerie gagné ltée

IMPRIMÉ AU CANADA